D1545186

ZÉRO SUCRE

Zéro sucre
se prolonge sur les sites www.arenes.fr
et blog.elle.fr/zero-sucre

© Éditions des Arènes, Paris, 2015
Tous droits réservés pour tous pays

Éditions des Arènes
27, rue Jacob, 75006 Paris
Tél. : 01 42 17 47 80
arenes@arenes.fr

DANIÈLE GERKENS

ZÉRO SUCRE

Mon année sans sucre

Comment s'en libérer

Enquête, témoignage et conseils pratiques

LES ARÈNES

À Michel et Ursula, mes parents, sans qui je ne serais pas moi.
À Éric, qui m'a aidée à ouvrir les ailes et m'aide à voler.
À Rose, mon soleil du matin et mon étoile du soir.
À Catherine, pour ses éclats de rire et de vie.

Janvier

Chapitre I
Le sucre et moi

À Kinshasa, les Noëls de mon enfance avaient le parfum du chlore et de la pâtisserie. Sous un ciel d'«hiver» tropical invariablement bleu et dans une chaleur étouffante, nous préparions les fêtes après avoir plongé des après-midi durant dans la piscine. Dès la fin du mois de novembre, ma mère entreprenait de préparer des gâteaux de Noël, une vieille tradition suisse. Tout commençait par les sablés légèrement citronnés façonnés à la main à l'aide de multiples petits moules. La pâte préparée était immédiatement glissée au réfrigérateur pour ne pas «fondre». Petit à petit, ma mère étalait la pâte au rouleau et nous y posions nos multiples formes. Étoile, sapin, lune, ours garnissaient progressivement les plaques beurrées, avant d'être dorés au jaune d'œuf. Après cuisson, ils étaient soigneusement rangés un à un dans de grandes boîtes en métal. Suivaient les sablés chocolat-vanille, les bretzels glacés au citron, les macarons à la noisette, les pavés aux fruits confits hachés, les florentins... Quatre semaines durant, elle s'activait en cuisine, la maison tout entière baignant dans cette odeur suave, annonciatrice de bonheurs exquis. Mon moment préféré était celui, magique, au cours duquel je pouvais, seule, réaliser mes propres gâteaux de Noël : des rochers à la noix de coco. L'Himalaya de la cuisine à 5 ans ! M'appliquant, je mélangeais la noix de coco râpée et le lait concentré sucré jusqu'à obtenir une consistance épaisse. Puis, je montais les rochers à l'aide de deux petites cuillères. Noël rimait aussi avec les chocolats reçus pour la Saint-Nicolas que nous rangions promptement dans le congélateur (à chaque enfant son espace surgelé), à l'abri des fourmis voraces. Il y avait également le calendrier de l'Avent rempli, sachet après sachet, par ma mère toujours, regorgeant de surprises faites maison. Et, enfin, la brioche maison dégustée le 24 décembre au matin, encore tiède, fondant sous une couche supplémentaire de beurre...

Dans l'arrière-cuisine, de grosses boîtes en métal de 5 kg encombraient les étagères, accueillant la farine, préalablement laissée quelques jours au congélateur (afin de tuer les charançons) et tamisée (pour éliminer leurs cadavres), le sucre de canne ultra-parfumé venu de la plantation de Kwilu-Ngongo dans le Bas-Zaïre, le lait en poudre Nido et les fameux gâteaux. Il fallait attendre le 24 décembre au soir, après la messe de Noël, pour commencer à les déguster, au pied du « sapin », un résineux que nous étions allés couper en famille dans une plantation. Bien entendu, tout en moi se rebellait à l'idée de respecter ce sacro-saint principe familial. Résultat, j'allais à pas de loup prélever quelques biscuits de-ci, de-là, certaine que ces rapines ne se verraient pas... Erreur ! Il suffisait généralement d'une semaine ou deux pour que ma mère s'avise de ce pillage et m'enjoigne d'attendre, comme les autres.

Noël se rattachera toujours pour moi à la pâtisserie de ma mère. Tout comme les goûters de mon enfance resteront synonymes de pain plat arabe tartiné de beurre, saupoudré de sucre de canne, roulé et mangé comme une crêpe. À chacun de mes anniversaires, je réclamais LE gâteau incontournable, une Sachertorte, gâteau au chocolat fourré de confiture de framboise et couvert de chocolat. Lorsqu'on me demandait quelle était ma sortie préférée, je répondais « manger une Dame blanche (deux boules de glace vanille surmontées de chantilly et noyées dans le chocolat noir fondu) au Kilimandjaro », un salon de thé de Kinshasa. Je vois encore le chocolat couler sur la chantilly et la glace vanille, le tout fondant en bouche en une symphonie d'amertume et de douceur. J'adorais également les sucettes à l'eau fabriquées à base de Coca-Cola, les bananes chaudes beurre-sucre, les crêpes épaisses à la cassonade qui faisaient office de dîner certains soirs, le muesli maison, le miel de savane presque noir à la saveur forte apporté dans l'arrière-cuisine par les cueilleurs...

Autre souvenir particulièrement fort, les douceurs proposées par les « mamas » devant l'école. Le lycée Prince-de-Liège, notre école à Kinshasa, était situé le long d'une « rivière », la Gombe, qui tenait plutôt de l'égout à ciel ouvert. Tout le long de ce cours d'eau sale et gris s'étageaient de petits champs de manioc où des femmes binaient et travaillaient jour après jour. Les moins bons élèves étaient d'ailleurs menacés de finir dans ces champs... Sur le petit pont piéton qui nous permettait de franchir la Gombe pour accéder à l'école, c'était la cohue à 13 heures, lorsque les cours finissaient. De part et d'autre du pont, des mamas habillées de boubous aux couleurs vives, accroupies, proposaient leurs douceurs disposées dans de grandes bassines émaillées. Petits beignets sucrés et frits, épis de maïs bouillis (à l'eau de la Gombe d'après les rumeurs) ou grillés, bonbons et chiclets (le nom local des chewing-gums)... Mes préférés étaient les galettes de caca-huètes au caramel que je m'offrais de temps en temps pour quelques zaïres, la monnaie locale. Emballées dans du papier journal, je les croquais vite, avant que ma mère n'arrive, qui détestait nous voir manger ainsi juste avant le déjeuner, et s'inquiétait des ingrédients et de l'hygiène de ces produits.

À Pâques, nous recevions quelques œufs en chocolat. Leur découverte virait pour moi à l'extase. Gourmande, inca-pable de gérer ce stock de friandises, je le dévorais en règle générale en quelques jours. Ma sœur aînée, Isabelle, faisait tout le contraire. Capable de « gérer » ses chocolats, elle n'en prélevait que parcimonieusement dans le congélateur. Résultat, je pillais bien évidemment sa réserve. Culpabilité et convoitise luttaient en moi tandis que je me glissais dans la cuisine, guettant un moment de solitude. Je sens encore le froid qui me saisissait en ouvrant la porte, fouillant dans son sac de douceurs. Contrastant avec la chaleur et l'humidité ambiantes, ce shoot sucré et glacé fondant lentement dans ma bouche avait des airs de paradis.

Autant de souvenirs qui se télescopent, laissant peut-être croire un instant que ma vie n'était faite que de sucré !
Pourtant, c'était tout le contraire.
De ces années d'enfance à Kinshasa, je me remémore une ville gigantesque, poussiéreuse et brutale. Vivante également, vibrante même. Une ville où l'adrénaline et l'indolence for-maient un curieux cocktail, aussi trompeur que ravageur. Une ville dotée de peu de magasins, et d'aucune grande surface. À la fin des années 1970 et au début des années 1980, on y trouvait (presque) tout, à condition de pouvoir payer le prix fort compte tenu d'une monnaie faible. Pour régler les

sommes nécessaires aux courses hebdomadaires, ma mère prenait parfois avec elle un sac de voyage de petites coupures lorsque l'inflation flambait. Ces billets étaient généralement tellement sales que la Suissesse en elle se révoltait ! Elle enfournait alors des poignées de monnaie dans le lave-linge avant de les faire sécher, suspendues au soleil sur un fil. L'expérience des pénuries au début de leur séjour au Zaïre, à la fin des années 1970, avait rendu mes parents prudents. Nous avions en permanence une quinzaine de kilos de farine en stock, afin de pouvoir faire le pain maison en cas de besoin. Les réserves de sucre, sel, huile, pâtes, riz côtoyaient dans le cellier les dizaines de bougies, les boîtes d'allumettes, le papier toilette et les « sardines de secours »... Les produits frais, quant à eux, nécessitaient des achats plusieurs fois par semaine chez le marchand de légumes, le boucher ou le boulanger. Entre amis, on s'informait même des arrivages chez l'un ou l'autre des commerçants.

L'Afrique des années 1980, c'était le continent de la débrouille et de la prévoyance, bien loin d'une capitale qui accueille aujourd'hui supermarchés et franchises Zara. Nos étés en Europe nous permettaient, certes, de voir rapidement nos familles en Belgique et en Suisse, mais se déroulaient surtout comme un compte à rebours avant le décollage. D'ici là, il fallait rassembler tout ce dont nous aurions besoin au cours des dix mois suivants. Cahiers, livres de classe, feutres, dictionnaires, scotch, cartouches d'encre, vêtements, sacs de couchage, shampooings, médicaments, produits ménagers, épices, gousses de vanille, cubes de bouillon et sauces s'entassaient dans la pièce dédiée aux bagages. Les multiples malles se remplissaient, tout comme les valises en aluminium (légères et solides). Le jour du départ, le tout représentait plus de 200 kg, parmi lesquels une vingtaine de kilos de tablettes de chocolat, soigneusement congelées, qui, au terme d'une vingtaine d'heures de voyage, rejoignaient le congélateur des antipodes. Notre réserve de douceurs pour l'année à venir...

Au quotidien, manger se conjuguait avec cuisiner. La plupart des familles expatriées avaient un cuisinier qui réalisait plus ou moins bien ce que madame, « la Patronne », commandait. Chez nous, ma mère veillait sur les repas. De ses origines zurichoises venaient certaines spécialités, comme la rösti, les gâteaux de Noël ou les spätzli. S'y ajoutaient les multiples influences collectées au fil du temps, de ses années d'études à Pérouse en Italie ou à Londres, à sa vie en Tunisie au début des années 1970... De son début de carrière en Malaisie et en Thaïlande, mon père avait, lui, conservé le goût du riz, des épices et du thé vert chaud bu le midi. Enfants, nous passions donc d'un couscous à une raclette, d'un irish stew à un curry avec naturel. Sensible à la diététique et à l'équilibre alimentaire, ma mère concevait des menus qui raviraient les nutritionnistes contemporains ! Chaque jour, au retour de l'école qui ne comptait pas de cantine, nous débutions par des crudités, poursuivions par une viande ou un poisson accompagné de légumes et de féculents, et finissions par des fruits frais. J'ai d'ailleurs un souvenir épouvanté de la papaye locale, fruit que je détestais tant que je suis allée jusqu'à soudoyer mon petit frère pour qu'il la mange à ma place. Les douceurs étaient rares. Une barre de chocolat et un morceau de pain à l'heure du goûter, un dessert maison de temps en temps, un gâteau à l'occasion d'un anniversaire... Du plaisir certes, mais à doses homéopathiques !

Obsédée par la cuisine depuis mon plus jeune âge, j'ai observé ma mère avant de mettre en pratique mon savoir-faire embryonnaire. Mon premier plat fétiche ? Les œufs brouillés que je réalisais à l'âge de 5 ans avec une concentration extrême, juchée sur un tabouret tiré devant notre vieille cuisinière électrique. Au bout de quelques jours, ma mère s'est inquiétée de cette passion aux allures de névrose. « Comme nous n'allons pas manger d'œufs brouillés tous les jours, nous allons élargir ton répertoire de recettes », m'a-t-elle expliqué. En la regardant et en l'aidant, j'ai, petit à petit, appris à éplucher, émincer, hacher, préparer, cuire, sauter, braiser... Régulièrement, je me plongeais avec elle dans ses multiples livres de cuisine, ses fiches de recettes et ses magazines. Je l'accompagnais également faire les courses, m'imprégnant inconsciemment de son savoir-faire.

L'une de mes expériences favorites était les camps scouts auxquels nous participions à Kinshasa deux fois par an. Réflexion et élaboration des menus, vérification des recettes, choix des ingrédients, tests sur la cuisinière familiale, cela m'occupait durant plusieurs semaines. Le jour J, je glissais herbes de Provence, fruits au sirop et cacao en poudre dans mon sac. Booster ma popularité en visant l'estomac était ma spécialité. À défaut de se battre pour mon amitié, on espérait s'asseoir à la table de ma patrouille. Au fil des années, je me souviens de pâtes jambon-fromage pour quarante cuites au feu de bois aux chutes de la Lukaya, d'un agneau rôti sur un lit de braises (le makala local) lors d'un camp dans la plantation de canne à sucre de Kwilu-Ngongo, ou d'un risotto réalisé sur une plage au bord du fleuve Zaïre à Maluku. Textures, saveurs, parfums... Il me suffit de fermer les yeux pour que ces souvenirs sensoriels remontent. Autant d'expériences qui, *a posteriori*, résument l'extrême confiance de nos parents et plus généralement des adultes, l'aventure quotidienne tout simplement banale et mon amour immodéré pour les bonnes choses.

À 16 ans, lors de mon retour en Europe, la cuisine est devenue une pratique quotidienne. À Liège, je partageais un appartement avec ma sœur, nos parents vivant à Bujumbura, au Burundi, avec notre petit frère. Dix mois par an, nous étions seules. Ménage, repassage, cuisine, études... À nous de gérer le quotidien comme l'exceptionnel. Assez naturellement, je me suis remise en cuisine. Nos horaires et nos modes de vie divergeaient, mais les repas nous rassemblaient. Quelle que soit la pression, même la veille d'un examen essentiel, je prenais le temps de cuisiner et de manger, calmement, sanctuarisant ce moment.

Après Liège, il y eut Paris et un studio. J'y étudiais l'histoire de l'art et les religions. De ces années me restent de nombreux souvenirs liés à la nourriture. Comme ce dîner délicieux chez Jacques Cagna avec Sophie et Thierry, un couple d'amis fous de gastronomie, à l'occasion de la Semaine du Goût en 1995. J'ai encore en bouche le goût de la tartelette tiède aux quetsches et de la glace à l'amande qui l'accompagnait ! Les années passant, je me suis prise de passion pour les cuisines d'ailleurs, du Japon au Liban, de la Thaïlande au Mexique.

Mais ce qui a définitivement bouleversé ma manière de penser l'alimentation fut une expérience incroyable, celle de commis de cuisine au restaurant l'Arpège. Je travaillais alors dans une agence du groupe Publicis, où je créais notamment le contenu de sites Internet. « Peux-tu intervenir sur une campagne pour des appareils électroménagers ? », m'a demandé un jour un des responsables de l'agence. « Il y a un chef, Alain Passard, qui participe au projet. Il faudrait faire les textes des documents. » À l'époque, je dois avouer que je ne connaissais Alain Passard que de réputation. Vivre un service en cuisine fut une expérience qui changea ma vie, littéralement. Au point de quitter la publicité pour devenir commis de cuisine pendant un an à l'Arpège ! C'est à Alain que je dois ma « maturité culinaire ». Célébration du végétal, associations de saveurs ambitieuses, précision des cuissons, choix des produits... Au-delà de la richesse humaine de cette période, Alain m'a appris à « écrire » des assiettes lisibles, claires, où le produit mis en valeur ne se cache ni derrière des effets faciles, ni derrière une surenchère de parfums ou de formes.

Rentrée persuadée d'ouvrir un jour mon restaurant, je sortis de ce chapitre Arpège avec la certitude de ne jamais le faire. Et l'humilité devant un métier d'une complexité folle nécessitant des sacrifices personnels auxquels je n'étais pas prête. L'étape suivante me vit retourner dans l'univers de la publicité, cette fois du côté de la production de contenus et de la santé. Je plongeai avec délice dans le monde infini de la nutrition, de la santé et de la société, imaginant pour une entreprise française de l'agro-industrie un programme santé-nutrition destiné aux consommateurs. En parallèle, je me mis à écrire des articles de cuisine pour divers magazines, dont *Elle*.

La boucle était bouclée. Cuisine + plaisir + santé + nutrition + société + bien-être + équilibre + sociologie + tendances = la vie dans ce qu'elle a de plus quotidien. À une époque où nous sommes de plus en plus conscients des effets des modes de vie et de l'alimentation sur notre forme physique et psychique aujourd'hui, mais aussi demain et même après-demain, je me passionnais pour ce champ intellectuel sans limites, ou presque.

Et le sucre dans tout cela, me direz-vous ? Il est omniprésent au quotidien. Présent, indispensable même, mais pas essentiel non plus, du moins à première vue. À 40 ans, il m'aide à supporter les petites bouffées de stress, clôture les repas sur une touche de douceur bienvenue, cale mes fringales passagères, provoque chez moi des « orgasmes pâtissiers » lorsqu'il s'agit de goûter, éthique professionnelle oblige, la dernière création de Sébastien Gaudard ou Philippe Conticini. J'ai d'ailleurs d'éclatants souvenirs de la tarte vanille de Pierre Hermé, dont chaque bouchée provoque un feu d'artifice émotionnel... En rentrant en Belgique chez mes parents, je sacrifie toujours à mon rituel, ma madeleine de Proust : la dégustation d'un vrai bon merveilleux, une somptuosité de chantilly, de meringue et de chocolat noir râpé.

Bref, si sa part n'est pas majoritaire dans mon alimentation, le sucre, pour moi, a longtemps été associé au plaisir. Et au plaisir quotidien.

Février

Chapitre 2
Pourquoi arrêter le sucre ?

Renoncer à ce qui procure du plaisir peut, de prime abord, sembler absurde.

Il y a quelques semaines, Cyril Lignac a fait livrer à la rédaction son interprétation de la tarte au citron pour fêter l'ouverture de sa pâtisserie. Une tarte au citron peut être merveilleuse ou épouvantable. Épouvantable lorsque la garniture est trop pâteuse, la crème trop sucrée, la meringue lourdaude. Merveilleuse lorsque l'équilibre entre acidité et sucré ainsi que la légèreté sont au rendez-vous. Cyril étant un cuisinier sympathique, mais pas révolutionnaire, nous nous sommes penchés avec réserve sur cette boîte à gâteaux. Erreur...

Bien à l'abri dans son écrin, une œuvre d'art se laissait admirer sous toutes les coutures. Sur une pâte rectangulaire grillée, de minuscules dômes de crème citronnée, semés de bulles de gelée, nous défiaient. Dès la première bouchée, l'orgasme pâtissier était au rendez-vous. Acidité vive de la gelée au citron, acidité douce de la crème, pâte tellement grillée qu'elle en devenait presque torréfiée, saveurs subtiles du zeste, tout y était ! Cet après-midi-là, journaliste toujours prête à me « sacrifier » pour informer la lectrice, je n'ai pas boudé mon plaisir.

À la rédaction du magazine *Elle*, nous avons la chance de pouvoir travailler sur des sujets variés. Après avoir commencé par des sujets de cuisine, j'ai rapidement été amenée à me pencher sur des enquêtes santé et société. Aujourd'hui, mon domaine de prédilection se situe à la croisée entre la santé, l'alimentation, la société et les modes de vie. Le champ est large et excitant, allant de la guerre du poil intime à la montée du troisième genre, en passant par les nanoparticules, la mode de la viking food ou le big data.

À force de sujets santé et alimentation, je me suis, logiquement, intéressée au boom des maladies dites « civilisationnelles », ce qui m'a conduite à multiplier les interviews de spécialistes, relayer les résultats d'études françaises ou étrangères, encourager les lectrices de *Elle* à s'intéresser à des ouvrages récemment publiés. Obésité, diabète, maladies cardio-vasculaires, syndrome métabolique, cancers... La liste de ces maladies dont la prévalence explose dans les sociétés occidentales, mais également dans le reste du monde, est malheureusement longue.

En septembre 2013, j'ai reçu un manuscrit signé du Dr Réginald Allouche, intitulé *Le Plaisir du sucre au risque du prédiabète* (Odile Jacob). Médecin, ingénieur et chercheur dans le domaine de la prévention du diabète et du surpoids, l'auteur dénonçait l'explosion des cas de prédiabète, les liant à l'augmentation massive de la consommation de sucre. Et tentait de répondre à une question : comment le plaisir apporté par le sucre pouvait-il mener à une maladie aussi invalidante que le diabète de type 2 ?

Fin septembre 2013, l'article parut sous la forme d'un sujet d'une page dans le magazine *Elle*. Son titre : « Le sucre, pire que la coke ? ». Un titre choc pour un contenu qui ne l'était pas moins. En effet, parmi d'autres informations, Réginald Allouche décrivait dans son ouvrage comment des expériences en laboratoire ont montré que les rats cocaïnomanes préféraient une dose de sucre à une dose de cocaïne. La publication de ce papier eut un effet immédiat : une levée de boucliers des industriels du sucre, via leur association porte-parole, le Cedus (Centre d'études et de documentation du sucre).

Quelques jours plus tard, la directrice de la rédaction du magazine *Elle* de cette époque, Valérie Toranian, et moi-même avons reçu des courriers recommandés s'offusquant de cet article, de son titre et de son traitement. Nous y étions pêle-mêle accusées de diffuser des informations partiales et malhonnêtes, de fausser les chiffres de la consommation de sucre en France, de risquer de créer des mouvements de panique au sein des consommateurs, de mettre en péril la filière agro-industrielle française et de menacer les 100 000 emplois du secteur dans l'Hexagone... Rien que ça ! Le tout se terminait par une invitation à se rencontrer pour évoquer plus en détail la question du sucre et de sa place dans une alimentation équilibrée.
Ce courrier me laissa un goût amer. Mais il ne me surprit pas non plus. L'ensemble des arguments évoqués avait un air de déjà-vu. Il n'empêche. Cela a certainement eu un effet déclencheur dans le défi que je me suis lancé.

Début 2014, j'ai commencé à réfléchir à un projet autour du sucre. Pourquoi ? Parce que trop d'éléments s'agrégeaient, résonnaient simultanément.

D'un point de vue personnel

– Ma famille maternelle court un risque de développement de diabète de type 2. Ma grand-mère étant diabétique, mes séjours d'enfance chez elle étaient rythmés par ses desserts au fromage blanc et à l'aspartame qui ne me ravissaient guère. Mon grand-oncle et ma grand-tante étaient également diabétiques, bien que ne souffrant pas de surpoids. Depuis quelques années, c'est aussi le cas de ma mère. Le risque de déclarer, moi aussi, un diabète en vieillissant est non négligeable, quelles que soient mon hygiène de vie, mon alimentation et la stabilité de mon poids. Et ce, d'autant plus que je souffre, comme de très nombreuses femmes en France, d'un dérèglement de la thyroïde qui, mal traité, peut provoquer une prise de poids.

– Non fumeuse, mangeant équilibré (beaucoup de fruits et de légumes, peu de viande, peu de produits laitiers, peu d'alcool), pratiquant une activité physique régulière, je constatais tout de même que je me sentais parfois fatiguée sans raison apparente. J'enchaînais également les périodes de « cravings », ces envies brutales d'aliments sucrés, pulsions alimentaires généralement suivies d'une digestion plus ou moins chaotique. Une tendance qui, dans un bureau où arrivent quotidiennement gâteaux, chocolats, pâtisseries et autres tentations, peut vite prendre des proportions affolantes.

– Bien qu'attentive à mon hygiène de vie, quelques kilos fort désagréables, vite surnommés mes « abdominables graisses », se sont posés sur mon ventre, mes hanches et mes cuisses depuis la naissance de ma fille il y a plus de sept ans. Pas question de faire un régime ! Bien qu'affirmant crânement que « mon nouveau poids de forme, c'est 66 kg », je n'en étais pas moins secrètement malheureuse, me demandant où mon corps de 20 ans était passé. Loin était la réponse, mais elle ne me satisfaisait pas, d'autant que je savais pertinemment que ces kilos supplémentaires n'étaient pas constitués de muscles fermes mais de gras mou.

– Attentive aux ingrédients dans les produits, j'ai constaté que le sucre était de plus en plus présent dans de multiples produits qui, *a priori*, devraient en être exempts. Sauce pimentée au restaurant chinois, pain aux céréales des sandwichs vendus sur les aires d'autoroute, mayonnaise industrielle... Le sucre et ses multiples dérivés sont – presque – partout, surtout là où on ne les attend pas !

– Soucieuse d'une alimentation équilibrée, cuisinant plus de 90 % des repas pris à domicile à partir de produits frais achetés au marché ou dans des petits commerces, je me suis aperçue que je mangeais des produits sucrés à chaque repas, ainsi que lors de pauses durant la matinée ou l'après-midi. Finalement, cela revenait à ingérer du sucre plusieurs fois par jour.

– Mère d'une petite fille de 8 ans, je m'interroge sur ce que mangent nos enfants, de plus en plus souvent mis en contact avec une nourriture « processée », transformée, entre les goûters industriels, les céréales des petits déjeuners, les menus de la cantine réalisés à partir de produits préparés...

D'un point de vue sociétal

– Depuis quelques années, on a vu exploser le phénomène de la trendy food. Chaque chaîne de télévision a développé un programme de concours culinaire, la publication de livres de cuisine a tourné au raz-de-marée annuel, les « moods » (magazines de food) se sont multipliés, les chefs sont devenus les nouvelles stars... Et, après la cuisine, la pâtisserie ! Depuis deux ou trois ans, ce sont les pâtissiers qui se transforment en jeunes premiers, tandis que des restaurants 100 % sucrés ont vu le jour. À croire que le sucré est devenu le goût de l'époque.

– L'explosion de l'obésité, notamment infantile, alors même que la consommation de matières grasses a chuté depuis trente ans, m'a interpellée. Y aurait-il une autre raison ? Quel rôle joue le sucre dans ces « épidémies » qui menacent à terme notre santé et nos sociétés ? En parallèle, on voit grimper les taux de diabète de type 1 et 2 partout dans le monde. Pire encore, les enfants jusque-là épargnés par le diabète de type 2, une maladie qui concernait les personnes âgées en surpoids, sont maintenant de plus en plus souvent diagnostiqués. Au point de susciter l'inquiétude dans les services pédiatriques concernés. L'exemple d'une amie dont le fils de 10 ans a développé cette maladie m'a marqué.

D'un point de vue professionnel

– Les diverses expériences vécues avec le Cedus m'avaient aiguillonnée. Pourquoi le relais d'informations remettant en question le bien-fondé d'une consommation toujours plus importante de sucre les ennuyait-il tant ? Pourquoi réagissaient-ils d'une manière qui pouvait paraître aussi disproportionnée ? L'emprise du sucre se faisait sentir toujours plus fortement, qu'il s'agisse de la Semaine du Goût lancée par le Cedus, de la Journée des petits plaisirs destinée à promouvoir bonbons et sucreries dorénavant fixée au 3 octobre ou de l'accord signé le 29 octobre 2013 entre l'Éducation nationale et le Cedus permettant à ce dernier de délivrer pendant cinq ans aux enseignants, aux élèves et à leurs familles « une information sur la nutrition et la santé ».

– Depuis plusieurs années, les multiples interviews que j'ai conduites auprès de spécialistes reconnus des questions de santé, de chercheurs, de nutritionnistes, d'épidémiologistes, d'endocrinologues ou encore de pédiatres m'avaient fait mesurer l'inquiétude grandissante du corps médical et de la recherche face aux conséquences d'une consommation toujours accrue de sucre. Très régulièrement, une nouvelle étude mettait en garde contre les effets d'une surconsommation de sucre.

D'un point de vue tendance enfin

– L'attention portée à la qualité de ce qu'on mange est de plus en plus élevée. On le voit avec l'explosion des magasins en circuits courts, la recherche d'une traçabilité absolue, qu'il s'agisse de produits végétaux ou animaux, le boom de l'alimentation sans gluten, l'importance prise par le discours pro-végétarien, la vogue de la détox... Ce que l'on ingère n'a jamais autant défini ce que nous sommes. Et c'est aussi valable avec le sucre.

– Dans le monde anglo-saxon, de plus en plus de personnalités et de médecins prônent une baisse drastique, voire un arrêt complet de la consommation de sucre. Et ce, tant pour des raisons médicales que pour lutter contre le vieillissement, maintenir le capital énergie et bien-être. Documentaires, livres, essais, recueils de recettes « no sugar » s'y succèdent.

Petit à petit, l'idée a germé.

Et si j'essayais, moi aussi, d'arrêter le sucre pendant un an ?

Serait-ce difficile ? Que ressentirais-je ? Quelles seraient les conséquences de ce renoncement alimentaire ? Irais-je mieux ? Moins bien ? Cela influencerait-il mes relations sociales ? Comment ? Allais-je pouvoir m'en passer sans souffrir ? Étions-nous conditionnés au sucre ? Était-il possible de comprendre quelle place cet ingrédient occupe dans notre société, tant d'un point de vue culinaire que symbolique, sanitaire qu'économique ? Pouvait-on tenter de faire le point sur ce que les scientifiques savent exactement de ce produit et de son rôle dans l'alimentation contemporaine ?

Bref : était-il possible de tenter d'évaluer notre rapport au sucre ?

Lorsque j'évoquai pour la première fois ce projet, un soir, Éric, mon mari, fut à la fois enthousiaste – « C'est une excellente idée ! » – et un brin sceptique – « Tu penses y arriver ? Nous sommes quand même fous de bouffe et un peu addicts au sucré. T'as pensé au chocolat, à la glace au café ou à la vanille ?... »

Mon mari me connaît bien. Et sait que je suis capable de dévorer le chocolat au lait par plaquette entière.

Rose, notre fille, s'est affolée.

– On va devoir arrêter de manger du sucre pendant un an ?

Dans ses yeux, je voyais disparaître bonbons, gâteaux, pâtisseries, chocolats, yaourts, crèmes glacées... Bien que peu sensible aux produits sucrés, cette perspective lui était épouvantable !

– Non. Ce n'est que moi qui vais essayer de ne pas manger de sucre pendant un an. Toi et papa, vous pourrez continuer, lui répondis-je.

Soulagement immédiat de l'autre côté de la table, de part et d'autre.

Restait à trouver le courage de s'y mettre.

J'ai hésité pendant quinze jours. Ira, ira pas ? Souvent, mes bonnes résolutions tenaient jusqu'à midi. Devant un dessert, je craquais. Idem devant les œufs de Pâques livrés à la rédaction « pour les goûter »...

Et puis je me suis lancée et j'ai tenu.

Mars

Chapitre 3

Arrêter le sucre, oui, mais lequel?

Ça y est, le sucre a disparu de mon assiette.

Au début, j'ai un peu tâtonné.

D'un côté, il y avait le courant radical, incarné par ma copine Betty, macrobio convaincue.

– Faut que t'arrêtes tout ce qui contient des glucides.

– Même les patates? Parce que j'aime les patates.

– Ben oui, tu fais les choses ou tu ne les fais pas. Les patates, c'est terrible, ça a un indice glycémique monstrueux, surtout si tu les fais en purée avec du beurre.

– Peut-être, mais ce qui est bon avec les patates, c'est le beurre ou la crème.

– T'es folle! Tu t'encrasses comme ça. Fais comme moi, mise sur l'avoine, le sarrasin, le riz complet, le quinoa et le tofu. Depuis, je digère bien, j'ai plus de fringales et je suis mince.

C'est vrai que Betty tient une forme éblouissante. Mais vu qu'elle n'a pas approché un Reblochon depuis 2008, ça n'a rien d'étonnant. Par contre, elle a arrêté de sourire en 2012, ceci expliquant peut-être cela... Je me sens de taille à renoncer provisoirement au plaisir du sucre, mais pas question d'éradiquer le riz basmati, les frites et autres haricots borlotti! Faire des efforts oui, mais en se concentrant sur un domaine sans chercher à tout réformer en une fois.

Première étape, évaluer les forces en présence, ce qui dans mon cas consistait à répondre à une question essentielle : de quoi parlait-on?

I. COMMENT DÉFINIR LE SUCRE?

Le sucre appartient à la famille des glucides.

Comme l'explique le Programme national nutrition santé (PNNS) : « La famille des glucides alimentaires présente une grande diversité structurale et fonctionnelle. Ce sont des composants organiques formés de carbone, d'hydrogène et d'oxygène. Leur structure varie des sucres simples (monosaccharides comme le glucose ou le fructose, ou disaccharides comme le saccharose) aux polymères plus complexes (tels que l'amidon), en passant par les oligosaccharides comportant trois à dix unités monomériques, et les polysaccharides (tels que les fibres alimentaires) dont le degré de polymérisation dépasse dix[1]. »

Vous êtes perdus? Moi aussi, au commencement.
Essayons de traduire cela en langage simple.
Il n'y a donc pas un sucre, mais DES sucres, c'est-à-dire des glucides qui, tous, se décomposent finalement en trois composants de base : le glucose, le fructose et le galactose.

---

1. Brochure « La santé vient en mangeant », PNNS, 2002.

Ce sont ces trois composants de base qui sont (plus ou moins bien) assimilés par l'organisme.

Autrefois, on répartissait les sucres en deux catégories : sucres rapides (ou rapidement digérés par l'organisme) et sucres lents (plus lentement digérés par l'organisme). Cette distinction n'a plus cours. On parle plutôt aujourd'hui de sucres simples et de sucres complexes.

Les sucres simples sont les sucres rapidement assimilés par l'organisme. Il s'agit du sucre de table et de tous ses cousins, du sucre roux au fructose, en passant par le sirop de maïs, le jus de fruits, le caramel...

Les sucres complexes sont les sucres lentement assimilés par l'organisme. Parmi ceux-ci, le plus connu est l'amidon, apporté par les légumineuses, les pommes de terre, les patates douces, les céréales (blé, avoine, riz, millet...), ainsi que les produits (pain, pâtes) qui en sont issus, et certains fruits comme la banane.

Dans les aliments, il y a à la fois des sucres complexes et/ou des sucres simples qui peuvent être naturels et/ou ajoutés. C'est pour cette raison que les tableaux nutritionnels obligatoires sur les étiquettes et les emballages des produits alimentaires indiquent le taux de glucides présent, ainsi que celui de sucre. Par contre, ne cherchez pas la teneur en sucres ajoutés, elle n'est mentionnée nulle part sur les étiquetages...

2. LE SUCRE EST-IL LE CARBURANT DE L'ORGANISME ?

Un peu de biologie ne nuit pas. Ceux dont les notions de SVT sont encore claires peuvent sauter cette section. Pour les autres, une petite révision s'impose.

Le carburant de notre corps, c'est le glucose, une molécule utilisée par les mitochondries, sortes de centrales énergétiques présentes dans chacune de nos cellules. Sans glucose, nous ne pourrions pas vivre.

L'approvisionnement en énergie de l'organisme, c'est-à-dire en glucose, s'opère via le système digestif.

Lorsqu'on mange un aliment, il subit une action mécanique dans la bouche via la mastication, ainsi que des transformations chimiques via la salive, puis les sucs digestifs présents dans l'estomac. La digestion se poursuit ensuite dans l'intestin grêle où, sous l'action d'enzymes digestives, les glucides sont transformés en glucose, fructose et galactose. Ces nutriments sont absorbés, via la barrière intestinale, et passent dans le sang qui les transporte à travers l'organisme jusqu'aux cellules.

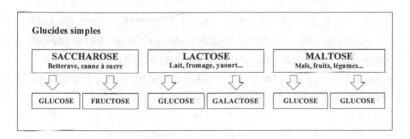

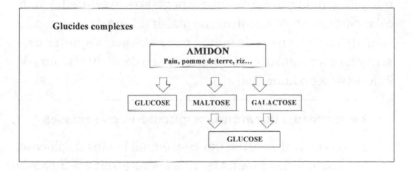

Sauf que...

Comme nous l'avons vu, les composants de base des glucides sont au nombre de trois : glucose, fructose et galactose. Merveille « technologique », notre organisme est capable, si besoin, de convertir le galactose et le fructose en glucose, ou de stocker l'énergie superflue sous forme de graisse dans les adipocytes.

Dès lors, peut-on dire que le sucre est le carburant de l'organisme ?

Oui et non. Il serait plus précis de dire que **le glucose est le carburant de l'organisme**. Parler d'un carburant « sucre » est une simplification, à mon sens abusive. Son avantage ? Laisser penser que le « sucre », mot spontanément associé au sucre de table et à tous les produits sucrés, est indispensable à l'organisme pour vivre. Sauf que **le sucre de table, ou saccharose, n'a rien d'indispensable au sens métabolique lorsqu'on a une alimentation équilibrée**. Il en est de même pour le fructose et tous les cousins de sa vaste famille (*cf.* page 44 l'encadré « les petits noms du sucre »).

Certes, ils sont une source indéniable de plaisir et, en tant que tels, leur consommation est peut-être essentielle, mais cela, c'est une autre histoire... Le plaisir diffère de la survie au sens strict. Et il en est de même pour les sucres ajoutés présents dans les aliments et les boissons, en dépit du discours de l'industrie agroalimentaire.

Le cerveau, gourmand en glucose et en graisses

Le cerveau est l'organe qui consomme le plus de glucose. Ne pesant qu'environ 1,4 kg à l'âge adulte, soit 2 % du poids total d'une femme de 65 kg, le cerveau consomme 20 % de l'énergie nécessaire à notre métabolisme de base. Est-ce pour autant qu'il faut manger beaucoup de sucre pour lui fournir l'énergie nécessaire ? Pas forcément. Le cerveau, tout comme le reste de notre organisme, n'a besoin que de glucose.

En dépit de ce qu'on entend, manger des glucides complexes suffit à lui fournir l'énergie nécessaire pour fonctionner efficacement, y compris en période d'intense concentration, devant un examen de math ou en tentant de suivre les méandres des aventures de *Game of Thrones*. Inutile donc de manger des sucreries ou du chocolat pour booster ses capacités cognitives...

De plus, le cerveau ne peut stocker plus de dix minutes de réserve de glucose. Il est donc tributaire d'un afflux constant de glucose, aussi primordial que l'oxygène. Maintenir une glycémie équilibrée est indispensable, ce qui conforte l'importance des glucides complexes pour soutenir un effort cérébral au long cours.

---

3. QUELS SUCRES AI-JE ÉLIMINÉS ?

Seul le glucose est indispensable à la vie.
Dès lors, qu'ai-je retiré de mon alimentation pour vivre « une année sans sucre » ?

Parmi les sucres à supprimer les plus évidents, il y a d'abord le sucre lui-même.

– Le sucre en poudre
Comme l'a dit mon mari, « tu ne prends pas grand risque, étant donné qu'en dehors de la pâtisserie, tu ne t'en sers pas ». Vrai. J'ai dit au revoir aux grains croquants du sucre de betterave ou de canne et à toutes les douceurs maison que je confectionnais avec eux.

– Le sucre roux et ses « cousins » : cassonade, rapadura, muscovado...
Là, ça a été plus difficile. J'adore semer de la cassonade sur une crêpe, je me damnerais pour une glace au muscovado et, en bonne Belge, je suis fan de la tarte à la cassonade. Exit donc les sucres roux qui, comme le sucre blanc, apportent peu d'éléments nutritifs. Bien que souvent perçus comme plus

«naturels» ou «sains», il s'agit seulement de sucres moins raffinés. Le pot à sucre de canne roux est néanmoins resté dans la cuisine car Rose s'en sert de temps en temps pour rehausser un yaourt nature. Quant au paquet de muscovado rapporté d'un reportage à l'île Maurice, il a rejoint le congélateur. Rendez-vous courant 2015 !

Une fois les sucres en poudre éliminés de mon régime alimentaire, j'ai listé les sucres présents dans les aliments préparés. Ces derniers se répartissent en deux catégories : les produits sucrés dans lesquels on se doute aisément qu'il y a un sucre ou l'autre, et ceux dans lesquels la présence de sucre est cachée.

– Les produits sucrés
Résoudre l'équation «quels produits sucrés éliminer ?» est assez simple. Réponse : tous.
Voici donc ceux que j'ai cessé de consommer :
– les cakes
– les gâteaux secs
– les biscuits
– les meringues
– les yaourts aux fruits, yaourts parfumés, yaourts sucrés...
– les crèmes desserts
– les pâtisseries
– les entremets
– les viennoiseries
– les chocolats (tous, du noir au blanc, y compris le chocolat au lait, ce qui me fend le cœur)
– les barres de céréales
– les céréales du petit déjeuner (qui peuvent contenir jusqu'à 50 % de sucre)

– les confitures, marmelades, purées de fruits...
– les pâtes de fruits
– les caramels, bonbons, confiseries...
– les crèmes glacées et sorbets
– les sirops parfumés
– les fruits au sirop et conserves de fruits
– les compotes de fruits sucrées
– les pâtes à tartiner
– le mélange cacaoté pour chocolat chaud
– le pain d'épices
– le muesli
– le granola

Ni les fruits, ni les jus de fruits ne sont cités. C'est normal. Je vous en parlerai un peu plus loin (p. 47).

Étais-je jusqu'alors une grosse consommatrice de ces produits ?

Spontanément, j'aurais répondu non. Après réflexion, j'en mangeais à chaque repas, ainsi que plusieurs fois par jour entre les repas. Si ma consommation de granola, de pâte à tartiner, de fruits au sirop, de bonbons et de yaourts sucrés était quasiment nulle (je n'aime guère les yaourts qui me donne des haut-le-cœur), celle de meringues (ai-je déjà eu l'occasion de vous parler de ma passion pour la pavlova ?), de madeleines et de chocolat au lait atteignait des sommets (une demi-tablette par jour). Concrètement, cela faisait quand même beaucoup de douceurs en moins...

– *Les sucres cachés*

Cette fois, les choses se corsent. Débusquer le sucre caché ou ajouté dans de très nombreuses préparations s'apparente à un jeu d'obstacles. Cela m'a rappelé mes pires heures de mathématiques, lorsque je cherchais désespérément à résoudre des équations dantesques d'économétrie à la fac !

Le sel, le sucre et les matières grasses, «trois ingrédients qui ne coûtent pas cher et peuvent rapporter gros» pour reprendre la formule de Michael Moss, journaliste d'investigation au *New York Times*[1], sont les trois piliers de l'industrie agroalimentaire. Même s'ils tentent de s'en défendre, les fabricants d'aliments industriels basent l'immense majorité de leurs recettes sur ces ingrédients à faibles coûts aux avantages immenses : saveur, texture, conservation, colorant...

Résultat, le sucre est partout. Lorsqu'on se met à décrypter les étiquetages, ingrédient par ingrédient, le choc est rude.

Produits alimentaires : les petits noms du sucre

Aujourd'hui, il existe une cinquantaine de «variétés» de sucres utilisées par les industriels.

Pour les reconnaître, une seule solution : lire attentivement les listes de composition des aliments détaillant les ingrédients. C'est évidemment fastidieux car, souvent, imprimé en caractères minuscules d'un millimètre de haut, mais c'est l'unique moyen de s'assurer de la présence de sucre dans un produit. Le sucre se cache sous des dizaines de noms.

---

1. Auteur de *Sucre, sel et matières grasses, comment les industriels nous rendent accros*, Calmann-Lévy, 2014.

Tout d'abord, la plupart des ingrédients dont le nom se termine en – ose :

- saccharose
- maltose
- galactose
- dextrose

- fructose
- glucose
- lactose

Ensuite, de nombreux autres ingrédients, plus ou moins évidents :

- sucre
- sirop de glucose
- sirop de glucose déshydraté
- sirop de fructose
- sirop de glucose-fructose
- sirop de fructose-glucose
- sucre inverti
- caramel
- jus de canne
- jus de canne déshydraté
- cristaux de jus de canne
- sirop de sorgho
- sirop d'érable
- sirop de caroube
- sirop de maïs
- sirop de datte
- miel
- sucre de fleur de cocotier

- maltose
- sirop d'amidon
- sucre de raisin
- extrait de malt
- amidon modifié
- muscovado
- mélasse
- sucre de datte
- dextrine
- dextrane
- maltodextrine
- diastase
- malt diastasique
- jus de fruits
- jus de fruits concentrés
- jus de raisin
- jus de pomme
- sirop d'agave

Dans quoi trouve-t-on du sucre, en dehors des produits sucrés ? Dans une majorité d'aliments transformés industriellement, parmi lesquels :

- le pain industriel

– le ketchup (jusqu'à 20 %)
– la moutarde à l'anglaise
– les plats cuisinés
– la sauce tomate
– les charcuteries (jambons, saucissons, saucisses)
– les soupes industrielles
– les sauces industrielles, y compris les sauces pimentées chinoises
– l'immense majorité des plats préparés, surgelés ou en conserve
– la vinaigrette industrielle
– le vinaigre balsamique
– les cubes de bouillon
– les biscottes
– certains gâteaux apéritifs
– certains poissons fumés, dont évidemment le saumon gravlax mariné au sucre
– les milk-shakes

4. CELA SIGNIFIE-T-IL QUE JE NE MANGE PLUS DE SUCRE ?

Tout le monde se souvient de la publicité des années 1980 où les sucres jouaient aux dominos. Même moi, car je l'ai vue plusieurs fois lors de vacances d'été passées en France chez des amis... « Le sucre, le plus petit des grands plaisirs ! », clamait la pub.

Éliminer les sucres de son alimentation, est-ce se condamner à une alimentation janséniste, à une dépression gustative garantie ? Si on respecte les préceptes de certains intégristes anglo-saxons, « sugar free » jusqu'au-boutistes, je crains bien que oui. Allais-je les suivre ? Non.

Persuadée depuis toujours que la solution réside dans l'équilibre et la variété, j'ai délibérément « sauvé » pommes de terre, légumineuses, ainsi que semoule et pâtes – à une condition pour ces dernières : les préférer, autant que faire se peut, semi-complètes, pour bénéficier de leurs glucides complexes lentement digérés.

Par contre, oui, j'ai fait le deuil des desserts sucrés, des chocolats, des pâtisseries, des viennoiseries et de centaines d'autres produits...

5. QUE PENSER DES FRUITS ?

Encore une question épineuse.

Adam devant la pomme a dû bien moins s'interroger qu'un « sugar free » devant un étal de primeur... Et ce, en dépit de la traditionnelle « image santé » des fruits.

Pourquoi ? Parce que les fruits contiennent de 20 à 50 % de fructose, un glucide soupçonné du pire par les « sugar free ». Sa faute ? Le fructose est métabolisé très différemment du glucose, gonflant illico, en cas de surconsommation, nos adipocytes (cellules graisseuses). Au point de vue métabolique, le glucose et le fructose agissent de manière totalement différente. Je vous donne tous les détails à ce propos au chapitre 9.

Du coup, nombreux sont les « sugar free » radicaux qui prônent un zapping total des fruits. D'autres recommandent de privilégier les fruits à faible teneur en fructose, d'oublier ceux riches en fructose et de se limiter à un maximum de deux fruits par jour.

Fruits & fructose

– Fruits à faible teneur en fructose : kiwi, fruits rouges (myrtille, framboise, groseille), melon d'eau, pample-mousse, litchi, prune, papaye.
– Fruits à moyenne teneur en fructose : fraise, orange, pêche, cerise, ananas, mandarine, banane.
– Fruits à haute teneur en fructose : pomme, poire, raisin, mangue, pastèque.

Pour d'autres, comme le Dr Robert Lustig, le plus important, c'est de manger les fruits frais et entiers.

« Quand Dieu a créé le poison, le fructose, il a aussi créé l'antidote : les fibres. »

Robert Lustig

Autrefois, les fruits étaient considérés comme des raretés. Jusqu'au XXe siècle, la consommation de fruits était avant tout saisonnière et locale. En dehors de l'été, on ne mangeait que des poires et des pommes, et encore, pas quotidien-nement, ni toute l'année. À l'époque de nos arrière-grands-parents et de nos grands-parents, les fruits étaient un produit rare, une douceur d'autant plus appréciée. Je me souviens de mon père, né en 1940, se rappelant son émotion quand il reçut quelques oranges début décembre, traditionnellement apportées par saint Nicolas. Cela l'a autant marqué que le sou-venir impérissable de chocolat donné fin 1944 par un soldat américain libérant la Belgique !

Les choses ont bien changé. En 1950, on consommait en France en moyenne 40 kg de fruits par an et par habitant[1]. En 1996, les Français savouraient 65 kg de fruits par an et par habitant. En 2010, nous en étions à 79 kg de fruits par habitant, dont 50 kg transformés[2] (jus de fruits, compotes, confitures). Explosion du transport aérien, baisse proportionnelle des prix de vente, explosion de l'offre de produits à base de fruits transformés, popularisation des jus de fruits, campagnes publiques d'informations nutritionnelles... En deux générations, les fruits sont passés du statut de rareté à celui de produit de consommation courante. Encore mieux, le marketing a réussi à faire croire à l'immense majorité d'entre nous que, sans consommation quotidienne de fruits, nous allions souffrir d'un déficit, voire d'une carence vitaminique. Est-ce vrai ? Non, en tout cas pas si on mange suffisamment de légumes frais.

Reste que si les Français consomment de plus en plus de fruits, ils le font de moins en moins sous la forme de fruits bruts. Rares sont ceux qui savourent tous les jours une pomme, une poire, quelques fraises ou des oranges... Au cours des dernières années, la quantité de produits à base de fruits consommés par les Français n'a cessé de croître, surtout sous la forme de jus de fruits et de compotes.

En trente ans, notre consommation de jus de fruits est passée de 2,9 l par personne et par an en 1980 à 25 l en 2008[3]. En 2013, la consommation globale de jus de fruits en France s'élève à 1,64 milliard de litres. La saveur préférée des Français ? Le jus d'orange, qui représente près de la moitié des achats. Petit à petit, comme aux États-Unis, le verre de jus d'orange s'est imposé sur nos tables au petit déjeuner.

1. Chiffres ministère de la Santé.
2. Source Agreste, *Alim'agri*, n° 26, juillet 2012.
3. Chiffres Unijus.

Le phénomène est similaire au rayon compotes, aliment courant pour les enfants, ainsi qu'extrêmement populaire chez les femmes. L'Insee le constate d'ailleurs, précisant que « la pomme, ingrédient principal des compotes et purées de fruits, est en effet de plus en plus consommée à l'état transformé : en 2010, presque la moitié des quantités de pommes consommées le sont sous forme transformée contre plus d'un tiers en 1994[1] ».

Forte progression de la production de jus de fruits depuis dix ans

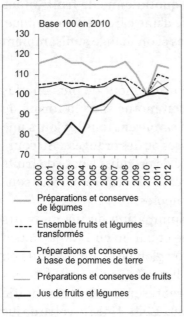

Préparations et conserves de légumes

Ensemble fruits et légumes transformés

Préparations et conserves à base de pommes de terre

Préparations et conserves de fruits

Jus de fruits et légumes

Production de compotes et purées de fruits en hausse continue

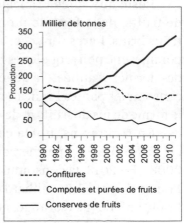

Confitures

Compotes et purées de fruits

Conserves de fruits

Source : Insee - Indice brut de la production en volume.

Source : Enquête Adepale

1. Agreste, *Conjoncture*, n° 2013/228.

Or, **un jus n'est pas un fruit et une compote non plus**. Pour le Dr Dorian Sandre-Banon, endocrinologue, « un fruit transformé industriellement voit sa nature modifiée. Et par transformation, j'entends même le fruit pressé à la main à domicile. Pour bénéficier de tous les nutriments d'un fruit, dont ses vitamines, ses minéraux et ses fibres, la meilleure solution est de le manger entier et frais ».

Ma conclusion ? Pas question d'éliminer les fruits de mon alimentation, mais pas question non plus de me forcer à en manger à haute dose. Autant l'absence ou la rareté de légumes me stresse en moins de 24 heures, autant je peux me passer de fruits plusieurs jours... Si j'en ai envie, j'en mange, mais toujours frais et, idéalement, entiers.

6. QUE BOIRE ?

Le sucre se cachant partout, il est évidemment aussi présent au rayon boissons.

Là aussi, il a fallu faire du tri, avec des déchirements (l'Aperol), des surprises (les jus de fruits) et des soulagements (le vin blanc). Suivez le guide !

– *L'eau*

La seule boisson dont l'organisme ait besoin pour vivre, c'est l'eau. D'ailleurs, notre organisme est constitué à 65 % d'eau.

L'eau, j'adore. Si, si, sérieusement. J'aime ses goûts ultra-variés, je m'accommode bien de l'eau de ville que je trouve tout à fait agréable dans mon quartier (Pigalle), comme à peu près partout dans le monde (hormis en Islande où j'ai un souvenir épouvantable de l'eau chaude soufrée avec laquelle j'avais tenté de me faire un thé).

Sans être une fanatique du bar à eaux Chez Colette, je me satisfais tout à fait de boire de l'eau du robinet l'immense majorité du temps. J'évite les eaux en bouteilles de plastique car je m'efforce de me montrer attentive aux déchets. On me rétorquera qu'il existe un système de tri sélectif performant dans la capitale. Je répondrai que le meilleur déchet est le déchet qui n'a pas été créé. Un point de vue conforté récemment, au bout du bout du monde, dans l'archipel le plus au nord des Maldives, face aux milliers de bouteilles en plastique échouées sur les plages d'îles par ailleurs désertes...

De plus, je m'interroge depuis longtemps sur les éventuelles migrations de molécules entre plastique des emballages et contenu, lorsque les conditions de stockage ne sont pas optimales ou les durées trop longues. Dans le doute, je les évite au maximum, excepté pour certaines eaux pétillantes. Quant à la solution préconisée par les puristes, c'est-à-dire acheter l'eau en bouteilles de verre, elle me paraît contraignante et encombrante. Que celui qui n'a jamais rapporté chez lui six bouteilles d'eau en verre me jette le premier bouchon !

J'allais donc continuer à boire de l'eau, de préférence issue du réseau public.

– *Les sodas*
Lorsque j'ai rencontré mon mari, j'ai été surprise de constater qu'on pouvait tout à la fois se passionner pour les plus précieux thés de Chine ou du Japon, se pâmer devant un ristretto réalisé avec un grand cru de café, disserter pendant des heures sur le génie de tel vigneron et... boire régulièrement du Coca-Cola Zero ! Normal, il était à cette époque directeur de la communication France de Coca-Cola.

Quant à moi, je n'ai jamais été fan de boissons sucrées. Enfant, le Coca-Cola me servait à fabriquer des sucettes à l'eau. Adulte, je m'en suis toujours servie comme d'un excellent «médicament» lors des gastro-entérites. C'est ainsi qu'un jour, terrassée par une gastro-entérite, faisant fi de tout romantisme, je l'ai tout naturellement appelé au secours, lui demandant de rentrer avec du Coca-Cola classique.

Il est arrivé tout guilleret, sur le thème «Tu vois, toi aussi, t'en bois!». Dans la cuisine, j'ai versé du Coca dans un verre, je l'ai coupé avec autant d'eau et j'ai glissé le tout au micro-ondes. Il s'en est suivi un dialogue surréaliste.

– Je peux savoir ce que tu fais exactement???, a-t-il demandé, manifestement interloqué.

– Je me prépare du Coca, ai-je répondu.

– Mais ça va pas?! T'es folle! Le Coca, ça se boit frais avec des glaçons. D'ailleurs, je t'ai rapporté une bouteille glacée.

– Ben pas moi. Quand je bois glacé, j'ai l'impression d'avoir les dents qui tombent, ça me fait mal au ventre et c'est trop sucré.

– Pourquoi tu l'as mis au micro-ondes?

– Pour le réchauffer et le dégazer.

– ????...

J'assume. Pour moi, le Coca fait office de pansement digestif. À la manière de John Pemberton, l'inventeur de ce breuvage «magique» en 1885, dont la légende dit qu'il le mit au point pour se désintoxiquer de la morphine, je le consomme pour me soigner en cas de vomissements, nausées ou diarrhées. Pas glam mais efficace.

Il y a une dizaine d'années, j'ai eu une phase IceTea citron qui a pris fin assez rapidement avec le retrait de ce produit des rayons, au bénéfice exclusif de l'IceTea pêche, bien trop sirupeux à mon goût. Et à part ça ? J'aime modérément le Schweppes et je bois une fois par an un Orangina. Du coup, dans le cadre de mon année sans sucre, colas, limonades et sirops sucrés ont tout naturellement été exclus.

Je vous entends vous interroger : « Ok, elle a arrêté toutes les boissons sucrées, mais, du coup, elle est forcément passée au light, non ? » Eh bien, non. Je n'en buvais pas avant. Pas de raison d'en boire maintenant. Et pas besoin de tenter de m'y mettre. Qu'elles soient light ou zéro, ces boissons resteront dans leurs cannettes, loin de moi. D'autant que, bues tièdes, elles sont infectes, et moi, je déteste globalement boire froid.

– Les boissons chaudes
Le café
Si j'en ai bu un peu lorsque j'étais adolescente (merci maman qui en préparait tous les matins), ma paresse naturelle m'a transformée en buveuse de thé dès l'université. Depuis, les rares cafés que je bois sont ceux que je verse sur une bonne glace vanille pour un affogato al caffè, dessert italien typique.
Une année sans sucre = une année sans glace = une année sans café = CQFD.

Le thé
Autant le café ne m'inspire pas, sinon pour son parfum qui peut être magnifique, autant je ne conçois pas la vie sans thé. Au cours du temps, je suis passée du thé noir au thé vert, de préférence japonais. Si je consomme quotidiennement du thé vert sencha et du thé genmaicha (thé vert japonais aux grains

de riz grillés), je prends à l'occasion un thé vert à la menthe non sucré ou un thé au jasmin. Mes autres thés favoris? Certains thés blancs et, de temps en temps, un lapsang souchong. J'aime le thé nature, sans lait, ni citron, ni sucre. Aucun souci de ce côté-là, le sucre ne me manquera pas.

– Les tisanes et infusions
Oubliées, les recettes has been de grand-mère! Avez-vous remarqué à quel point la tisane est redevenue tendance? Sur les blogs beauté, les infusions se bousculent, les sachets se transforment en étendards design et les marques se multiplient, trustant les rayons des épiceries pointues.

Mes boissons chaudes favorites?
 La tisane thym et safran bio de Krocus Kozanis
– La tisane sauge et safran bio de Krocus Kozanis
– La tisane baie de sureau et échinacée Pukka
– Le Sobacha, un « thé » au sarrasin grillé japonais
– Le « thé sauvage des montagnes de Grèce » de Kalios, une infusion de sideris sans théine
– Le « thé » rouge rooibos, venu d'Afrique du Sud
– La tisane Revitalise (cannelle, cardamome, gingembre) Pukka

---

Le cas de la cannelle

Les cannelles de Ceylan (*Cinnamomum verum*) et de Chine (*Cinnamomum aromaticum*) contiennent un composé, le methylhydroxychalcone polymère (MHCP), qui multiplie considérablement le métabolisme du glucose, c'est-à-dire le processus qui transforme ce sucre en énergie. En 2003, le Dr Richard A. Anderson et ses collègues, chimistes dans un laboratoire de recherche en nutrition humaine du ministère de l'Agriculture à Beltsville, ont montré qu'un extrait de cannelle pouvait faire baisser la glycémie jusqu'à 29 %, les taux de triglycérides jusqu'à 30 % et le cholestérol total jusqu'à 26 % chez des sujets atteints de diabète de type 2. Selon ce chercheur, « les polyphénols de la cannelle produisent ces effets et peuvent certainement contribuer à prévenir les troubles de la glycémie et du profil lipidique chez les personnes en bonne santé[1] ».

Depuis, nombreux sont les « sugar free » à s'être emparés de la cannelle et à la saupoudrer partout. Faut-il les imiter ? Si on aime la cannelle, rien n'interdit d'en ajouter dans ses compotes de fruits, ses yaourts, ses mueslis ou ses boissons en infusion.

– Le vin et les alcools
« Mais alors, tu bois pas ? » est sans doute l'une des questions qu'on m'a le plus posée durant cette année sans sucre. « Ben non, je vais me dessécher » n'était pas la bonne réponse.

Ce que tout le monde voulait savoir, c'était : buvais-je de l'alcool ?

Vin, bière, champagne, cocktails... Dans notre culture, l'alcool, en quantités raisonnables, rime avec fête, plaisir, partage, sociabilité. Or, on a tellement entendu qu'il y avait du sucre dans ces boissons que, spontanément, on imagine qu'il faut « éradiquer » tout alcool d'un régime sans sucre.

1. « Effects of a cinnamon extract on plasma glucose, HbA and serum lipids in diabetes mellitus type 2 », *European Journal of Clinical Investigation,* 2006.

Effectivement, les alcools sont de gros pourvoyeurs de calories. Cependant, dans le cas présent, nous ne parlons pas de calories, mais de sucre. «Ah, ah, ah, mais c'est génial, a clamé mon pote Arthur. C'est le premier régime où j'entends dire que l'alcool est cool!»

Cool, peut-être pas, mais oui, on a le droit d'en boire un peu quand on est un «sugar free», à condition de ne pas en abuser évidemment.

	Degré d'alcool	Calories / 100 g	Glucides / 100 g	Sucres / 100 g
Bière	3,2°	32,8	2,35	2,35
Cidre brut	4-5°	32,3	1,64	1,64
Champagne	9,9°	81,7	2,81	1,4
Apéritifs à base de vin	12,5°	133	11,4	11,4
Vin blanc	11°	77,3	3,86	0,53
Vin rosé	11°	70,6	1,75	-
Vin rouge	12°	79	2,8	0,41
Gin	37,9°	265	0	0
Rhum	34,5°	242	0	0
Vodka	32,9°	239	0	0

Sources : Chiffres Anses / Tables Ciqual 2013

Ces chiffres montrent que les quantités de sucre apportées par les alcools ne sont pas énormes, surtout dans le cas du vin blanc et du vin rouge. Le champagne en contient un peu plus. La bière est une bonne option car elle ne contient pas de fructose mais du maltose. Seul hic, en dépit de mon patrimoine génétique pro-cervoise (Belgique + Suisse), je n'aime pas la bière. Quant aux alcools (gin, rhum, vodka), ils ne contiennent pas de sucre eux-mêmes, mais sont généralement servis accompagnés de sirop de canne, de jus de fruits ou de sodas qui en apportent.

Adieu piña colada, caipirinha et mojito!

À de rares exceptions près, cette année sans sucre sera aussi une année peu alcoolisée, assez conforme à ma consommation habituelle. Je décide de limiter la prise d'alcool aux occasions spéciales :

– 1 ou 2 verres de vin lors de dîners avec des amis
– 1 apéritif exceptionnellement
– un peu de cidre de temps en temps

EN PRATIQUE

Après ces nombreuses digressions, voici le récapitulatif de l'alimentation qui est la mienne depuis le début du mois de mars :

– Tous les légumes, crus et cuits
– Tous les fruits frais et, si possible, entiers
– Les poissons, les volailles et la viande
– Les céréales de préférence semi-complètes, les tubercules (pomme de terre, patate douce) et les légumineuses (haricots secs, lentilles, pois chiches, pois cassés...)
– Les produits laitiers
– Les huiles végétales
– Les graines et les oléagineux (noisette, pignon, noix, amande...)
– L'eau, le thé, les tisanes, un peu de vin et de cidre

Semaine I

Lundi, premier jour « no sugar ». Je me sens portée par mon projet. Entre une conférence de rédaction, trois rendez-vous professionnels, une réunion scolaire et deux interviews téléphoniques, la journée file. Bilan : pas de soucis, pas de sucre, c'est cool.

Les deuxième et troisième jours, ça se complique. Vers 11 heures, j'ai soudain terriblement faim. Mes pensées tournent en boucle autour du chocolat.

Mardi, je tiens sans craquer jusqu'à 15 heures, où je boulotte, honte en bandoulière, deux carrés de chocolat. Puis, je me reprends, je tiens le reste de la journée. Le soir, une soupe + une rösti maison + une salade et une tisane = une fin de journée dans les clous.

Mercredi matin, je me cale avec un œuf à la coque et des tartines beurrées. La matinée s'écoule sans incident, grâce à l'aide d'une théière de genmaicha. À midi, je fonce manger un bento aux légumes. Durant l'après-midi, on me livre des œufs de Pâques en chocolat. J'en mange un. C'est bon, mais j'ai honte. Je me sens faible et incapable de tenir. Le soir, après le dîner, j'essaie de tromper mes envies avec un fruit. Peine perdue, à 21 heures, je rôde dans la cuisine à la recherche d'une dose de sucre... Je finirai par manger une madeleine.

Jeudi, le petit déjeuner me donne envie de pleurer. Je VEUX de la confiture ! Ou du miel à la rigueur. Je détourne mon attention en me préparant une poire. Pas de chance, elle est farineuse. Durant la matinée, je travaille chez moi. À 10 h 45, je meurs d'envie de manger quelque chose. Je fais le tour des placards, la mort dans l'âme... Tout ce qui se grignote est SUCRÉ !!! Je décide d'avancer le déjeuner.

À 11 h 45, je me cale avec un curry vert de poulet et du riz thaï. Le début de l'après-midi se déroule sans incident. Mais, vers 16 heures, l'envie de sucre se réveille. Comme la veille, je rôde entre les placards et le frigo. Finalement, j'opte pour des tartines beurrées + une tranche de jambon, avec l'impression de manger plus de protéines en 48 heures qu'au cours des quinze jours précédents. À 19 heures, ce sera soupe + galette de céréales bio + salade de tomates.

Vendredi, retour à la rédaction. On me signale qu'on m'a « gentiment livré des éclairs hier ». Ils ont été mis au frais. J'ouvre la boîte. La beauté de ces pâtisseries me coupe le souffle. « Mange-nous ! », semblent-elles me crier. Je contemple leurs reflets chatoyants, imagine leurs saveurs (caramel et fruit de la passion), avant de les offrir au secrétariat de rédaction. Une mesure préventive radicale et efficace. Pour tromper le gouffre qui semble s'être creusé au fond de mon ventre, je bois un thé vert.

Samedi et dimanche, je commence par foncer au marché pour faire le plein de légumes frais. Dès mon retour, je me lance dans la confection d'un pot-au-feu de joue de bœuf... C'est bon, c'est sain, ça laisse des restes à recycler le lendemain. Le mieux étant que, pendant que ça cuit des heures, le parfum du pot-au-feu embaume la maison et sature les cellules olfactives. À part cela, je prends soin de mettre des féculents et/ou des légumineuses à chaque repas afin de me garantir une glycémie stable et je multiplie les activités à l'extérieur pour m'occuper.

Le cas de la cantine

Comment être sûr d'être « sugar free » à la cantine ? Eh bien, malheureusement, on ne peut pas l'être de manière garantie.

Pourquoi ?

1. Parce que, la plupart du temps, les plats cuisinés de la cantine sont fabriqués ailleurs, dans des cuisines industrielles, et juste terminés et/ou réchauffés sur place.

2. Parce que les sauces industrielles contiennent quasiment TOUJOURS un minimum de sucre afin d'être plus savoureuses.

3. Parce que les cuisiniers eux-mêmes ne savent pas toujours très bien ce qu'il y a dans les préparations, ce qui nous renvoie au point 1.

Pour éviter un maximum de sucre(s), voici les règles que je me suis fixées :

– Choisir des légumes crus en entrée et les assaisonner avec un peu d'huile d'olive et de jus de citron (chez nous, il y a toujours des quartiers de citron frais).

– Préférer les plats simples (poisson vapeur, viande grillée) aux plats cuisinés.

– Zapper les plats en sauce (je me souviens d'un dialogue de sourds avec un cuisinier : « Il y a du sucre dans la sauce du canard à l'orange ? », « Je ne sais pas, mais il y a de l'orange je crois », « De l'orange, j'espère, mais du sucre ? », « Peut-être que oui, peut-être que non »...).

– Construire son assiette avec des féculents (riz, frites, pommes de terre sautées, lentilles, boulgour) + des légumes cuits + un peu de viande ou de poisson.

- Éviter les desserts, les yaourts sucrés, les glaces, les pâtisseries... ainsi que les boissons sucrées.
- Éliminer les soupes qui, lorsqu'elles sont industrielles, contiennent toutes du sucre.
- Prévoir un fruit pour le goûter en cas d'envies de douceur.
- Boire de l'eau.
- Résister aux sauces (ketchup & co) qui sont riches en sucre. Je dois ici confesser que j'ai dérapé quelques fois avec la mayonnaise qui, pour moi, est indissociable des frites.

Semaine 2

Lundi, RAS. Des envies, des pulsions, mais je tiens.

Mardi, mercredi, idem.

Jeudi, la journée s'écoule difficilement. Je suis sur les nerfs. J'ai envie de mordre et pas uniquement dans une tablette de chocolat... Tout m'irrite, tout m'énerve. Le soir, nous sortons chez des amis. Soirée sympa, rires et discussions. En fin de repas, la maîtresse de maison, ne sachant pas dans quoi je me suis lancée, nous sert une mousse au chocolat. « Non merci. » Je décline lorsque le plat arrive devant moi. « Tu es sûre que tu ne veux pas goûter ma mousse ? Je l'ai faite avec un grand cru de cacao de São Tomé », regrette la cuisinière... Face à ce « name dropping » cacaotier, je craque. Je me sers sous le regard goguenard de mon mari. Mais l'honneur est (presque) sauf, je n'en prends qu'une cuillerée à soupe. Après l'avoir savourée à petites bouchées, je décline café, thé et tisane, désireuse de conserver son goût en bouche le plus longtemps possible. Dans le taxi, je la savoure encore.

Vendredi, j'ai plus envie de sucre que jamais ces derniers jours. Serait-ce le contrecoup du chocolat d'hier soir ? Au petit déjeuner, j'étrenne ma nouvelle confiture : orange amère + gingembre + jus concentré de pomme rectifié de la marque Saveurs Attitudes... Certes, il y a du sucre (35,7 g / 100 g), mais beaucoup moins que dans une confiture classique et sa saveur légèrement amère n'appelle pas trop le sucre. Pour être aussi raisonnable que possible, je me fixe une quantité de 2 c. à café par petit déjeuner, à savourer sur des tartines de pain nordique (farines de blé et d'orge, de malt, de seigle, de blé torréfié et de graines). Durant la matinée, RAS, tout va bien. À midi aussi. Dès 15 h 30, ça se complique... À 17 heures, je ne résiste pas à deux madeleines qui passent par là. Ensuite, je m'en veux.

Samedi, mauvaise journée, mauvaises nouvelles. Rien ne va comme je veux. Tout m'énerve. Je me venge sur une baguette Tradition que je dévore avec du beurre cru bio à 11 heures. Pas malin, mais réconfortant. Après une sieste, je retrouve le sourire. Puis, dispute magistrale avec mon mari. À 17 h 15, en rentrant d'un tour dans le quartier, je craque et rentre dans la boutique d'Arnaud Delmontel, située au rez-de-chaussée de mon immeuble. Devant le regard ébahi de Rose, je commande une religieuse, un éclair au café et un entremets au thé vert.

– Maman, il y a du sucre là-dedans, c'est pas bon pour toi, tu ne dois pas en manger, m'avertit-elle.

– Mais non, chérie, tout va bien, laisse faire la dame, lui réponds-je, avec un grand sourire à la vendeuse qui me regarde d'un drôle d'air.

– Mais maman, tu ne vas pas être bien, c'est mal ce que tu fais, reprend Rose.

– Chérie, arrête de dire n'importe quoi ! Tu sais bien que ces gâteaux sont excellents...

J'ai honte. Honte, mais faim de sucre. Je contredis ouvertement ma fille et reviens sur mes discours de ces dernières semaines au nom de quelques bouchées sucrées. De retour à la maison, je me jette sur les trois gâteaux, gobés plus qu'avalés en moins de dix minutes montre en main.

17 h 30 : je flotte dans un nirvana de chantilly, de sucre, de vanille et de beurre.

17 h 50 : je me sens bizarre, épuisée, un peu nauséeuse.

18 heures : je me mets au lit en implorant Rose de regarder un film sur l'iPad. La chose étant plutôt inhabituelle, elle s'exécute, étonnée mais ravie.

19 h 15 : Éric me réveille, me demandant ce que je fais au lit à cette heure-là...

19 h 30 : je me lève avec un treuil. J'ai l'impression qu'un train m'est passé dessus. Je suis en miettes.

Dimanche, je rêve de jus de légumes, de détox, de bouillon... Dès 10 heures, une queue de bœuf glougloute dans une casserole avec quelques légumes. Je vais en siroter toute la journée. L'après-midi, je fonce au hammam où je transpire à grosses gouttes. Le soir, je me sens mieux, plus propre, plus légère, comme nettoyée.

Semaines 3 et 4

Grosso modo, je revis les hauts et les bas des semaines précédentes, avec progressivement plus de hauts que de bas. Petit à petit, le sucre me manque moins. Lorsque j'ai une envie, j'ouvre ma boîte de «premiers secours», contenant un mélange de noisettes et de raisins. J'ai également apporté au bureau une sélection de mes tisanes préférées qui me dépannent durant l'après-midi.

Quelques semaines ont suffi à me faire prendre conscience de la nécessité de revoir mes habitudes de fond en comble. Plus question d'aller n'importe où au restaurant, de commander n'importe quoi ou de remplir mon caddie sans réfléchir... Je passe des heures dans les rayons du Monoprix de la place Blanche à examiner les étiquettes. Au point de susciter des regards lourds de certains responsables qui m'observent, inquiets. Me prennent-ils pour une «cliente mystère»? Se demandent-ils si je souffre d'un toc particulier, une sorte d'orthorexie aiguë, qui se traduirait par un décryptage compulsif de l'ensemble des mentions sur chaque emballage?

Mon mantra «no sugar»?

«N'achète rien que Léopoldine (feu ma grand-mère) n'aurait pas reconnu.» Heureusement pour moi, Léopoldine a un peu voyagé! Harissa, piment vert et pâtes de riz passent le test.

Très vite, j'adopte un rituel qui me simplifie la vie : acheter 100 % frais, mis à part les produits d'épicerie, et tout bio, de manière à limiter les additifs, y compris les sucres bizarres.

Dorénavant, tous mes samedis matin se passent au marché bio des Batignolles ou chez les commerçants de la rue Lepic, aux somptueux produits valant peu ou prou le PIB des Tuamotu, aussi inspirants que savoureux. Et une partie non négligeable de mes week-ends consiste ensuite à accommoder ces produits en cuisine...

Alors, est-ce triste de manger sans sucre ? Non, mais ce n'est pas toujours gai. Et il existe des « moments à haut risque ».

Parmi ceux-ci, les pires sont :

– **Le petit déjeuner**, majoritairement sucré dans notre pays, surtout si l'on consomme des produits industriels.

– **Les en-cas**, qui sont quasi exclusivement constitués de produits industriels sucrés et gras, contenant donc du sucre, ou salés, contenant également du sucre.

Petit déjeuner
Enrayer le règne du sucré

Sucré au sud, salé au nord, l'Europe se partage sur la question du petit déjeuner comme sur celle de la politique économique... En France, depuis les années 1960, le petit déjeuner est majoritairement sucré, composé de tartines beurrées, servies avec de la confiture, de viennoiseries ou de céréales industrielles sucrées. Côté boissons, café, thé, boissons lactées et jus de fruits se partagent le marché. Est-ce une bonne idée de manger sucré au petit déjeuner ? C'est en tout cas le meilleur moyen d'enclencher un effet yo-yo de la glycémie qui perdurera toute la journée.

Le cycle pro-sucre du petit déjeuner sucré

8 heures
Jus de fruits + céréales sucrées ou pain blanc + confiture + lait

Une bombe de sucres : fructose + glucose + lactose

8 h 15
Brusque montée du taux de glycémie (sucre) dans le sang

8 h 15 - 8 h 30
Sécrétion d'une forte dose d'insuline par le pancréas
pour faire baisser la glycémie, stockage d'une partie du sucre
du petit déjeuner sous forme de graisses

10 heures
Hypoglycémie réactionnelle
Sensation de faim et envie de sucré

Que faut-il mettre dans son assiette le matin ? **L'idéal est de miser sur un petit déjeuner salé plutôt que sur un petit déjeuner sucré, sans oublier une bonne dose de protéines.** Manger moins de glucides et plus de protéines le matin augmente l'énergie, diminue la sensation de faim au cours de la journée, sans pour autant accroître la quantité de calories absorbées au quotidien, comme l'a montré une étude publiée en 2010 par une équipe de recherche de l'université du Kansas[1]. Enfin, il faut combiner ces protéines avec des glucides complexes et de bonnes graisses qui réduiront encore plus la hausse de la glycémie, assurant un apport régulier de glucose tout au long de la journée.

Mes solutions

Pour le petit déjeuner, j'ai résolument mis le cap au nord, me remémorant les petits matins de mon enfance au cours desquels, dès 6 h 15 (merci maman pour tes milliers de réveils à l'aube !), il y avait toujours à table des fromages et de la charcuterie.

Selon l'humeur, le temps dont je dispose et les restes dans le réfrigérateur, voici ce que je mange avec mon thé :
– pain complet ou au seigle beurré + œuf à la coque/œufs brouillés/œufs au plat
– pain complet beurré + tranche de jambon blanc ou de jambon séché avec le gras
– pain complet + fromage de brebis ou de chèvre
– pain complet + foie gras
– pain complet + guacamole ou salade d'avocat
– pain complet + houmous maison au tahini (purée de sésame)
– pain complet + tarama ou saumon fumé
– crêpe nature + purée d'amandes
– un œuf cocotte aux pousses d'épinards + pain beurré (recette p. 371)

1. « The addition of a protein-rich breakfast and its effects on acute appetite control and food intake in 'breakfast-skipping' adolescents », *International Journal of Obesity*, 2010.

En-cas
Zapper le sucre

Pour baisser sa quantité de sucres simples, voire la réduire à zéro, il faut être capable de gérer le manque durant les premières semaines.

Au fur et à mesure des jours et des semaines, je m'aperçois que ce manque est multiforme.

Il y a d'une part un **manque physique**. À certains moments, c'est comme si un voyant rouge « je veux du sucre, il m'en faut là, tout de suite » s'allumait dans ma tête. Quand ? Le plus souvent lorsque je subis un stress quelconque, professionnel ou personnel. Dans les minutes qui suivent, l'envie de manger du sucre me taraude. Pour y résister, je m'efforce d'abord de réfléchir, de ressentir, d'évaluer calmement cette sensation.

Pourquoi ai-je envie maintenant de sucre ?

Qu'est-ce qui a pu déclencher ce besoin à ce moment-là ?

Cette sensation de besoin est-elle physique ou émotionnelle ?

Généralement, ces quelques instants de réflexion me suffisent à répondre à ces questions et je m'aperçois que ces envies de sucre sont parfaitement corrélées à des pics de stress, de contrariété, d'impuissance, bref, des émotions négatives. En prendre conscience suffit généralement à les apaiser.

Il y a également un **manque plus intellectuel**. Pas de sucre, cela signifie pas, ou peu, de moments d'indulgence, de plaisir d'ordre instinctif, presque primaire. Lorsque j'aspire à une pause réconfortante, il y a bien le thé, mais soyons honnête, on est loin du plaisir apporté par un carré de chocolat ou une pâtisserie. Et lorsque je me mets à penser à mes anciennes béquilles gustatives, cela vire vite à la monomanie.

– J'ai envie de chocolat.

– Cesse d'y penser.

– Oui, mais j'en ai envie. Vraiment envie.

– Stop.

– Arrête de dire stop. Je le sens fondre dans ma bouche, je sens son onctuosité, sa rondeur, ses arômes... J'en veux !

– Tu te fais du mal.

Bref, l'échange entre moi et moi vire vite au dialogue de sourds. J'applique alors tous les conseils qu'on lit partout, et que j'ai moi-même relayés tant de fois dans mes articles : se lever, aller se promener, changer d'activité, se faire un thé... Sauf que j'ai toujours le petit diable en chocolat perché sur l'épaule gauche qui me susurre, tentateur : «Allez, juste un carré, c'est rien, et ce sera tellement bon !»

Quelles que soient ma volonté et ma détermination (énormes, comme vous l'imaginez), je me rends vite compte que j'ai besoin de «bouées de secours» auxquelles me raccrocher en cas de pulsion alimentaire. Un petit quelque chose à manger qui comble le besoin de sucré ou qui réveille des souvenirs gustatifs me «leurrant» intelligemment.

Comment exciter sa mémoire «sucrée» ?

Une bonne manière de lutter contre ses envies de sucre, en phase de «détox no sugar», consiste à recourir à des aliments et des épices qui, dans notre mémoire, sont immanquablement associés au sucré. Lors de la consommation d'un aliment, notre mémoire «donne du sens» à l'information sensorielle transmise par nos organes. En rappelant les expériences antérieures vécues avec le même aliment ou un aliment similaire, elle permet la reconnaissance de l'aliment. Réactiver nos souvenirs « sucrés » sans avoir recours au sucre lui-même permet d'éprouver du plaisir.

Les « sucreurs » d'aliments sont :
– La **vanille en poudre**, c'est-à-dire des gousses de vanille finement mixées en poudre. À saupoudrer sur des yaourts, des fromages blancs, dans un lait chaud…
– La **noix de coco** dont la saveur ronde et douce évoque spontanément l'univers de la pâtisserie. On peut la consommer sous forme de poudre, de lait, de crème…
– La **cannelle** en poudre, surtout la cannelle de Ceylan, la plus sucrée. Quasi exclusivement utilisée en pâtisserie (crumble aux pommes, pain d'épices, muffins, riz au lait…), la cannelle est synonyme de douceur.
– Le **cacao** très amer tel quel, mais qui renvoie forcément au chocolat. Certaines personnes de mon entourage, qui sont capables de manger du chocolat à 100 % de cacao ou de croquer des fèves de cacao, assurent qu'ensuite elles n'ont plus envie de sucré pendant plusieurs heures… Je veux bien les croire. Personnellement, j'ai du mal à me faire à la force du cacao pur, hormis dans un dessert ou un chocolat chaud.

Appétissants, « no sugar » compatibles, capables de se conserver un moment, savoureux, équilibrés… Le casting des en-cas a été serré, car les critères étaient nombreux.

Voici les aliments finalement retenus :
– *Les noisettes torréfiées du Piémont*
Une dizaine de ces noisettes saturent les papilles, évoquent le sucré grâce à leur saveur grillée, et coupent l'appétit compte tenu de leur richesse en acides gras mono-insaturés. En bonus, des antioxydants en pagaille.

– *Les raisins secs*
Encore une bonne manière de résister aux aliments industriels. Une poignée de raisins secs bio répond aux pulsions sucrées. Attention à bien vérifier sur l'étiquetage qu'il s'agit de raisins secs « bruts », et non de raisins secs additionnés d'un sirop. Les puristes vous diront que ça contient du fructose. Moi, je dis que c'est bon, pas malsain, et qu'une pincée d'entre eux vous sauve un craquage...

Sur mon bureau, il y a vite eu une boîte en métal contenant un mix de noisettes et de raisins bio. Elle m'a sauvé la vie et m'a permis de tenir les premières semaines.

Les autres options sont les amandes, les noix, les dattes, les figues, et les fruits frais, dont les bananes, les pommes, les clémentines... Rien que de très sage.

AVRIL

Chapitre 4

Le sucré est-il le goût de l'époque ?

Cette année, le printemps n'est pas gai.

Sur le front de l'économie et du chômage, les mauvaises nouvelles pleuvent. Les Français ont un moral qui semble suivre la cote de popularité de leurs dirigeants. Cap vers le bas ! Face à cette grisaille ambiante, le salut pourrait résider dans un peu de douceur.

Voilà un mois que j'ai entamé mon année sans sucre. Depuis début mars, j'ai éliminé de mon régime alimentaire tout ce que j'ai identifié comme contenant du saccharose et des sucres ajoutés. Je traque les étiquettes, je cuisine encore plus qu'autrefois, je réinvente les rares desserts que je m'accorde, je tente d'apprivoiser les manques et les envies.

Car, oui, j'ai encore envie de sucre... Beaucoup même au début !

Il a fallu ruser, composer, aménager, argumenter avec moi-même plus d'une fois. Il a fallu le soutien indéfectible de mon mari et de notre fille pour ne pas craquer le soir devant la tablette de chocolat dans le réfrigérateur.

Avril est un mois terrible pour une « no sugar ». Le chocolat germe autour de moi comme les jonquilles et les bourgeons. Pâques arrivant, les œufs, les lapins, les cloches se multiplient, me faisant de l'œil dans les vitrines, les rayons des supermarchés, jusqu'au bureau où des chocolats sont livrés en rafale. Tous finissent dans les bureaux alentour, pour le plus grand plaisir de mes collègues, ou chez mes voisins et amis qui se félicitent de ma nouvelle lubie. « Tu voudrais pas faire ton régime sans sucre tous les ans ? », suggère ma copine Marie.

Face à cette marée de chocolats, de pâtes d'amandes, de sucre glace, je m'interroge.

I. LE SUCRÉ SERAIT-IL DEVENU LE GOÛT DE L'ÉPOQUE ?

Une chose est sûre, le sucré rythme depuis longtemps notre calendrier.

– En janvier, nous fêtons l'**Épiphanie** et les Rois mages à coups de multiples galettes des rois à la frangipane que l'on dévore en espérant avoir la fève.

– On enchaîne avec la **Chandeleur** le 2 février, commémoration de la présentation de Jésus au Temple. Au cours de cette fête, les crêpes sucrées sont à l'honneur. Suivent la **Saint-Valentin** le 14 février, au cours de laquelle on tente de nous persuader qu'il faut offrir des chocolats, de préférence en forme de cœur, à l'élu de son cœur, puis, entre fin février et début mars, le **carnaval**, clôturé par le **Mardi gras**, juste avant le mercredi des Cendres, qui marque le début du Carême. Côté saveurs, c'est la fête du gras et du sucré ! Selon les régions de France, on s'empiffre de beugnons dans le Berry, de merveilles en Charente, de bugnes à Lyon, de fritelles en Corse, de chichis frégis à Nice... Leur point commun ? Il s'agit de beignets sucrés.

– Entre fin mars et fin avril, après les quarante jours du Carême, peu suivi de nos jours, nous fêtons **Pâques**. Cette fois, Sa Majesté le chocolat se transforme en œufs, lapins, cloches, friture (petits poissons)... Et, généralement, le repas pascal, souvent composé d'agneau et de haricots, se termine par un gâteau.

– De mai à novembre, le calendrier officiel permet aux moins accros d'entre nous de faire relâche. Notre foie souffle (un peu) et nos papilles aussi. Encore que... L'été, entre glaces, sorbets, confiseries, beignets, boissons fraîches, cocktails et barres chocolatées, on ne peut pas dire que le sucré se fasse totalement oublier.

– Les mois de septembre à novembre riment avec rentrées professionnelle et scolaire. Au fil des semaines, le temps se dégrade, la lumière diminue, on retrouve les routines et, moral en berne oblige, nous sommes nombreux à nous réfugier dans les douceurs alimentaires.

– Début décembre, voici venu le temps de l'**Avent**. Cette période de quatre semaines avant la fête de Noël est à présent scandée par la distribution de calendriers en chocolat aux enfants où chaque jour cache une friandise...

– Le 25 décembre, nous fêtons **Noël,** grande célébration traditionnelle et commerciale. Une fois encore, le sucre est à l'honneur via les bûches de Noël, pâtissières ou glacées, les petits-fours. Et cette année de réjouissances prend fin avec le **Nouvel An,** le 31 décembre, qui, lui aussi, comprend un dessert.

Ne manquant pas une occasion d'«éduquer» les enfants au sucre, le Cedus en a fait un «calendrier des gourmands» pour les CP-CE1, téléchargeable sur le site lesucre.com, à utiliser au cours d'un atelier d'une heure destiné à «permettre aux élèves de **découvrir quelques grandes fêtes traditionnelles** du calendrier au travers d'une approche culturelle, gustative et comparée». Comme tout cela est bien dit...

Ces liens étroits entre culture et saveurs sucrées ne sont pas neufs.

Le sucre

De la Nouvelle-Guinée aux tables d'Europe et d'ailleurs

Originaire de Nouvelle-Guinée et cultivée dès le VIIIe siècle avant J.-C., la canne à sucre a vite essaimé dans le Pacifique. C'est au Bengale, en Inde, que l'on va commencer à presser ses tiges pour en extraire le jus, puis le cuire jusqu'à obtenir une bouillie qui cristallisait en refroidissant. Le «sarkara» se répand en Inde, avant d'être goûté par les Perses.

Dès l'Antiquité romaine, on trouve mention de ce sucre chez Pline l'Ancien ou Sénèque qui parle d'«un miel [...]

produit par une sécrétion douce et onctueuse du roseau lui-même[1]». Lorsque les musulmans conquièrent l'Irak au début du VIIe siècle après J.-C., ils découvrent les plantations de canne et le sucre qu'ils diffuseront dans tout le bassin méditerranéen.

Rapporté en Europe par les croisés, le sucre devient un ingrédient essentiel de la pharmacopée européenne. Comme l'explique l'historien Bruno Laurioux, au Moyen Âge, «à la fin du repas, le sucre est consommé sous la forme de dragées ou d'"épices de chambre" qui facilitent la digestion des bien portants. Ainsi, le sucre combine le statut de médicament et d'aliment; on le qualifierait aujourd'hui d'alicament[2]».

À la fin du Moyen Âge, l'industrie sucrière, bien implantée en Sicile et dans la péninsule Ibérique, fournit l'ensemble de l'Europe. L'Angleterre, la Catalogne et l'Italie manifestent très tôt un engouement particulier pour cette saveur douce. De 1450 à 1650, l'ensemble de l'Europe s'adonne sans réserve à une cuisine sucrée-salée, typique de la Renaissance. À cette époque, comme l'explique l'historienne Elizabeth Abbott[3], «le sucre est un produit de luxe réservé aux aristocrates». Et de décrire les fêtes somptueuses et les «banquets sucrés» des cours hollandaise et anglaise, croulant sous la pâte d'amande, les gelées, les confitures, les marmelades et les sculptures en sucre filé.

1. *Lettres à Lucilius* / Lettre 84.
2. «Comment l'Europe prit goût au sucre», *L'Histoire*, n° 382, décembre 2012.
3. *Sugar: A Bittersweet History*, Duckworth Overlook, 2011.

En France, l'art du sucre doit beaucoup à deux reines d'origine italienne : Catherine et Marie de Médicis. Toutes deux viennent à la cour de France accompagnées d'artisans italiens. C'est de cette époque que datent le gâteau de riz, la pâte d'amande, les biscuits à la cuillère, la pâte à choux, les dragées, le pain d'épices, les pâtes de fruits, le nougat, les crèmes glacées... Petit à petit, le sucre se popularisera en Europe, notamment dans les boissons telles que le café, le thé et le chocolat.

En France, après la tourmente révolutionnaire, de nombreux pâtissiers de Cour s'installent à leur compte. Le XIXe siècle voit le triomphe de la pâtisserie ornementale et l'invention des petits-fours qui accompagnent la mode des thés et des réceptions. À la fin du XIXe siècle, la baisse considérable du cours du sucre, rendue possible grâce au développement du sucre de betterave, permet de démocratiser les gâteaux secs. Forts de leur réputation, nombreux sont les pâtissiers français à voyager et s'établir à l'étranger, faisant rayonner cet art bien au-delà des frontières hexagonales.

Est-ce tout ?

Non, bien sûr. Dans notre culture, anniversaires, baptêmes, mariages, communions, tous les moments importants et ritualisés de l'existence sont célébrés avec un gâteau, une pâtisserie ou des produits sucrés. De la somptueuse pièce montée coupée par le jeune couple aux dragées distribuées lors d'un baptême, le sucre est partout en embuscade.

Encore mieux, il a fini par se confondre avec l'idée même de l'amour, notamment parental. Au goûter, que donnet-on aujourd'hui à nos enfants ? Des sucreries et des gâteaux industriels. Rares sont les petits qui ont un sandwich au salami, des mini-tomates ou des gressins à 16 heures. C'est parfois le cas de Rose qui, bien que ravie, suscite l'étonnement de ses camarades. Pour certains adultes, le sucre fait office de réconfort, de récompense, de compensation face aux difficultés de la vie. Une chute ? Un bonbon. Une douleur ? Une sucette. Un comportement obéissant ? Une douceur. Jusqu'aux goûters d'enfants, où l'habitude veut désormais que les invités repartent lestés d'un sachet de sucreries après avoir fait bombance tout l'après-midi. D'ailleurs, ne menace-t-on pas de « priver un enfant de dessert » s'il n'est pas sage ? Dans la société occidentale, le goût du sucre, inculqué dès le plus jeune âge, est clairement assimilé à des valeurs foncièrement positives.

Dans mon esprit, avril rime avec œufs de Pâques, ainsi qu'avec anniversaires : ceux de mon père, de mon frère et le mien. Avril est un mois doux.

Cette année, plus que d'autres années encore.

Il me semble, où que je tourne le regard, voir du sucre, du sucré, des sucreries... Cachés dans les aliments industriels, magnifiquement mis en scène dans la pâtisserie chic, à déguster à la volée après un stop dans un stand à choux ou un bar à gaufres, le glucose et ses amis sont omniprésents.

Parfums, la piste sucrée

Il n'y a pas qu'en bouche que le sucré s'impose... Caramel, bonbon, fraise, réglisse, cerise noise, sont autant de notes sucrées qui ont fait le succès de certains jus récents :

– Cerise noire pour La Petite Robe Noire de Guerlain (eau de parfum).

– Caramel poudré pour Candy de Prada (eau de parfum).

– Barbe à papa pour Angel de Thierry Mugler (eau de toilette).

– Fraises des bois pour Miss Dior Chérie (eau de parfum).

– Réglisse pour Lolita Lempicka (eau de parfum).

Source : Isabelle Artus, « Le sucre, la nouvelle transgression », Psychologies. com, février 2012

À la fin des années 1990, le sucré « de luxe » était l'apanage des grandes tables des chefs étoilés et des hôtels de prestige. Dans le confort feutré de leurs salles, des chariots virevoltaient d'une table à l'autre, proposant leurs « farandoles » de desserts aux convives. Les pâtissiers faisaient des gâteaux certes, mais pas des œuvres d'art, excepté quelques traiteurs de luxe, notamment ceux situés place de la Madeleine, qui proposaient leurs créations intimidantes.

En une décennie, tout a changé.

« Le sucré remporte un vif succès et il fait vendre », décrypte Laurence Béthines, directrice des tendances et de l'innovation chez Team Créatif. « Douceur, régression, partage intergénérationnel, récréation faite main, signe d'audace, culture populaire, hédonisme facile... Le boom du sucré pâtissier est un phénomène occidental, parfois d'inspiration japonaise. Et c'est un sujet qui provoque une empathie spontanée chez tous les publics. » Les chiffres ne diront pas le contraire. En 2012, le chiffre d'affaires du chocolat en France s'établissait à 2,76 milliards d'euros, contre 2,72 milliards d'euros en 2011[1], avec une progression de 5 % des ventes de tablettes de chocolat en trois ans.

2. LES PARRAINS DE LA PÂTISSERIE

À l'origine de cette « glucosemania », il y a deux hommes.

Le premier, c'est Gaston Lenôtre, décédé en 2009. Chef d'entreprise, auteur de livres, il révolutionna l'art de la pâtisserie en créant une école et en ouvrant une trentaine de boutiques à travers le monde. Christophe Michalak, pâtissier star à la télévision, n'hésite pas à parler de lui comme d'« un maître spirituel qui, le premier, a développé une pâtisserie raffinée et su alléger les classiques ». S'il n'a pas, lui-même, été l'une des figures de la folie sucrée du moment, il a préparé le terrain.

Le second, c'est Pierre Hermé, pâtissier alsacien, parfois qualifié de « pape du gâteau », de « maestro du sucré », de « Callas de l'entremets », de « Picasso of Pastry »... Arrivé aux côtés de Gaston Lenôtre à l'âge de 14 ans, Pierre Hermé sera chef pâtissier de la maison Fauchon entre 1986 et 1996, puis chef pâtissier de Ladurée en 1997-1998. En 2001, avec son associé Charles Znaty, il ouvre à Paris, après Tokyo, la maison Pierre Hermé Paris et, ce faisant, bouleverse les codes du métier.

Les touristes japonais et les fans français font la queue sur le trottoir devant sa première boutique de la rue Bonaparte. Là, dans un décor somptueusement sombre, ses gâteaux sublimes, magnifiquement éclairés, ses macarons et ses chocolats, sortes d'œuvres d'art éphémères, sont servis par des jeunes femmes gantées. Les prix sont élevés ? Qu'importe !

1. Chiffres Syndicat du chocolat.

Le succès est au rendez-vous. La réussite de Pierre Hermé, au-delà de l'excellence de ses produits, tient à une chose : l'adaptation des codes du luxe (beaux emballages, boutiques élégantes, ingrédients de qualité, service ritualisé) et de la haute couture au monde de la pâtisserie. Avec Pierre Hermé, les journalistes ne goûtent pas des gâteaux. Ils sont invités, deux fois par an, à découvrir sa « collection de gâteaux », présentée, comme pour la mode, lors d'événements exclusifs dans des lieux originaux, des Beaux-Arts de Paris au théâtre de l'Odéon, en passant par le Grand Palais.

Au début du XIXe siècle, Antonin Carême, surnommé « le cuisinier des rois et le roi des cuisiniers », affirmait que « les beaux arts sont au nombre de cinq : la peinture, la sculpture, la poésie, la musique et l'architecture, laquelle a pour branche principale la pâtisserie ». Dans les années 2010, alors que Pierre Hermé et ses confrères sont comparés à des orfèvres, nombreux sont ces artisans exceptionnels à revendiquer un art de l'éphémère. Pierre Hermé a ouvert une voie, celle d'une (re)reconnaissance de l'« art de la pâtisserie à la française », savoir-faire hexagonal historique, trop longtemps ignoré ou méprisé.

3. DES RECETTES ALLÉGÉES ET DES INGRÉDIENTS STARS

« Ces dernières années, la pâtisserie a considérablement évolué », détaille Christophe Michalak, pâtissier de l'hôtel Plaza Athénée. « Moins de sucre, moins de beurre, moins de gélifiant, moins de graisses... On a allégé les recettes, sans transiger sur le goût, témoigne-t-il. En étant plus légères, ces recettes sont aussi bien plus digestes. Du coup, la pâtisserie a perdu l'image de spécialité lourde qu'elle a longtemps véhiculée. » En parallèle de ce mouvement, un second phénomène participe à l'engouement sensoriel pour les pâtisseries : la qualité des matières premières.

Beurres de terroir, farines de filières garanties, crèmes de vaches laitières sélectionnées, grands crus de vanille et de cacao... L'exigence de qualité touche non seulement les ingrédients traditionnels de la pâtisserie, mais également les ingrédients frais, dont les fruits et les herbes. La saisonnalité est dorénavant de mise dans le sucré comme dans le salé. Le pamplemousse se savoure en hiver, les framboises en été. Les attachées de presse annoncent l'arrivée des premières fraises, les « collections capsules » se font courtes. Certes, il y a une part de marketing dans ces postures, mais pas seulement. Il y a aussi la volonté forte de ces pâtissiers emblématiques de rester au plus près du produit, du moment, de la saison, pour apporter toujours plus de fraîcheur à leurs créations. Et cela, les consommateurs en redemandent !

4. LES PÂTISSIERS STARS ET LEURS BOUTIQUES-JOAILLERIES

Inspirés par Pierre Hermé, les points de vente ultrachics d'autres chefs pâtissiers se multiplient. Chez certains, on joue la carte des classiques sublimés, poussés à leur paroxysme, comme c'est le cas pour Philippe Conticini et sa Pâtisserie des rêves, où les gâteaux sont présentés sous des cloches en verre, s'admirant de loin, trésors inaccessibles et cependant si proches... On y vient de loin pour le meilleur paris-brest de Paris. Cyril Lignac surfe sur la vague des gâteaux excellents et design, en accord avec le décor signé du duo d'architectes du studio KO, tandis que chez Hugo & Victor, on compare les points de vente, noirs et brillants, à « des cabinets de curiosités où créations, respect des saisons et gourmandise absolue forment un trio irrésistible». Christophe Michalak, lui, explore une autre voie, celle de la pâtisserie lieu de vie-lieu de vente avec atelier-boutique à l'univers inspiré des super-héros et gâteau du jour baptisé Fantastik... L'époque étant au flou, au mix des univers, on a même vu Hermès ouvrir un salon de thé avec entremets et gâteaux, baptisé Le Plongeoir, dans son magasin de la rue de Sèvres.

5. LA FOLIE MÉDIATIQUE

Pour le sociologue Claude Fischler[1], spécialiste de l'alimentation humaine, «la montée récente de la pâtisserie est la démonstration du prestige retrouvé des métiers de bouche. Après l'engouement pour les chefs dans la foulée de l'invention de la Nouvelle Cuisine, on assiste à celui pour les pâtissiers, en partie pour des raisons d'opportunisme médiatique». Accompagnant cette réinvention pâtissière, les médias ont participé dès le début des années 2000 à l'engouement perceptible pour l'art du sucré.

À la télévision, le phénomène est flagrant, y compris dans le domaine de la télé-réalité. Sur France 2, « Qui sera le prochain grand pâtissier? » fait un carton dès la diffusion de la saison 1 en juillet 2013. Dans le jury, des poids lourds de la galaxie sucrée : Christophe Michalak, Pierre Marcolini, Christophe Adam et Philippe Urraca. Sur M6, l'émission rivale se nomme « Le Meilleur Pâtissier » et rassemble depuis trois saisons des millions de fans, tremblants devant les défis de charlottes et autres ganaches. Aux commandes, Cyril Lignac, cuisinier cathodique ayant depuis ouvert des pâtisseries, et Jacqueline Mercorelli, dite Mercotte, grande prêtresse d'un

---

1. Auteur de *L'Homnivore*, Odile Jacob, 2001, et *Manger : Français, Européens et Américains face à l'alimentation*, Odile Jacob, 2007.

blog dédié à la cuisine et aux gâteaux. Pour la finale, diffusée le 26 novembre 2014, l'émission a enregistré un record pour la saison : 3,49 millions de téléspectateurs, soit 16,3 % d'audience !

Sur les ondes également, « Dans la peau d'un chef », l'émission quotidienne de l'après-midi animée par Christophe Michalak, est diffusée sur France 2. En 2014, cette émission rassemblait en moyenne 950 000 téléspectateurs, soit 12 % de part d'audience. Autres représentants de cette génération d'ambassadeurs beaux gosses du sucré cathodique, Gontran Cherrier, qui a rallié les suffrages sur M6 avec « La Meilleure Boulangerie de France », et Chloé Saada, pin-up sans complexe qui a vanté ses recettes régressives dans « Prenez 3 kilos avant l'été » sur Cuisine+. Même les programmes courts s'y mettent, telle « La Minute sucrée » sur France 3 en mars 2014 à l'occasion du Mondial des arts sucrés !

6. L'EFFET PALACE

La plupart des chefs pâtissiers qui affolent la glycémie de l'audimat sont issus des palaces. Jadis, le chef pâtissier s'y faisait discret, sous l'autorité absolue du chef. Aujourd'hui, c'est une star lui aussi, mieux, un outil de communication mis en avant par les grands hôtels au travers des nominations et des créations, le point d'orgue étant la traditionnelle bûche de Noël. Formes exubérantes, saveurs exotico-étonnantes, collaborations avec des designers stars (Karl Lagerfeld, Christian Lacroix, Alexis Mabille), prix stratosphériques... Au moment des fêtes de fin d'année, tout est bon pour faire parler de soi ! Certains font montre d'encore plus de créativité marketing. Le groupe Lucien Barrière a lancé en 2014 la troisième édition du Cook Master Barrière, un concours de pâtisserie ouvert à tous sur Internet. Le premier prix ? La mise à l'honneur de sa création à la carte de tous les restaurants du groupe Barrière, dont le Fouquet's.

7. LES MAGAZINES DE NICHE

Surfant sur la vague de cet engouement généralisé, les titres spécialisés se multiplient, à l'image de *Pâtisseries & compagnie, Pâtisserie, Cuisine Actuelle, Le Meilleur Pâtissier*, tiré de l'émission éponyme, ou encore de *Fou de pâtisserie*, bimestriel lancé en septembre 2013 par un éditeur indépendant (Pressmaker).

Ce dernier, à la maquette élégante et 100 % produit en interne, décline des rubriques pointues, alternant un décryptage du titre de Meilleur Ouvrier de France, l'analyse du mythe de la tarte au citron, un portrait d'Arnaud Larher, des conseils pratiques (pourquoi ça ne marche pas les pâtes à tarte ?), des bancs d'essai d'ustensiles, un dossier sur le pamplemousse ou les desserts scandinaves... Et cela fonctionne, en dépit d'un prix fixé à 5 euros ! À l'heure actuelle, cinq des neuf premiers numéros sont épuisés, les ventes atteignent 40 000 exemplaires et la communauté Facebook compte 90 000 fans. Pour sa rédactrice en chef Julie Mathieu, « l'accueil en kiosque a été très positif, tout comme celui des professionnels, heureux d'avoir une tribune pour s'exprimer. Le sucré vit une révolution globale aujourd'hui. Il y avait une véritable attente autour de la pâtisserie et du sucre, de la part d'un public de plus en plus éduqué, en demande d'expériences toujours renouvelées ». Même des titres grand public osent mettre la pâtisserie en couverture ! Le 25 octobre 2014, *M le magazine du Monde* a frappé fort avec son portfolio « Flagrants délices » consacré aux gâteaux mis en scène de manière transgressive par l'équipe du magazine artistique branché *ToiletPaper*.

8. LES «IT GÂTEAUX»

Irrésistibles également, les boutiques «monoproduit» qui se multiplient dans la capitale, parallèlement à la mode des «it gâteaux». D'où viennent-elles? Certains les disent inspirées par la réussite de Ladurée, marque historique qui a fondé son succès français et international sur les macarons. Mi-tendance, mi-marketing, d'autres ont suivi. Résultat, 2010 était l'année du macaron, 2011 l'année de l'éclair, 2012 l'année du merveilleux et du cupcake, 2013 l'année du chou, 2014 l'année de l'Angel cake... Que nous réserve 2015? Certains parient sur la profiterole, d'autres sur la polonaise, quant aux derniers, ils prédisent un come-back de la charlotte!

Au fil de ces vagues de monoproduits starifiés, on a vu s'ouvrir des boutiques, vite transformées en réseaux, entièrement dédiées à la gloire d'un seul type de gâteau. Elles ont pour noms Popelini (chou), le kiosque Choux d'Enfer, La Maison du chou, L'Éclair de Génie, Aux Merveilleux de Fred, Ciel (Angel cakes), Berko (cupcakes)... Laurence Béthines estime qu'«en travaillant sur un monoproduit, on revient à plus de cohérence et d'aboutissement. Cette stratégie est portée par de nombreuses valeurs qui se trouvent comme exacerbées et magnifiées. Qualité et fraîcheur extrême des produits, innovation maîtrisée ou respect de la grande tradition, packaging, tout est minutieusement pensé. Ce retour à la simplicité est salutaire, car il permet de revenir à plus de cohérence et d'aboutissement».

9. LES BLOGS ET LES SALONS

Lorsqu'on effectue la recherche «blog + pâtisserie» sur Google, le résultat donne le tournis: plus d'un million d'entrées... Parmi ces derniers, il y a des stars, comme Mercotte, mamie de 71 ans devenue jurée d'une émission de télé-réalité pâtissière, portraiturée dans la presse. Il y a également des blogs thématiques, de la pâtisserie vegan aux design cakes improbables, des mug cakes (gâteaux cuits dans des mugs) aux guides live des meilleures pâtisseries de France. Tous sont alimentés par des passionnés qui, jour et nuit, comparent les mérites respectifs des batteurs pour monter les blancs en neige, s'interrogent sur l'intérêt des tapis en silicone et évaluent les derniers crus de cacao !

Véritables succès populaires, les salons sucrés ne cessent de voir leur fréquentation augmenter. Fêtant ses 20 ans, le Salon du chocolat 2014 à Paris a accueilli plus de 120 000 visiteurs sur 20 000 m². Une locomotive qui ne doit pas faire oublier les multiples salons consacrés aux produits sucrés organisés un peu partout en France. Début février 2015, la Grande Halle de la Villette a ainsi vu s'ouvrir la deuxième édition de Sugar Paris, « salon de la pâtisserie traditionnelle et décorative ». En 2014, la première édition avait rassemblé 17 632 visiteurs venus assister à 450 démonstrations et goûter 636 gâteaux réalisés sur place. Pour 2015, les animations prévues combinent un grand marché d'exposants où dénicher le moule inédit ou les kits de décoration, un bar à gourmandises avec huit kiosques à thèmes (bars à choux, cheese-cakes, éclairs, cupcakes, macarons, etc.), un « sugar show » dédié à la pâtisserie traditionnelle et au cake design, une « fabrik' à gâteaux » avec plus de 200 heures d'ateliers et de multiples espaces animations. Son ambition ? « Offrir à la pâtisserie traditionnelle et décorative un salon qui lui est entièrement dédié. »

Pourquoi ces salons marchent-ils si bien ? « Parce qu'on prend toujours plaisir à faire de la pâtisserie chez soi, qu'Internet a largement diffusé une culture esthétique et visuelle de la "belle pâtisserie", en donnant accès aux techniques via les tutos et les films sur YouTube, et qu'avec les sites marchands du Web, chacun a accès à tous les produits et accessoires nécessaires, même s'il vit loin d'une grande ville », analyse Julie Mathieu. Ce n'est pas ScrapCooking®, marque française fondée en 2005, leader de la vente par correspondance et par Internet, dotée de quatre showrooms en province et de plus de 1 000 revendeurs en France et à l'étranger, qui dira le contraire !

10. LES RESTAURANTS SUCRÉS

Derniers avatars de la vogue du tout-sucré, les restaurants hybrides. Sortes d'ocnis (objets culinairement non identifiés), ils jouent de l'effet « blur », floutant les frontières entre pâtisserie et cuisine, salé et sucré. L'ouverture de Dessance il y a plus d'un an a été un coup de tonnerre dans le ciel gastronomique français. Du sucré de l'entrée au dessert, plat compris ? Les gourmets en ont avalé leur serviette. Et y sont allés à reculons, entre curiosité (un peu) et méfiance (beaucoup). Sauf que dans l'assiette, ça marche. Le chef Christophe Boucher ose tout, et presque plus encore. Pour ses plats sucrés, il décale les techniques et les produits, associant librement une purée de pommes de terre vitelottes à un granité granny-smith/marjolaine, une crème de cerfeuil tubéreux avec de la poire et une meringue au cerfeuil. Chez Privé de Dessert, on brouille les codes en présentant des plats salés sous l'apparence de desserts. Religieuse à la tomate, mille-feuille au foie gras, grosses frites au look de churros... Difficile de s'y repérer dans ces exercices de style confondant formes et fonds, faisant exploser les repères, et proposant une nouvelle lecture de l'art du repas.

LE SUCRÉ EST-IL DONC LE GOÛT DE L'ÉPOQUE ?

Pour la psychanalyste Gisèle Harrus-Révidi[1], c'est une évidence. « L'amer est le goût de la vie, car la vie est dure, constate-t-elle. D'ailleurs, la langue française regorge d'expressions imagées mettant en scène l'amertume et exprimant la difficulté de l'existence. *A contrario*, le sucre, c'est le bonheur ! » Depuis quelques années, la vie est plus amère que jamais, nous secouant au gré des tensions économiques, des inquiétudes politiques et sécuritaires, remettant en cause le vivre-ensemble, questionnant l'avenir écologique... « Le plaisir est infantile, poursuit-elle. La pâtisserie a ceci de merveilleux qu'elle provoque un acmé de plaisir sensoriel, qu'elle nous étonne, fait appel à nos souvenirs. Elle nous rappelle que le plaisir est simple, direct et évident comme une bouchée de gâteau. »

En consomme-t-on vraiment plus ? Oui et non. Les chiffres sont rares. Selon une étude[2], le secteur de la pâtisserie surgelée a bondi de 11 % en 2011. Avec un chiffre d'affaires évalué à 12,8 milliards d'euros en 2011, le marché de la boulangerie-pâtisserie connaît une progression de 3,2 % entre 2010 et 2011[3]. Quant au chocolat, 83 % des Français déclarent consommer du chocolat une fois par semaine[4].

1. Auteur de *Psychanalyse des sens*, Payot, 2000, et *Psychanalyse de la gourmandise*, Payot & Rivages, 1997.
2. *Les Échos*, « Le marché de la boulangerie, viennoiserie, pâtisserie industrielle en France. Quelles perspectives et quels défis à l'horizon 2015 ? », 2012.
3. Chiffres Insee.
4. Chiffre Team Créatif / Syndicat du chocolat.

Reste qu'en cette période d'omniprésence du sucré, de sta-
rification de la douceur, de plus en plus de voix s'élèvent contre
le sucre, mettant en garde contre sa (sur)consommation.

« Nous vivons un tournant historique, pointe Claude
Fischler. Depuis quelques années, nous assistons à la réhabilitation du gras, après des décennies de critiques. Le sucre vit un
retour de balancier dû à une grande angoisse et une défiance
généralisées. » Se repérer dans la « cacophonie » nutritionnelle qui nous entoure est de plus en plus ardu. Les messages
sont nombreux, se chevauchent, s'opposent. Il n'y a plus une
parole unifiée d'experts à laquelle se raccrocher.

« En parallèle, nous assistons à une individualisation de
la réflexion. Chacun de nous est responsable de ce qu'il choisit
de manger. Pas étonnant que l'inquiétude monte face à des aliments difficiles, voire impossibles, à comprendre », poursuit-
il. Dans le monde anglo-saxon, le poids du protestantisme se
fait sentir pour tout ce qui touche à la nourriture. L'homme y
est libre et responsable, ce qui entraîne une potentielle culpabilité lourde.

« En France, termine le sociologue, manger reste un
plaisir légitime car il est généralement partagé. Le repas est un
rituel faisant intervenir un ensemble d'individus, un lieu, un
menu et une heure, où le sucré a une place claire : le dessert.
La nouveauté, c'est que la pâtisserie "magnifiée" qui émerge à
présent apparaît de plus en plus comme une incursion hors du
dessert, un affranchissement de ces règles. »

Porteuse de multiples valeurs, joies, plaisirs, souvenirs et
angoisses, la pâtisserie en tant qu'art du sucré relève de plus
en plus en 2015 du registre de l'expérientiel, du sensoriel.
« C'est un luxe à prix raisonnable et à partager à plusieurs »,

conclut Julie Mathieu. « Via le sucré chic, on peut lâcher prise à moindre risque, estime Laurence Béthines. À une époque où nous sommes tous dans l'hyper contrôle, ce lâcher-prise maîtrisé répond à toutes les attentes. Enfin, il procure une expérience totale en y intégrant une notion de temporalité complète. Un bon gâteau, on le mange auparavant en le fantasmant, pendant en le savourant, et après en se le remémorant. »

Moi qui n'ai pas mangé de gâteaux depuis deux mois, je le confirme. Je me souviens de tous ceux qui m'ont transporté, et j'admire ceux que je croise. Seul hic, le goût de l'instant a disparu... Pas grave, je me rabats sur mes souvenirs et mes fantasmes. Plus que dix mois !

Mai

Chapitre 5

Le sucre
fait-il vieillir?

Depuis toujours, j'ai l'habitude de me présenter comme une
« grande fille toute simple ».

Certaines petites filles ont accès à la boîte de maquillage
de leur mère et se familiarisent dès l'enfance avec les fards.
Ce ne fut pas mon cas. Non pas que ma mère m'interdisait ses
poudres et ses rouges ! Elle n'en avait tout simplement pas.
En y repensant, je réalise à présent que je n'ai vu ma mère
maquillée que trois fois : pour le mariage de ses trois enfants.
En dehors de cela, rien. Ni fond de teint, ni poudre, ni anti-
cernes, ni fard, ni mascara, ni rouge à lèvres, ni blush... Rien.
Ah si, elle se mettait du vernis rouge sur les ongles des pieds (et
uniquement sur les pieds), son flacon étant d'ailleurs conservé
dans la porte du réfrigérateur pour le préserver de la chaleur.

J'ai donc grandi dans une sorte, non pas d'aversion, mais
de distance, voire de condescendance à l'égard du maquillage.

Je n'ai aucun souvenir d'un compliment parental sur
notre physique, mis à part les cheveux blonds de mon petit

frère. Nous pouvions être encouragés pour notre intelligence, notre curiosité, notre énergie, notre enthousiasme, notre rapidité, notre raisonnement, nos résultats sportifs, notre gentillesse, notre respect des autres, notre obéissance... Mais notre apparence n'entrait pas en ligne de compte. Le travers m'est resté. Les années ont passé sans que j'investisse mon apparence, et ce d'autant plus que l'adolescence m'a relativement préservée. Ni acné, ni boutons, ni peau grasse... Mais ne pas chérir son physique ne signifie pas ne pas en prendre soin. Si ma mère était une membre involontaire de la tribu « no make up », elle a toujours soigné sa peau, évitant au maximum le soleil, utilisant crème de jour et crème de nuit, la nettoyant consciencieusement le soir. À son contact, dès l'âge de 15 ans, je mettais religieusement tous les matins ma crème de jour. Depuis, je n'ai jamais arrêté.

Lorsque j'ai rencontré mon mari il y a une dizaine d'années, je me souviens de lui avoir dit que j'étais « une grande fille toute simple ». Je le soupçonne de rêver parfois de me voir plus sophistiquée, en bas couture et jupe crayon, avec une longue crinière brushée... Mon amie Frédérique, styliste, me pousse elle aussi depuis des années (j'en profite pour rendre ici hommage à sa constance, son opiniâtreté et son optimisme indéfectible) à « abandonner ce look de reporter de guerre et à t'habiller un peu mieux ». Moi-même, régulièrement, je m'imagine plus femme, plus chic, plus apprêtée. Année après année, je me promets de faire mieux, d'adopter à 35, puis 36, puis 37, puis 38, puis 39, puis 40 ans, les codes de la féminité : maquillage, coiffure, robe ou jupe, talons...

Pour l'instant, l'échec est patent.

Est-ce pour autant que je ne fais rien ? Loin de là. Il y a deux ans, à l'occasion d'une enquête sur les produits cosmétiques et leurs composants, j'ai compté l'ensemble des produits de beauté que j'utilisais quotidiennement. Surprise ! La grande fille toute simple caracolait avec une douzaine de produits, hors maquillage !

Shampooing, après-shampooing, sérums anti-âge (jour et nuit), crèmes pour les yeux (jour et nuit), crèmes hydratantes (jour et nuit), crème pour le corps, crème pour les mains, baume à lèvres, etc. À croire que j'ai assimilé d'instinct l'art du « layering » à l'asiatique, consistant à superposer des couches de produits pour bénéficier de leurs actifs. Tous les quinze jours, je me fais un masque nettoyant, puis un masque hydratant. Deux à trois fois par an, je confie mon visage aux mains magiques de Christelle Tirel, ancienne responsable beauté du spa du George V, qui a ouvert un mini-salon baptisé Escale Essentielle à Paris. J'essaie aussi d'aller de temps en temps au hammam où je me fais gommer vigoureusement.

Ma conclusion : la soi-disant « fille toute simple » fait finalement beaucoup d'efforts pour paraître à son avantage sans effort. On pourrait résumer cela par « moi en mieux » !

Comme toutes les femmes, je m'observe quotidiennement devant la glace. Je m'examine de près, de très près même, j'analyse les ridules qui s'inscrivent comme « des vagues sur les vieilles dames » selon l'expression de ma fille, je tire à gauche, à droite, j'évalue le contour de mon visage, la fermeté et le grain de ma peau, l'éclat de mon teint... Est-ce de la vanité ?

En ce mois de mai, je constate un net changement. Il y a quelques semaines déjà, un matin, je m'étais fait la réflexion que mon visage était plus lumineux que d'habitude.

Instantanément, j'avais pensé «arrête de te vanter». Le lendemain, idem. Un coup d'œil rapide me suffit à évaluer mon environnement. Même salle de bains, même lumière, même carrelage, même fille... Si changement il y avait, il était interne et non externe.

Au fil des jours, je constatais une sorte d'«illumination» de mon teint. Rien de facilement descriptible ou d'évident. C'était plus de l'ordre de la sensation, de l'impression. Peu de temps après, on commença à m'en faire la remarque. «Tu as super bonne mine en ce moment», «T'as changé de crème?», «Tu reviens de vacances?», «Mais comment tu fais pour ne pas vieillir?», «C'est quand même fou ce que ta peau ne marque pas!»... Excellent pour le moral! Que répondre? Rien, à part remercier les auteurs de ces compliments.

Dans les semaines qui ont suivi, je me suis posé beaucoup de questions.

Rien d'autre n'ayant changé dans ma vie, se pourrait-il que le simple arrêt du sucre agisse comme un «super-cosmétique»? Y aurait-il un lien entre les rides, le teint brouillé, les cernes et notre consommation de sucre? L'abandon d'un aliment aussi courant que le sucre pourrait-il se révéler un acte beauté suprêmement efficace?

Un teint lumineux, un épiderme ferme, un grain serré, peu ou pas de rides étant les caractéristiques associées à une peau jeune, arrêter le sucre ferait-il rajeunir?

En résumé, **le sucre nous fait-il vieillir?** Et si oui, pourquoi et comment?

N'étant ni médecin dermatologue, ni biologiste, j'ai tenté de trouver des réponses à ces questions. Pour commencer, un peu de biologie s'impose une fois encore.

I. LA PEAU ET LE GLUCOSE, DE VRAIS FAUX AMIS

On oublie parfois à quel point la peau joue un rôle primordial !

Plus grand organe du corps humain, la peau représente 16 % de notre poids total. Composée de plusieurs couches de tissus (derme, épiderme, hypoderme), elle assure plusieurs fonctions vitales : protection contre l'environnement (dont le soleil et la déshydratation), perception et sensibilité via ses millions de terminaisons nerveuses, régulation thermique par la sudation, synthèse de la vitamine D... C'est également elle qui donne à chacun de nous ses traits caractéristiques et contribue à nos échanges sociaux.

Notre peau est en renouvellement permanent. Issus de la couche profonde de l'épiderme (couche basale), les kératinocytes migrent progressivement vers la surface, subissant différentes mutations au cours d'un trajet qui dure de vingt et un à vingt-huit jours. Perdant finalement leurs noyaux, ils se transforment en cornéocytes et s'assemblent pour former la couche cornée, couche supérieure de la peau directement en contact avec le monde extérieur. Après nous avoir défendus contre le soleil, le vent, la chaleur et le froid, ces cellules mortes finissent par être évacuées par la sueur et le sébum.

Comme toutes les cellules du corps, celles du derme, de l'épiderme et de l'hypoderme ont besoin de glucose pour vivre. Le derme et l'hypoderme sont richement vascularisés par un réseau sanguin très structuré d'artérioles de moyen, puis petit calibre, de capillaires et de veinules. À l'inverse, l'épiderme n'est pas vascularisé ; il est nourri par imbibition à partir des réseaux capillaires des papilles dermiques. Le glucose est donc apporté aux cellules de la peau via ces vaisseaux sanguins minuscules.

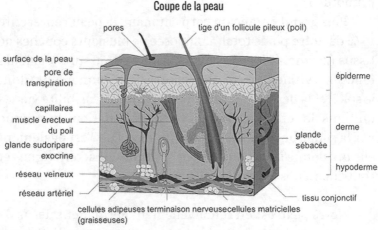

Coupe de la peau

pores — tige d'un follicule pileux (poil)

surface de la peau
pore de transpiration

capillaires
muscle érecteur du poil
glande sudoripare exocrine

réseau veineux

réseau artériel

épiderme

derme

glande sébacée

hypoderme

tissu conjonctif

cellules adipeuses terminaison nerveuse cellules matricielles
(graisseuses)

Source : www.infovisual.info

En biologie, tout est question d'équilibre.

Trop de glucose ou une glycémie trop élevée déséquilibre notre peau.

Diabète et peau
Les liaisons dangereuses

Nombreux sont les diabétiques à avoir des maladies dermatologiques. Plusieurs raisons expliquent ce phénomène.

– *La neuropathie* : l'atteinte des nerfs diminue les connexions entre la peau et le système nerveux central. La peau sera dès lors moins bien défendue contre les agressions extérieures, entraînant plus facilement un dessèchement, des infections ou l'aggravation des blessures.

– *L'hyperglycémie* : une glycémie élevée entraîne des mictions fréquentes qui contribuent à une perte d'eau majeure pour l'organisme. Le phénomène est identique pour ce qui est de la transpiration, elle aussi amoindrie. La sécheresse cutanée augmentant, la peau perd de son élasticité, est plus vulnérable aux attaques de parasites et de bactéries.

– *La microangiopathie* : affaiblis par l'excès de sucre, les petits vaisseaux sanguins qui alimentent la peau évoluent, délivrant moins d'oxygène et d'éléments nutritifs.

Selon le Dr Camille Francès, dermatologue à l'hôpital Tenon, jusqu'à 71 % des diabétiques ont au moins une manifestation dermatologique[1]. Les effets du diabète sur la peau peuvent être directs (glycosylation non enzymatique des protéines, augmentation tissulaire du sorbitol) ou indirects (anomalies vasculaires ou neuropathie).

Certes, nous parlons là de personnes atteintes d'un diabète de type 1 (insulinodépendant) ou de type 2 (non insulinodépendant). J'entends déjà les critiques s'élever. « Avoir un diabète, et souffrir de ses conséquences dermatologiques, n'a rien de comparable avec une personne en parfaite santé qui mangerait du sucre... » C'est exact. Cela étant, manger souvent et/ou beaucoup de sucre entraîne des hausses brutales de la glycémie et fait circuler plus de glucose dans l'organisme, qui devra l'éliminer. De plus, ces variations de glycémie, fréquentes et d'ampleur élevée, peuvent à long terme aboutir à une insulinorésistance dont la conséquence est une hyperglycémie, puis un diabète de type 2.

1. Journées d'endocrinologie, métabolisme & nutrition, 2 décembre 2011.

Si le sucre, hors cas de diabète, n'avait aucun effet sur la peau, pourquoi avais-je constaté un tel effet sur la mienne ?

2. VIEILLIR, C'EST AUSSI JAUNIR

Direction le site du CNRS afin d'en savoir plus sur le vieillissement cutané.

« Dès l'âge de trente ans, les tissus de la peau perdent leur élasticité et leur pouvoir de réguler la diffusion gazeuse (oxygène et gaz carbonique). Au cours du vieillissement, le derme s'amincit et la densité des fibres augmente. Rides et ridules apparaissent... Tous ces signes témoignent de la transformation des tissus conjonctifs endo et extracellulaires, et sont en relation avec les phénomènes oxydatifs qui contribuent à modifier l'apparence.

Du point de vue chimique, les principaux mécanismes du vieillissement cutané sont de nature oxydante par formation de radicaux libres. L'oxygène intervient dans la synthèse et la dégradation des constituants de la peau – lipides, polyglucosides, vitamines, hormones, porphyrines du sang, etc. Les phénomènes d'oxydation chimique (oxydation dans laquelle intervient aussi le rayonnement lumineux) et d'oxydation enzymatique augmentent avec l'âge. Ces mécanismes entraînent la densification du réseau des collagènes, la dégradation des élastines et la diminution du taux de glycoprotéines dans les tissus. Ils provoquent l'épaississement et le brunissement de la peau qui sont autant d'éléments de défense des structures kératinisées et mélanisées superficielles cutanées[1]. »

1. http://www.cnrs.fr/cw/dossiers/doschim/decouv/peau/vieil.html

Vieillir est donc avant toute chose le résultat du stress oxydatif auquel sont soumises nos cellules et de l'accumulation des fameux radicaux libres (les déchets consécutifs au stress oxydatif), dont toutes les fans de cosméto ont entendu parler. Par ailleurs, le vieillissement est également lié à l'inexorable baisse de certaines de nos hormones, dont les œstrogènes, dès la période de la périménopause. De ce point de vue-là, RAS. Je suis certes quarantenaire, mais la ménopause n'a pas encore frappé.

Toxines toujours plus nombreuses, capillaires moins efficaces, diminution de l'oxygénation, rigidification des vaisseaux sanguins... Quand ils se liguent, ces facteurs ralentissent l'élimination de ces toxines. D'un point de vue esthétique, ces toxines, non contentes d'accélérer le vieillissement via la création de ridules et de rides, ont également un effet optique sur le teint et l'éclat. Vieillir, c'est généralement avoir un teint plus terne et plus jaune.

Pour en avoir le cœur net, j'ai appelé le Dr Sandrine Sebban, médecin esthétique et spécialiste de l'anti-âge.

« La peau, à l'image du reste de l'organisme, s'abîme progressivement, explique-t-elle. Les deux principales causes du vieillissement sont l'oxydation et le déclin hormonal. Cela étant, il existe une troisième cause dans laquelle le sucre joue un rôle. Le sucre booste la production d'insuline, ce qui autorise le stockage d'énergie dans les adipocytes sous forme de graisses. Plus la quantité de graisse stockée dans l'organisme sera importante, plus la prise de poids sera élevée. Au niveau du visage, cette prise de poids se traduira par des traits plus lourds, plus affaissés, avec un ovale moins bien dessiné et un moins bon maintien général de la structure. Mais la responsabilité numéro un du sucre dans le vieillissement est due à la glycation des protéines induite par trop de glucose dans le sang. Il n'est donc pas étonnant que l'arrêt des sucres simples ait eu un tel effet sur votre peau.»

3. LA GLYCATION, UN PHÉNOMÈNE IRRÉVERSIBLE

La glycation, qu'est-ce que c'est?

En dépit des apparences, il ne s'agit pas d'un gros mot. Une fois encore, pour le comprendre, il va falloir s'aider de notions de biologie.

En réalité, la glycation est un phénomène totalement naturel.

Chimiquement, il s'agit de la réaction d'un sucre, le glucose, sur les groupements amines des acides aminés constituant les protéines. En d'autres termes, plus compréhensibles, les molécules de glucose chroniquement présentes en excès dans le sang se «caramélisent» littéralement sur les protéines, spontanément, sans intervention d'enzymes. Dans le derme, cet insidieux phénomène de glycation a lieu sur les molécules de collagène et d'élastine, deux protéines essentielles assurant le matelas de soutien de la peau. Conséquence? Une rigidification, voire une rupture des fibres de collagène et d'élastine, une désorganisation du tissu cutané, une perte de souplesse et de structure de la peau.

En clair, le sucre dans notre sang a tendance à caraméliser sur les fibres qui soutiennent la peau. Sur le visage, cela se traduit par des rides. CQFD.

Est-ce tout? Malheureusement non.

La glycation des protéines entraîne la production de protéines plus grosses, dites «glyquées». Également baptisées «AGE» (*Advanced Glycation End products*), ces composés réactifs, irréversibles et progressant quel que soit le niveau de glycémie, sont responsables du vieillissement tissulaire. Ces produits sont des composés aromatiques, colorés à pigmentation brune, fluorescents et antigéniques[1]. Le hic, c'est que les AGE ne peuvent être ni détruites, ni éliminées par nos cellules. Elles s'y entassent donc, entraînant progressivement un dysfonctionnement du métabolisme de la cellule, et finissent par engendrer sa mort.

De nombreux laboratoires et marques de cosmétiques s'intéressent depuis une dizaine d'années à la glycation. Directeur de la communication scientifique pour Dior Beauté, Édouard Mauvais-Jarvis précise que « lorsqu'on fait cuire du pain ou un gâteau, il brunit car les températures élevées provoquent la transformation des sucres et amidons en composés colorés et colorants. C'est ce qu'on appelle les réactions de Maillard. Dans la peau, le phénomène est similaire. Le sucre fait vieillir l'organisme de manière générale en augmentant la fabrication des AGE. Chaque jour, près de 7 milliards de toxines d'origine interne ou externe s'accumulent dans la peau. La lutte contre ces protéines oxydées est l'une des voies de recherche approfondie par la cosmétique. Chez Dior, par exemple, nous développons des stratégies de préglycation ou de déglycation ».

En d'autres termes, le sucre est sans doute excellent en bouche, mais il a une sorte de « deuxième effet Kiss Cool », potentiellement ravageur pour notre peau.

---

1. « La glycation, un phénomène méconnu du vieillissement », *Nutra-news*, 24 novembre 2014.

4. LE SUCRE, UN RALENTISSEUR DE JEUNESSE

Au-delà de la glycation, le sucre joue d'autres (mauvais) rôles dans le vieillissement cutané.

Questionner « Miroir, mon beau miroir, qui est la plus belle ? » une pomme à la main induira une réponse agréable... Antioxydants, vitamines, minéraux, fibres, les végétaux frais sont de formidables sources de jeunesse pour notre organisme.

Questionner « Miroir, mon beau miroir, qui est la plus belle ? » avec une pâtisserie suscitera une réponse nettement moins favorable. Pourquoi ? Parce que le sucre chronique ralentit le renouvellement des cellules.

Les cellules de la peau, ou kératinocytes, ont des récepteurs spécifiques pour l'IGF-1[1], facteur de croissance produit par le foie. L'augmentation de l'insuline réduit l'action de l'IGF-1 agissant sur la multiplication des cellules, et donc sur leur renouvellement. Avec le temps, les kératinocytes, ainsi que d'autres cellules de la peau, les fibroblastes, perdent leur capacité de réponse à ce facteur de croissance. Les cellules ne peuvent plus se développer parfaitement. Ainsi, les fibroblastes ne fabriquent plus aussi bien le milieu essentiel à la vie des cellules de la peau : moins de collagène et moins d'acide hyaluronique donnent un aspect moins tendu à la peau. Oublié le côté rebondi d'un épiderme frais !

---

1. *Insulin-like growth factor-1,* littéralement « facteur de croissance 1 ressemblant à l'insuline », aussi appelé somatomédine C, hormone peptidique dont la structure chimique est proche de celle de la pro-insuline, précurseur de l'insuline à partir duquel l'insuline est fabriquée dans les cellules ß des îlots de Langerhans du pancréas.

« On ne le dit pas suffisamment, mais les expériences en laboratoire montrent que si on baigne des cellules dans un bain sucré, elles s'abîment très rapidement », pointe le Dr Nicolas Zamaria, médecin biologiste, spécialiste en micronutrition et stress oxydatif, qui détaille plusieurs autres interactions entre sucre et vieillissement :

– Surstimulé par trop de sucres, dont le fructose, *le foie pourra moins efficacement se consacrer à l'élimination des autres toxines.* Résultat, il va s'encrasser rapidement, et cela se verra vite au niveau du teint, qui peut jaunir ou se brouiller.

– *Le sucre a un effet inflammatoire* sur l'organisme, entraînant une oxydation forte qui va, elle-même, produire des radicaux libres qui entretiennent l'inflammation qui produit des radicaux libres qui... Le cercle vicieux est enclenché. Avec pour résultat des rougeurs, des taches pigmentaires, des boutons.

– *Trop de sucre peut indirectement mener à une acidification* de l'organisme car le métabolisme devra puiser dans ses réserves de minéraux (potassium, calcium, magnésium) pour traiter ces calories « vides » qui n'apportent aucun nutriment. Le risque, en mangeant beaucoup de sucre, c'est de faire baisser le niveau de ces minéraux dans l'organisme, ce qui conduit à son acidification.

Alors, anti-jeunesse le sucre ?

« Attention aux simplifications, avertit Nicolas Zamaria. Le vieillissement, comme à peu près toutes les affections, est multifactoriel. Aujourd'hui, on en sait plus sur ce qui le suscite, mais il est impossible de rendre un seul nutriment ou un comportement entièrement responsable. » Le sucre ne serait-il pas responsable du vieillissement ? « Si, de manière partielle, lorsqu'on en consomme trop et trop souvent. L'arrêter ne vous fera pas rajeunir au point de retrouver vos 20 ans. Néanmoins, cela contribuera à alléger l'organisme, à ne pas l'épuiser. »

« Il y a vingt ans, les consommateurs voulaient des produits curatifs qui permettaient d'effacer des rides déjà installées, se souvient Édouard Mauvais-Jarvis. À présent, les discours de prévention active sont beaucoup mieux reçus. Le monde évolue. À tous les niveaux, il y a une prise de conscience des conséquences à moyen et long terme de nos choix de vie, y compris de leurs effets santé et beauté. L'alimentation et le mode de vie jouent un rôle primordial dans la prévention de l'âge. »

Le sucre nous fait-il vieillir ?

À l'aune de mon expérience personnelle et des experts que j'ai pu interroger, je pense que oui, une alimentation riche en sucres simples donne un coup de vieux. *A fortiori* lorsqu'on la combine avec trop de soleil, le tabac et une mauvaise hygiène de vie mixant plats industriels, manque de sommeil et sédentarité.

Au-delà de mon expérience personnelle, une étude menée en 2011 par le centre médical de l'université de Leiden et Unilever sur un panel de 600 personnes[1] a montré que l'on pouvait établir un lien direct entre le niveau de glucose dans le sang et

---

1. « High serum glucose levels are associated with a higher perceived age », *AGE*, 2011.

l'âge apparent. Les personnes de 50 à 70 ans présentant une glycémie élevée paraissaient beaucoup plus âgées que celles dont la glycémie était faible. Cette étude a également montré qu'à âge similaire, les personnes souffrant d'un diabète paraissaient proportionnellement nettement plus âgées que les non-diabétiques.

Je ne suis pas la seule à m'intéresser à cette voie. Au pays de l'« éternelle jeunesse », à Hollywood, de plus en plus de stars, coachées par leur dermatologue, se convertissent à un régime « no sugar » pour lutter contre le passage du temps. Victoria Beckham, célèbre pour avoir épousé son footballeur de mari, était aussi réputée pour son acné tenace. Suivant les recommandations du Dr Henry Lancer, dermatologue canadien, elle a stoppé les produits laitiers, la caféine et quasiment tout le sucre. À 39 ans, Victoria paraît plus fraîche que jamais. Autre gourou de l'anti-âge, Nicholas Perricone[1], qui conseille Eva Mendes ou Kate Hudson, met en garde contre les dangers du sucre. « Mes patients me demandent toujours si manger du sucre ou d'autres sortes de produits sucrants peut contribuer à l'acné, précise-t-il sur son site[2]. La réponse est oui. Quand nos taux de glucose et d'insuline montent, que ce soit à cause d'un régime déséquilibré ou du stress, nous subissons une augmentation des composés inflammatoires au niveau cellulaire. Cela aggrave fortement les maladies inflammatoires à l'image de l'acné car le cortisol et les autres stéroïdes surrénaliens peuvent agir comme les androgènes (les hormones mâles) et stimuler les glandes sébacées. »

1. *Forever Young. The Science of Nutrigenomics for Glowing, Wrinkle-Free Skin and Radiant Health at Every Age*, S&S International, 2010.
2. http://www.perriconemd.com

Depuis que j'ai stoppé le sucre, je trouve objectivement que j'ai gagné en qualité de peau. Je ne suis pas la seule. Tous ceux qui ont tenté un régime «no sugar» disent la même chose. «J'ai le teint comme éclairé de l'intérieur», «Le blanc de mes yeux s'est éclairci», «J'ai l'impression d'avoir la peau comme lissée», «Mes poches sous les yeux ont nettement dégonflé»... L'Anglaise Nicole Mowbray, qui a abandonné le sucre en 2012, raconte dans son livre[1] que, dès la deuxième semaine, son léger ictère a disparu, puis, quelques semaines plus tard, l'acné qui ravageait ses joues s'est effacée, tandis que son teint s'éclairait.

Avoir arrêté le sucre ne m'empêche pas de continuer à utiliser des soins cosmétiques, matin et soir. J'achète toujours ces produits pour le plaisir de leurs textures et de leurs parfums. Je me fais masser de temps en temps. En un mot, j'accompagne en douceur le passage du temps.

Ce qui a changé? En arrêtant de manger du sucre, j'ai découvert comment réellement prendre soin de ma beauté de l'intérieur. Et ça se voit.

1. *Sweet Nothing. Why I gave up sugar and how you can too*, Paperback, 2014.

Juin

Chapitre 6

Les édulcorants, vrais amis ou faux alliés ?

Déjà trois mois sans sucre.

Petit à petit, j'ai atteint une sorte de « vitesse de croisière ». Ma vie « no sugar » est plus calme à présent. Les envies désespérées de douceurs du début ont disparu, les sensations de manque se raréfient... Celles qui perdurent sont manifestement davantage d'ordre psychologique que physique.

Je ressens fortement la réduction de ma palette de saveurs.

Un peu comme un éventail qui, de largement ouvert, aurait été partiellement refermé. Sans sucre, le sucré devient plus rare, plus fugace. En ce mois de juin, toutes les bouchées légèrement sucrées me procurent un plaisir immense au goût d'interdit. Je redécouvre ainsi avec un bonheur absolu les premières fraises de pleine terre, parfumées et acidulées. Alors que j'avais arrêté de boire du lait depuis près de vingt ans, je m'offre de temps en temps le soir un grand verre de lait entier fermier froid, et je savoure à petites gorgées sa saveur délicatement sucrée et son parfum animal. Je perçois même des notes sucrées dans le riz ou les pommes de terre que je laisse fondre longtemps dans la bouche, mâchant encore et encore, laissant monter le goût de l'amidon.

M'ouvrant de cette frustration à mon amie Sarah devant notre pizza veggie, je l'entends me conseiller d'opter pour les édulcorants. Elle-même, maman d'une petite fille diagnostiquée diabétique à l'âge de 4 ans, est un as des fourneaux et des plans B « no sugar »...

– J'ai à peu près testé tous les édulcorants pour que Margaux ne soit pas trop frustrée et qu'on puisse tout de même manger un minimum de desserts et de gâteaux maison, m'explique-t-elle.

– Et c'est quoi la solution, d'après toi ?

– En gros, tu as deux options : le plan A, c'est sucrer tes recettes avec des ingrédients genre banane et fruits secs (dattes, figues, raisins). Le plan B, c'est opter pour des édulcorants.

Reste que :

1. Je n'aime pas exagérément les bananes. J'en ai trop mangé enfant, je crois...

2. Les dattes pourquoi pas, mais la plupart ont baigné dans un sirop avant d'être vendues.

3. Je suis gravement allergique aux figues.

4. Les raisins secs, j'en ai déjà mangé deux semi-remorques au cours des mois précédents.

5. Fin du plan A.

Passons au plan B.

« Édulcorants » : le mot magique est lâché.

Il rassure nombre d'entre nous qui se sentent autorisés à consommer des boissons sucrées ou des aliments dès lors que le sucre y a été remplacé par des édulcorants. Dans mon entourage amical, une grande majorité de jeunes femmes n'imaginerait pas une vie sans siroter chaque matin et/ou chaque après-midi leur Coke light, saupoudrer d'aspartame leur yaourt nature ou grignoter des barres aux céréales allégées... Elles sont le produit de trente ans de marketing alimentaire.

Dès la fin des années 1970, face à la montée du surpoids, les industriels ont investi sur cette arme d'amincissement massive ! Miracle de la technologie, ces molécules artificielles allaient permettre de réconcilier les consommateurs avec leur gourmandise en permettant le développement de produits allégés en calories. Pourquoi ? Parce que le mot d'ordre nutritionnel a longtemps été « pour mincir ou rester mince, il faut absorber moins de calories ». Les édulcorants, qui apportaient le goût sucré sans les calories, répondaient parfaitement à ce principe. Aux États-Unis, le « fat free » et le « light » envahissent les rayons, au fur et à mesure que les industriels baissent la quantité de matières grasses et/ou remplacent le sucre par des édulcorants.

Mais de quoi parle-t-on exactement ?

Édulcorants

Des additifs très encadrés

Selon l'Agence nationale de sécurité sanitaire de l'alimentation, de l'environnement et du travail (Anses), « obtenues par synthèse chimique ou extraites de végétaux, les substances appelées "édulcorants intenses" sont des additifs utilisés par l'industrie agroalimentaire pour leur pouvoir sucrant plusieurs dizaines à plusieurs milliers de fois supérieur à celui du saccharose. En France, les édulcorants intenses les plus utilisés sont l'aspartame, l'acésulfame K et le sucralose. Ils sont consommés dans un objectif de réduction de la consommation de sucres et de l'apport énergétique, et comme aide au contrôle de la glycémie chez les sujets diabétiques ».

	Marques en vente	Calories / 100 g	Intensité du goût sucré
Acésulfame K (E950)	Sunett, Sunette	0	100 à 200 fois celui du sucre
Aspartame (E951)	Canderel	348	150 à 200 fois celui du sucre
Sucralose (E955)	Splenda, Canderel Sucralose	383	600 fois celui du sucre

Les édulcorants intenses sont autorisés en Europe dans l'alimentation humaine en tant qu'additifs alimentaires. Leur utilisation est encadrée par le règlement (CE) n° 1333/2008 sur les additifs alimentaires qui définit les « édulcorants » comme les « substances qui servent à donner une saveur sucrée aux denrées alimentaires ou qui sont utilisées dans des édulcorants de table ». Du point de vue chimique, les « édulcorants intenses » sont des substances très diverses, d'**origine végétale**, ou obtenues par **synthèse chimique**. Elles ont pour point commun de présenter un **pouvoir sucrant** très élevé, de plusieurs dizaines à plusieurs milliers de fois supérieur à celui du sucre de table (saccharose).

Comme tous les additifs alimentaires, les édulcorants font l'objet d'une procédure d'autorisation harmonisée à l'échelle européenne. **Avant d'être autorisés ou non par la Commission européenne, les additifs sont soumis à évaluation de l'Autorité européenne de sécurité des aliments (Efsa)**. Sur cette base, la Commission établit une liste positive d'additifs autorisés indiquant les aliments dans lesquels ils peuvent être ajoutés et les doses maximales autorisées exprimées en DJA ou dose journalière admissible. Seuls les additifs présents sur cette liste peuvent être ajoutés dans les denrées alimentaires.

Selon leurs partisans, les édulcorants, c'est le miracle du goût sucré sans aucun de ses inconvénients. Grâce à eux, on allait voir disparaître la prise de poids et son cortège de maladies : obésité, syndrome métabolique, diabète, maladies cardio-vasculaires, AVC, cancers... Résultat, au cours des années 1980 et 1990, les « sucrettes » ont détrôné le sucre et le marché des produits édulcorés a explosé, des yaourts aux sodas, en passant par certains gâteaux, bonbons ou chewing-gums. Comme en témoigne Gisèle Harrus-Révidi, psychanalyste et auteur de *Psychanalyse de la gourmandise*, « dans les années 1980, tout le monde avait sa boîte de sucrettes Canderel dans la poche. Si on était branché, on mettait des édulcorants dans son thé ou son café ». D'ailleurs, les « femmes Canderel » n'étaient autres que les sylphides de Kiraz, magnifiques porte-drapeau publicitaires d'une génération décomplexée, indépendante et se rêvant mince, mince, mince...

Sauf que le problème est plus complexe.

Depuis les années 1980, la consommation de boissons édulcorées a augmenté dans le monde alors même que les taux de surpoids, d'obésité et de diabète croissaient. En France, les boissons light représentent aujourd'hui plus de 20 % du marché, malgré un léger tassement depuis 2010.

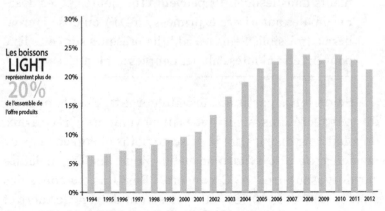

L'évolution des volumes des boissons « light » et « mid cal »
[en % du total BRSA]

Les boissons
LIGHT
représentent plus de
20 %
de l'ensemble de
l'offre produits

Sources : Graphique SNBR / www.boissonsrafraichissantes.com

Parallèlement, notre poids ne cesse de croître.

En 1997, 36,7 % des Français de plus de 15 ans étaient en surpoids, et 8,2 % étaient obèses. En 2003, ces chiffres avaient progressé : 41,6 % de la population totale, dont 11,3 % d'obèses.

En 2012, 47,3 % des Français étaient en surpoids, dont 15 % étaient obèses.

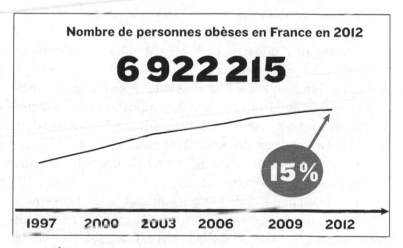

Prévalence de l'obésité en France (1997-2012)

Nombre de personnes obèses en France en 2012

6 922 215

15%

1997   2000   2003   2006   2009   2012

Sources : Études ObEpi-Roche

Les édulcorants sont-ils la solution ?

Depuis leur lancement, les édulcorants ont été soupçonnés. Entre principe de précaution, méfiance pour la chimie toute-puissante, inquiétude diffuse face à des additifs artificiels, ils ont été accusés de toutes sortes d'effets secondaires. Notamment mis en cause dans le développement des cancers et dans la prématurité des nourrissons, l'aspartame, résultat d'une combinaison entre deux acides aminés, découvert par hasard en 1965 par un chimiste cherchant à développer une protéine pour un médicament, en est un bon exemple. D'un côté, il y a les fabricants, dont Ajinomoto, entreprise japonaise productrice d'aspartame longtemps propriétaire d'une usine à Gravelines, dans le Nord, qui défendent leurs produits et clament leur innocuité. De l'autre, des associations de consommateurs et des chercheurs qui s'inquiètent des effets sanitaires à moyen et long terme de ces produits. Au milieu, dans le rôle de juge de paix qui ne convainc pas les opposants, il y a l'Efsa.

Du côté de l'industrie et de ses experts, on se désole de cette mise au pilori systématique de produits autorisés en alimentation humaine. Responsable des affaires scientifiques et réglementaires chez Ajinomoto et toxicologue, Hervé Nordmann regrette que « les journalistes accordent trop de place et de crédit aux thèses fantaisistes de lanceurs d'alerte qui sont des marchands de peur. Pourquoi ne pas faire confiance aux industriels ? ». Lorsque, lors d'un colloque sur le sucre, je lui ai parlé de la non-publication de l'ensemble des études des industriels, au nom d'un risque de vice de concurrence, et du doute qui pouvait raisonnablement nous saisir face aux affirmations d'experts ayant des intérêts dans l'agro-industrie, il a réfuté ces arguments, m'invitant à lire son dernier ouvrage *Avec ou sans ? Enfin la vérité sur l'aspartame* (Le Cherche Midi, 2014).

Où en est-on aujourd'hui ?

Sur son site (www.anses.fr), l'Agence déclare s'être « auto-saisie le 30 juin 2011 en mettant en place un groupe de travail chargé de l'évaluation des risques et bénéfices nutritionnels de l'ensemble des édulcorants intenses. Par la conduite de ce travail, l'Agence a souhaité expertiser, pour la première fois, l'intérêt nutritionnel des édulcorants intenses pour la population générale. Ce travail pionnier ne démontre aucun bénéfice de la consommation d'édulcorants intenses sur le contrôle du poids, la glycémie chez les sujets diabétiques ou l'incidence du diabète de type 2. Il ne permet pas non plus d'établir de lien entre la consommation des édulcorants et l'habituation au goût sucré, ni de lien avec des risques accrus de diabète ou de cancers ». Et de conclure, « dans son évaluation, **l'Anses met en évidence le déficit de données pertinentes sur les bénéfices potentiels de la consommation d'édulcorants,** dans le contexte d'une utilisation pourtant large et ancienne de ceux-ci dans le cadre alimentaire ».

« L'aspartame ne vous fera pas maigrir mais il n'est pas dangereux » semble être le message de l'Anses.

Le 30 janvier 2013, le débat a été relancé par une étude de l'Inserm, dirigée par Françoise Clavel-Chapelon et Guy Fagherazzi, épidémiologistes, publiée dans l'*American Journal of Clinical Nutrition*. Cette étude[1] pointait une corrélation entre la consommation de boissons sucrées ou édulcorées et l'augmentation du diabète de type 2 chez les femmes. Pourquoi en a-t-on beaucoup parlé dans les médias ? Parce qu'elle portait sur un échantillon important (plus de 66 000 femmes), suivi pendant quatorze ans, dont l'état de santé était comparable et le poids plutôt inférieur à la moyenne de la population. Et parce que leurs conclusions bousculaient les idées reçues...

---

1. « Consumption of artificially and sugar-sweetened beverages and incident type 2 diabetes in the Etude Epidemiologique auprès des femmes de la Mutuelle Générale de l'Éducation nationale – European Prospective Investigation into Cancer and Nutrition Cohort » *The American Journal of Nutrition,* 2013.

« À quantité consommée égale (soit 1,5 l par semaine, ce qui représente moins d'une canette par jour), le risque de développer un diabète de type 2 était multiplié par 1,5 pour les consommatrices de boissons sucrées et par 2,2 pour les consommatrices de boissons light par rapport aux non-consommatrices », explique Guy Fagherazzi. Comment expliquer ce résultat ? Boire des boissons sucrées n'est pas suffisamment satiétogène (les calories des boissons sucrées s'ajoutent donc aux calories des solides). D'autre part, les sucres contenus dans les boissons sucrées entraînent en réaction un pic d'insuline, et des pics à répétition peuvent engendrer une insulinorésistance.

« S'agissant en particulier des boissons "light", la relation avec le diabète pourrait s'expliquer d'une part par une appétence plus forte pour le sucre en général des consommatrices de ce type de boissons. D'autre part, l'aspartame, qui est l'un des principaux édulcorants utilisés aujourd'hui, induirait une augmentation de la glycémie et de ce fait une hausse du taux d'insuline, comparable à celle engendrée par le sucrose », expliquent-ils sur le site de l'Inserm[1]. Autre explication, le volume ingéré double lorsqu'on consomme des boissons édulcorées, sans doute parce que ces boissons sont perçues comme saines et sans effet sur le poids.

Sans réelle surprise, cette étude a soulevé de nombreuses critiques : étude déclarative pure, mauvaise évaluation et mauvais suivi du poids des participantes, non prise en compte des éventuels changements de régime des sujets... Confronté à ces critiques, Guy Fagherazzi maintient ses résultats. « Le

1. http://www.inserm.fr/espace-journalistes/les-boissons-light-asso-ciees-a-une-augmentation-du-risque-de-diabete-de-type-2

questionnaire de fréquence alimentaire est validé et couramment utilisé dans de nombreuses études françaises et européennes, précise-t-il. Par ailleurs, le poids des sujets était mis à jour tous les deux à trois ans lorsqu'elles étaient interrogées, et les informations santé étaient corrélées avec les remboursements de la Sécurité sociale. »

Certains ont remis en cause les résultats de l'Inserm, en citant une étude européenne publiée courant 2013, agrégeant les résultats de plus de 300 000 participants[1]. Cette étude n'a pas montré de lien entre la densité énergétique de l'alimentation et le risque de développement du diabète de type 2. Reste qu'il ne s'agissait que de l'alimentation solide et semi-solide, les apports énergétiques en boissons n'étant, eux, pas comptabilisés.

Que pense de tout cela le « juge de paix », c'est-à-dire l'Efsa ?

Dans son avis publié le 10 décembre 2013, l'Efsa conclut pour l'aspartame, un des édulcorants les plus utilisés, que la dose journalière admissible actuelle de 40 mg/kg de poids corporel par jour est protectrice pour la population générale (à l'exception des personnes souffrant de phénylcétonurie).

« N'ayez crainte lorsque vous consommez des édulcorants » disent en chœur les principales agences de santé, tant nationales qu'européennes... Sauf qu'en sciences, rien n'est simple et définitif.

---

1. « The association between dietary energy density and type 2 diabetes in Europe: results from the EPIC-InterAct Study », *Plos One*, mai 2013.

Coup de tonnerre il y a quelques mois! Un nouvel épisode relance la saga des édulcorants. D'autres soupçons pèsent à présent sur eux et sur leur impact sur le microbiote intestinal, c'est-à-dire l'ensemble des bactéries qui habitent notre système digestif.

Microbiote
Le ventre, cet inconnu

Le microbiote intestinal, c'est l'ensemble des micro-organismes (bactéries, levures, champignons, virus) vivant dans le tube digestif. On estime le microbiote intestinal, autrefois appelé flore intestinale, à plus de 100 000 milliards de micro-organismes, soit deux fois plus que le nombre moyen de cellules de l'organisme. Selon S. Dusko Ehrlich, directeur de recherche à l'Inra et coordinateur du projet MetaHIT qui a décrypté le génome du microbiote, «jusque-là, nous ignorions ce qu'il y avait dans notre ventre car plus de 85 % de ces bactéries ne sont pas cultivables en laboratoire. Aujourd'hui, on sait que chacun de nous abrite près de deux kilos de bactéries et que leur patrimoine génétique est infiniment plus varié que le nôtre». Aujourd'hui, on sait qu'il existe trois groupes distincts de microbiotes, similaires aux groupes sanguins, baptisés «entérotypes», et que chacun d'entre nous abrite un microbiote unique. Depuis quelques années, ces micro-organismes longtemps considérés comme «sales» se sont transformés en nouveau Graal santé. Pourquoi? Parce qu'on a découvert qu'ils interagissaient avec notre système immunitaire, qu'ils jouaient un rôle essentiel dans l'assimilation des nutriments, qu'ils produisaient jusqu'à 95 % de certaines hormones, dont la sérotonine (neurotransmetteur impliqué dans l'anxiété, le stress, la dépression), qu'ils étaient liés, en cas de déséquilibre, au développement de certaines maladies comme le diabète, la dépression, l'obésité, certaines affections inflammatoires et maladies auto-immunes... Au point que certains médecins et scientifiques imaginent que, dans quelques années, on puisse avoir recours aux greffes fécales, comme on le fait déjà avec d'autres organes (cœur, foie, poumon, rein).

Une équipe de chercheurs israéliens a publié en octobre 2014 une étude[1] selon laquelle la consommation d'édulcorants (aspartame, sucralose, saccharine) serait diabétogène par le biais du microbiote.

Comment ? En majorant les phénomènes d'intolérance au glucose via une modification de la composition du microbiote. « Or, les aliments à base d'édulcorants, sodas, céréales, desserts... sont proposés justement pour lutter contre l'hyperglycémie en cas d'intolérance au glucose ou de diabète 2 », a expliqué le Dr Eran Elinav lors d'une conférence de presse. Non digérés lors du tractus digestif et arrivant intacts au contact de la flore intestinale, les édulcorants ont modifié la composition de la flore microbienne des souris.

Résultat, dès la fin de la première semaine, les souris nourries avec un mélange eau + glucose + édulcorants présentaient des signes d'intolérance au glucose. Après traitement antibiotique de quatre semaines, les différences entre les groupes de souris ont disparu. Les chercheurs ont alors procédé à des transplantations de microbiote fécal entre les groupes de souris. Les souris nourries aux

1. « Artificial sweeteners induce glucose intolerance by altering the gut microbiota », *Nature*, 514, octobre 2014.

édulcorants et les souris témoins ont présenté la même différence métabolique.

Conclusion, le paramètre influençant les taux sanguins de glucose était bien la composition de la flore microbienne. L'analyse des selles des différents groupes de souris a d'ailleurs montré une surreprésentation de certains micro-organismes chez les souris nourries avec des édulcorants. Enfin, pour compléter leurs recherches, cette équipe a demandé à un groupe de sept volontaires de consommer durant une semaine la dose maximale de saccharine autorisée.

Quatre d'entre eux ont constaté une modification de leur réponse glycémique et l'analyse de leurs selles a montré une composition microbienne similaire, très différente de celle des autres volontaires. Selon cette équipe israélienne, « si le mécanisme en cause n'a pas été formellement identifié, les édulcorants pourraient favoriser la prolifération de certaines bactéries ou contribuer à faire émerger des souches en en détruisant d'autres ».

Les effets réels des édulcorants sur notre organisme sont donc peut-être loin d'être entièrement connus et bien évalués.

Retour devant ma pizza veggie.

Dois-je me mettre à consommer des édulcorants ? Certes, le goût sucré me manque encore un peu. Mais finalement, je ne suis convaincue par aucune des parties. Dans le doute, je m'abstiens. Ce doit être ma neutralité helvète qui parle.

Sans compter qu'instinctivement je n'en ai jamais vraiment eu envie.

– Se sevrer du sucre en consommant toujours des produits sucrés, même avec des édulcorants, me paraît contre-productif. Depuis que je me suis lancée dans cette aventure, j'ai toujours craint que cela entretienne mon envie de saveurs sucrées.

– Les polémiques autour des produits édulcorés me mettent mal à l'aise.

– N'en ayant jamais vraiment consommé, je ne vois pas pour quelle raison commencer à cette occasion.

Et c'est là que Sarah aborde le second versant des édulcorants : celui des édulcorants naturels.

Très bio bobo elle-même, fan de cuisine et d'une curiosité absolue, elle a testé tous ceux disponibles sur le marché. Saveur, efficacité, pouvoir sucrant, arrière-goût, résistance à la cuisson, taux d'absorption de l'humidité dans une pâte à gâteaux... Sarah, c'est le Wikipédia des édulcorants ! Voici le résumé de nos échanges.

Parmi les édulcorants naturels, il y a la vaste famille des polyols, des édulcorants dits « de charge », naturellement présents à petite dose dans certains végétaux. Compte tenu de leur pouvoir sucrant modeste, ils servent avant tout à remplacer le sucre en tant qu'agents de volume dans les aliments. Très présents dans les bonbons et les sucreries, ils sont moitié moins caloriques que le sucre et n'ont pas d'impact sur la glycémie (le taux de sucre dans le sang), d'où leur emploi fréquent dans les produits pour diabétiques.

Seul hic, ce sont un peu les « mal élevés » de la famille Sucre. Trop de polyols rime avec ballonnements, flatulences et diarrhée... Qui dit mieux ? J'ai le souvenir amer d'une tentative loupée de soigner une laryngite à coups de bonbons aux herbes. La laryngite n'a pas cédé de terrain mais mon système digestif a capitulé. Moralité, trop de polyols tue le polyol.

Polyols	Additif	Origine
Sorbitol	E420	Fabriqué à partir du glucose
Mannitol	E421	Fabriqué à partir du glucose
Isomalt	E953	Fabriqué à partir du saccharose
Maltitol	E965	Amidon de blé, de maïs ou de riz
Lactitol	E966	Lait
Xylitol	E967	Écorce de bouleau

Sauf qu'il y a un plan C.

Ces dernières années ont vu l'apparition d'autres édulcorants naturels, nettement mieux « éduqués ». Notamment la désormais célèbre **stévia**. Originaire d'Amérique du Sud, la *Stevia rebaudiana*, plante de la famille des *Asteraceae*, est appréciée depuis des siècles par les Indiens Guarani du Paraguay et du Brésil qui la nomment « ka'a he'ê » ou « herbe sucrée ». Utilisée en infusion ou dans les aliments, elle a un pouvoir sucrant puissant grâce à deux glycosides isolés en 1931 par deux chimistes français : M. Bridel et R. Lavielle.

Baptisés rébaudioside et stévioside, ces composants 200 à 300 fois plus sucrés que le saccharose font le bonheur des sucriers. Dans les rayons des magasins bio et des grandes surfaces, les produits sucrants à base d'extraits de stévia côtoient les autres sucres et édulcorants. Quant aux agro-industriels, ils exploitent les vertus « naturelles » de ces édulcorants transformées en arguments marketing, tel Coca-Cola qui a lancé en janvier 2015 sur le marché français son dernier-né : Coca-Cola Life tout de vert vêtu, en partie sucré à la stévia.

La stévia, je connais de nom depuis longtemps.

En 2010 déjà, lors de nos premiers échanges, le Dr Laurent Chevallier[1], consultant en nutrition, praticien en clinique et au CHU de Montpellier, m'en avait parlé, m'expliquant qu'il avait, dans son jardin, des plants de stévia et qu'il lui suffisait d'en ajouter une feuille fraîche ou sèche à un plat pour le sucrer.

Pour Sarah, il y a trois édulcorants naturels qui valent le coup lorsqu'on veut être « sugar free » et qui, tous, sont vendus en magasins bio :

I. La stévia

À acheter pure ou mixée à un agent de charge, comme l'érythritol dans le « sucre » Pure Via. La deuxième option est plus simple d'utilisation car la stévia pure a un arrière-goût terriblement prononcé, entre réglisse et métal, et son dosage est compliqué, de l'ordre d'un tête d'épingle pour un chocolat chaud ! L'autre avantage du Pure Via, c'est qu'il n'apporte pas de calories, se dose facilement (50 g de Pure Via = 100 g de sucre) et qu'il supporte la cuisson. On peut donc s'en servir pour un cake, des biscuits, une meringue... Aujourd'hui, les plus grandes entreprises agroalimentaires s'y intéressent et investissent massivement dans cet édulcorant dont elles revendiquent la « naturalité » dans leurs produits.

1. Auteur de *Les 100 meilleurs aliments pour votre santé et la planète*, Fayard, 2009 ; *Mes ordonnances alimentaires*, Les Liens qui libèrent, 2010 ; *Je maigris sain, je mange bien*, Fayard, 2011 ; *Le Livre antitoxique*, Fayard, 2013.

2. Le xylitol

Très populaire dans les pays nordiques, le xylitol est facile à utiliser. Vendu sous forme de poudre ou de cristaux, il supporte lui aussi la cuisson, qui a tendance à accentuer son pouvoir sucrant. On peut donc réduire légèrement les quantités (- 30 %) dans les recettes nécessitant une cuisson. Enfin, le xylitol présente une particularité : il a un effet rafraîchissant puissant en bouche. Il est donc idéal à mon sens pour les desserts servis frais : granités, glaces, aspics...

3. Le sirop de riz

Il s'agit d'un édulcorant produit à partir de la fermentation de grains de riz entiers. Il en résulte un sirop comportant environ 50 % de sucres complexes (oligosides), 45 % de maltose et 3 % de glucose. Avec sa saveur légère de caramel, ce sirop peut remplacer le sucre ou la cassonade dans les desserts, les boissons chaudes, les crêpes...

Grâce à Sarah, j'avais donc trois solutions plan C !

Ne souhaitant pas relancer la « machine à envies de sucré », je décidai d'user avec parcimonie de ces édulcorants pour réaliser, de temps en temps, un dessert ou m'offrir une douceur.

À quel rythme ? Une fois par semaine ou tous les quinze jours environ. En règle générale, je ne mange pas de dessert, excepté lorsque je reçois des amis venus dîner... Auquel cas, le plus souvent, je prépare un dessert « no sugar » avec des édulcorants afin de pouvoir, moi aussi, en manger un peu.

Juillet

Chapitre 7

Le sucre nous fait-il grossir?

Cinquième mois sans sucre. Pas d'envies, pas d'angoisses, pas de fringales. Sur le front du sucre, tout est calme.

Mi-juillet, en montant sur ma balance, j'ai découvert que j'avais perdu deux bons kilos. Je suis descendue de la balance, avant d'y remonter. Peut-être était-ce une erreur... Non, le chiffre se confirme. Je suis passée de 66 kg en mars à un petit 64 kg.

Il me semblait bien me sentir moins serrée dans mes jeans, avoir retrouvé un peu plus de jeu dans mes pantalons et ne plus retenir ma respiration lorsque je m'asseyais. Du coup, je m'observe. Mon ventre semble avoir dégonflé et mes mâchoires se dessinent un peu mieux. Se pourrait-il que je sois plus mince que prévu cet été sur la plage? Vais-je enfin pouvoir rentrer à nouveau dans ce une-pièce Eres, acheté il y a quelques années et qui nécessitait un chausse-pied? Je me sens euphorique... À chacune son miracle! Pour moi, ce chiffre « 64 » sur la balance évoque légèreté et allégresse.

Dans nos sociétés de la surabondance, les femmes et leur poids constituent un sujet sans fin.

Les copines partagent leurs états d'âme sur les forums, se refilent des infos et des idées pour maigrir ou stabiliser leur poids.

Les experts s'inquiètent, conseillent, commentent, publient, consultent, tant sur les plateaux télévisés que dans l'atmosphère feutrée des cabinets.

Les industriels développent et promeuvent de nouveaux produits (gélules, jus, compléments) censés nous assurer meilleure santé, poids stable et éternelle jeunesse.

Les médias relaient, encensent ou dézinguent les derniers régimes à la mode avec une saisonnalité jamais démentie.

J'en sais quelque chose ! Pendant des années, j'ai phosphoré sur des dossiers « Spécial maigrir », « Spécial kilos », « Spécial minceur » et autres « Spécial rondes »... Chaque année, lorsque l'hiver recule, le sujet truste la pole position des conversations et submerge les couvertures des magazines. La préoccupation de toutes est : comment perdre les kilos hivernaux, résultats de trop de raclettes, verres de vin, siestes et sucreries ?

À cette demande féminine parfois contradictoire (« Arrêtez de nous bassiner avec le diktat de la minceur, mais dites-nous comment rester/redevenir mince »), nous avons toujours essayé de répondre avec bienveillance, relayant les tendances et les nouveautés au fil des années (équilibre micronutritionnel, régime paléo, tentation ayurvédique, minceur émotionnelle...), tout en restant sur des principes de bon sens.

Chez *Elle*, les principes que j'ai fait miens sont les suivants :

1. Ne jamais conseiller quelque chose de dangereux pour la santé à court, moyen ou long terme, ce qui a d'ailleurs pu nous amener à dénoncer les prescriptions aux conséquences hasardeuses, notamment en pleine période fromage blanc-jambon-œuf dur d'un célèbre régime.

2. Promouvoir une alimentation saine et équilibrée, mettant l'accent sur la préparation à domicile de produits frais. Le salut est dans le naturel !

3. Aider les lectrices à renouer avec leurs émotions alimentaires, apprendre à écouter ses sensations.

I. MINCES ET POURTANT INSATISFAITES

La femme française se nourrit de ses contradictions.

En France, nous souhaitons plus que jamais nous rapprocher d'un idéal de minceur, pourtant de plus en plus éloigné d'un physique de plus en plus rond. Il n'y a pas que dans nos cauchemars que nous nous arrondissons... En 1970, les Françaises mesuraient en moyenne 160,4 cm pour 60,6 kg, soit un petit 38. En 2003, elles mesuraient en moyenne 162,5 cm pour 62,4 kg, soit une taille 40[1]. Bien qu'ayant grossi, elles restent les plus minces d'Europe avec un IMC[2] moyen de 23.

1. Source : Synthèse Textile-Habillement de la IFTH, n° 12, hors-série, 2006.
2. IMC = indice de masse corporelle, évaluation de la corpulence, qui se calcule en divisant le poids par la taille au carré.

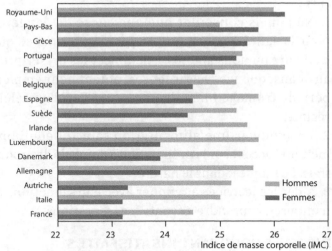

Corpulence moyenne en Europe selon le sexe

Sources : Ined 2009 / Eurobaromètre 59.0

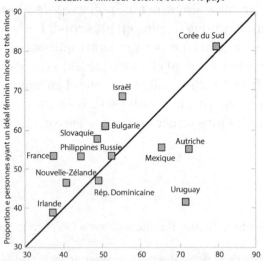

Idéaux de minceur selon le sexe et le pays

Sources : Ined 2013 / Enquête Ipsos 2007, module « Loisirs et sport »

Mais les Françaises sont aussi particulièrement insatisfaites de leur physique.

Comme l'explique le sociologue Thibaut de Saint Pol[1] dans une étude[2] publiée par l'Ined en 2009, « le sous-poids féminin est particulièrement valorisé en France. La valeur idéale de l'IMC féminin se situe toujours à un niveau faible en France, soit 19,5. Il semble donc que les Françaises aient un idéal de corpulence plus faible que leurs voisines, signe peut-être d'une pression plus forte exercée sur le corps dans leur pays ». Et Thibaut de Saint Pol de constater que, partout, « [la] plus grande insatisfaction des femmes vis-à-vis de leur poids se retrouve tout au long de la vie. C'est le cas des filles qui, à l'adolescence, ont plus que les garçons tendance à se juger en surpoids, voire très en surpoids, quand elles ne le sont pas au regard des normes de l'OMS[3] ».

En France, la pression sociale sur l'apparence physique touche nettement plus les femmes que les hommes. En 2013, Delphine Robineau[4] et Thibaut de Saint Pol procèdent à une comparaison internationale des normes de minceur[5]. Leur constat est sans appel. « La silhouette idéale s'est amincie

1. Laboratoire de sociologie quantitative (Crest) et École normale supérieure de Cachan (IDHE).
2. « Surpoids, normes et jugements en matière de poids : comparaisons européennes », *Population & sociétés*, n° 455, avril 2009.
3. L'Organisation mondiale de la santé a défini les catégories suivantes, valables pour les individus ayant entre 18 et 65 ans : IMC < 18,5 : sous-poids ; 18,5 ≤ IMC < 25 : poids normal ; 25 ≤ IMC < 30 : surpoids ; IMC ≥ 30 : obésité.
4. École nationale de la statistique et de l'administration économique.
5. « Les normes de minceur : une comparaison internationale », *Population & sociétés*, n° 504, octobre 2013.

dans les sociétés occidentales [...]. Tandis que la minceur est peu appréciée par les hommes (37 %), elle l'est en revanche largement par les femmes (53 %). La France est le pays où les différences relatives entre les idéaux masculins et féminins sont les plus marquées.» Et ils concluent leur publication en rappelant que «la France, pays à l'idéal féminin relativement mince est, après la Corée du Sud, le pays où la volonté de perdre du poids est la plus fréquente chez les femmes : six Françaises sur dix déclarent vouloir perdre du poids». En résumé, les Françaises rêvent d'être plus minces, ont un regard très critique sur elles-mêmes et sont nombreuses à faire régime!

2. UNE IMAGE IDÉALE IRRÉELLE

Les médias sont-ils en partie responsables de cette course effrénée à la minceur?

C'est le reproche qu'on leur fait souvent. En tant que journaliste à *Elle*, je suis régulièrement confrontée à cette accusation, prise à partie, tant dans les dîners en ville que de la part de lycéennes/étudiantes qui, trois à quatre fois par an, me contactent car «elles réalisent une étude/un exposé/un travail/un mémoire sur le rôle de la presse féminine dans l'obsession de la minceur».

Sommes-nous vraiment toutes obsédées par la minceur, voire l'ultra-minceur? La femme *Elle* a toujours été représentée par des mannequins certes minces, mais avant tout sains, naturels, gais, dynamiques, énergiques... Les mannequins ne grossissant guère au cours des dernières décennies, nous nous retrouvons toujours plus éloignées de la femme type réelle. Marilyn Monroe et son corps généreux (oscillant d'une taille 40 à 44) paraissent à des années-lumière de Kate

Moss et sa silhouette brindille (taille 36) ! On a beau critiquer les choix des mannequins, trop minces et irréels, rares sont encore les femmes qui se pâment devant la photo d'une top XXL. Des filles comme Tara Lynn ou Candice Huffine, belles comme des religieuses dégoulinant de crème, relèvent de l'exception !

Mon propre rapport avec le poids est paradoxal. Longtemps, j'ai été une chose longue, maigre et dégingandée. À 16 ans, je faisais 1,76 m et pesait 45 kg. Selon les normes de l'OMS, j'étais en situation de maigreur extrême, voire de famine. Vrai ? Non, totalement faux. Mes parents ont coutume de dire que, de leurs trois enfants, j'étais la plus vorace, capable d'engloutir une tablette de chocolat à l'heure du goûter, de reprendre trois fois d'un plat, de manger deux crèmes glacées à la suite... Mais je ne gardais rien de ce que je mangeais. Pourquoi ? Mystère.

Peut-être parce que j'étais (sur)active ? Véritable pile électrique, je ne tenais pas en place. Au point que ma mère me menaçait régulièrement de m'inscrire à un cours de yoga. Pour ma plus grande chance, en 1985, la folie du yoga Bikram n'avait pas encore frappé le Zaïre. En y repensant, je crois que je présentais tous les symptômes d'une enfant hyperactive. Si j'étais née quinze ans plus tard aux États-Unis, j'aurais sans doute été mise sous Ritaline. Mon enfance de sauterelle squelettique a été rythmée par la visite médicale à laquelle nous avions droit tous les étés au ministère des Affaires étrangères à Bruxelles. Mon père étant coopérant, nous devions être déclarés « bons pour le service » avant de repartir. C'était l'occasion d'être examinés, pesés, mesurés et multi-vaccinés.

Ma mère m'a raconté que, chaque année, on leur annonçait que j'étais d'abord sous-alimentée (jusqu'à 12 ans environ), puis anorexique (au-delà de 12 ans). Mes parents déniaient, expliquaient que je mangeais quatre fois par jour et, qu'en dépit de leurs efforts, je ne grossissais pas. S'ils n'ont pas pu me protéger des quolibets de mes camarades de classe, au moins ont-ils su me protéger des inquiétudes du corps médical. Jamais je n'ai soupçonné ces diagnostics, au point d'avoir entendu parler pour la première fois d'anorexie en Europe dans les années 1990.

À 16 ans, j'ai pris une douzaine de kilos en moins de six mois. Retour en Europe, entrée à l'université, changement de régime alimentaire ou de météo... En quelques mois, mon corps s'est transformé, est devenu adulte. Puis ma vingtaine fut un long fleuve tranquille d'un point de vue pondéral, à deux ou trois kilos près. Tout a changé avec ma grossesse à 32 ans et la naissance de notre fille. Des traitements hormonaux, puis une prise de poids de plus de 15 kg, m'ont conduite à 63 kg. Pour moi qui avais toujours été mince, m'habillant en 36-38, c'était assez bizarre.

N'ayant pas un tempérament à régime, je n'ai rien fait de particulier, me contentant de manger équilibré, de faire un peu de sport et me disant, au bout d'un an, que, dorénavant, mon nouveau poids de forme serait celui-là. Aimais-je ce nouveau corps ? Bof. Comme de nombreuses femmes vivant dans l'Hexagone, je me rêvais plus mince, plus ferme, avec un ventre plat, voire creux, sans cette petite bouée qui l'entourait dorénavant. J'en riais publiquement, revendiquant mon côté confortable, « eau et gaz à tous les étages », tout en espérant secrètement qu'un jour je me réveillerais délestée de ce « confort moderne ».

En 2011, j'ai senti que quelque chose se détraquait. Petit à petit, insidieusement, j'ai atteint 68 kg... Je me sentais lourde, de plus en plus éloignée de ce que j'étais, ne comprenant pas comment j'avais pu dériver jusque-là tout en ayant un mode de vie généralement considéré comme sain. Heureusement, grâce à une endocrinologue, nous avons découvert qu'un dérèglement de la thyroïde n'était pas étranger à cette prise de poids. Quelques mois plus tard, grâce à un peu de Levo-thyrox, mon poids était redescendu à 66 kg, ce qui, à défaut de me ravir, me rassurait un peu.

Bien que connaissant parfaitement les dessous de l'in-dustrie de l'image, consciente de l'écart de plus en plus important entre notre idéal esthétique et la réalité, je ne pouvais alors m'empêcher de regarder les photos à la maquette du magazine mettant en scène des bombes au corps sculptural, en me demandant pourquoi je n'avais pas ou plus un physique s'approchant de cela. J'avais beau savoir qu'elles avaient entre 16 et 20 ans, qu'elles mangeaient en deux dimen-sions pour la plupart (soit pas grand-chose de très consistant) et que les photos étaient retouchées, je me comparais. Une comparaison à mon désavantage, bien évidemment. Je crois que c'est à cette période-là que j'ai mieux compris ce que la plupart des femmes éprouvent lorsqu'elles s'évaluent selon les critères esthétiques qu'elles ont intériorisés : ceux d'une femme parfaite quasi irréelle, aux mensurations hors normes.

Pourquoi avais-je pris du poids au cours de toutes ces années ? Les raisons me semblaient évidentes :
– Une faible activité physique : un peu de vélo trois à quatre fois par semaine + une séance de sport intensive le week-end.

– Des traitements hormonaux pro-bébé.

– Un dérèglement thyroïdien.

– Le poids des années et l'approche de la quarantaine.

– Une conscience professionnelle peut-être un peu trop développée me poussant ces dernières années à goûter systématiquement tout ce qui passait dans mon bureau à la rédaction : glaces, chocolats, biscuits, gâteaux, pâtés, chips, jus de fruits, etc.

3. TOUS CONDAMNÉS À ÊTRE GROS ?

Aux États-Unis, l'épidémie de surpoids et d'obésité a démarré pratiquement en même temps que la publication du rapport de la commission McGovern en 1977, présentant les premières recommandations nutritionnelles.

Face à l'augmentation des maladies cardio-vasculaires, cette commission sénatoriale recommandait de baisser les quantités de sucre, de produits laitiers et de viande dans l'alimentation. Pourquoi ? Parce que certaines études avaient montré que les produits d'origine animale contenaient du cholestérol. Or, plus la cholestérolémie (niveau de cholestérol sanguin) était élevée, plus le risque de maladies cardio-vasculaires croissait. Donc, pour limiter les maladies cardio-vasculaires, il fallait réduire l'apport de cholestérol d'origine alimentaire. CQFD. Le raisonnement semblait imparable.

Aujourd'hui, on sait qu'il ne tient pas et que le cholestérol apporté par l'alimentation a un impact très limité sur la cholestérolémie. Mais à la fin des années 1970, on n'en était pas là ! Les produits animaux sont censés causer des maladies cardio-vasculaires ? Qu'à cela ne tienne, on va limiter leur place dans l'alimentation, préconise McGovern. L'agro-industrie, vent debout contre ce rapport, obtient sa réécriture. Finalement, les Américains sont invités par McGovern à consommer plus de produits allégés.

Le problème, c'est que, sans gras, les aliments ont un goût de carton. Pour compenser l'absence de gras et rendre les aliments allégés mangeables, les industriels ont opté pour une solution simple : forcer sur le sucre. Hasard ou pas, entre 1977 et 2000, la consommation de sucre a doublé aux États-Unis. Curieusement, et contrairement aux hypothèses scientifiques, l'allègement des aliments correspond à une envolée du surpoids et de l'obésité... Corrélation n'est pas causalité. Reste que cette coïncidence est troublante.

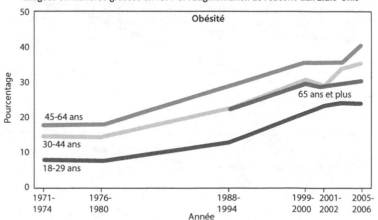

Corrélation entre la publication des premières recommandations nutritionnelles allégées en matières grasses en 1977 et l'augmentation de l'obésité aux États-Unis

Source : Obésité de 1971 à 2006, CDC/NHCS, National Health and Nutrition Examination Survey

Cette augmentation folle de l'obésité n'a pas touché que les adultes, selon les statistiques publiques. Le pourcentage des enfants de 2 à 5 ans en surpoids a doublé de 1976-1980 (5 %) à 2005-2006 (11 %). En 2005-2006, près de 18 % des enfants et adolescents américains sont en surpoids. En 2014, les autorités de santé américaines estimaient le taux d'obésité de la population adulte à plus d'un tiers (34,9 %, soit 78,6 millions de personnes), pour un coût pharaonique de 147 milliards de dollars en 2008.

La tendance est malheureusement similaire dans tous les pays développés. Au niveau mondial, l'OMS estime que 35 % des adultes sont atteints de surpoids ou d'obésité.

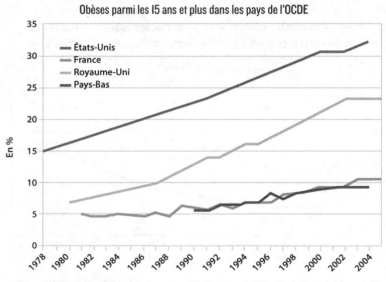

Obèses parmi les 15 ans et plus dans les pays de l'OCDE

Sources : Chiffres OCDE

En France, la situation est moins grave, mais elle n'incite guère à l'optimisme, comme le montrent les chiffres de l'enquête ObEpi-Roche 2012.

– 32,3 % des Français adultes sont en surpoids (IMC > 25) et 15 % présentent une obésité (IMC ≥ 30).

– Le poids moyen de la population française a augmenté, en moyenne, de 3,6 kg en quinze ans, tandis que la taille moyenne a augmenté de 0,7 cm.

– Le tour de taille moyen de la population augmente, passant de 85,2 cm en 1997 à 90,5 cm en 2012, soit + 5,3 cm en quinze ans.

– 6 922 000 Français étaient obèses, soit deux fois plus qu'en 1997, où ils étaient 3 356 000.

– En 2012, comme depuis 2003, la prévalence de l'obésité est plus élevée chez les femmes (15,7 % des femmes, contre 14,3 % des hommes). Depuis quinze ans, l'augmentation est plus nette chez les femmes, notamment chez les 18-25 ans.

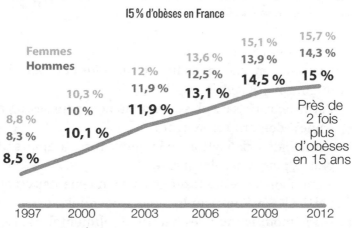

l5 % d'obèses en France

Source : www.contrepoint.org

La prise de poids irrésistible de la société française est générale. En dépit des campagnes de prévention lancées dès 2001 via le Programme national nutrition santé (PNNS), partout, on voit augmenter le nombre de personnes en surpoids ou obèses.

Prévalence de l'obésité en France par régions (en %)

< 8%	10 à 12%	14 à 16%
< 8 à 10%	12 à 14%	> 16%

Source : Enquêtes ObEpi-Roche 2009

Pourquoi grossit-on tant ?

Comme toutes les maladies, le surpoids et l'obésité ont une origine multifactorielle.

Parmi les causes les plus communément admises, il y a :

– une sédentarité croissante ;

– une industrialisation de la nourriture, toujours plus grasse, plus salée, plus sucrée ;

– une abondance des toxiques environnementaux (nano-particules, métaux lourds, molécules chimiques) ;

– une modification des habitudes alimentaires : repas fractionnés, snacking permanent ;

– des sensibilités génétiques;
– un marketing omniprésent.

4. TOUTES LES CALORIES SE VALENT-ELLES?

Que faut-il manger? Combien, quand et comment? Les réponses à ces questions sont données par les nutritionnistes.

À l'échelle de l'histoire médicale, la nutrition est l'une des petites dernières des sciences. Si l'influence de l'alimentation sur la santé était connue et reconnue dès l'Antiquité, la diététique ou nutrition n'a le statut de « science » que depuis un peu plus d'un siècle, grâce aux apports de la chimie et de la biologie.

L'invention de la calorie nutritionnelle

La calorie se définit comme « la quantité de chaleur nécessaire pour élever un gramme d'eau dégazée de 14,5 °C à 15,5 °C sous pression atmosphérique normale ». Le passage de cette notion d'un terme de laboratoire à une des constantes de la nutrition est dû au chimiste américain Wilbur Atwater (1844-1907). S'intéressant aux aliments, il utilisa le terme de « calorie » pour mesurer leur valeur énergétique. La calorie nutritionnelle correspond à la quantité de chaleur produite par le corps lors de la combustion de l'aliment. Au cours de la Première Guerre mondiale, ce terme passe dans le langage courant. Outre-Atlantique, Lulu Hunt Peters (1873-1930), et son livre de régime *Diet and Health: With Key to the Calories* publié en 1918, assurera sa popularisation. La calorie est l'unité permettant de calculer les apports et les dépenses énergétiques du corps. Chaque aliment a une valeur énergétique propre, définie en kcal par gramme :

1 g de glucides = 4 kcal / 1 g de protéines = 4 kcal / 1 g d'alcool = 7 kcal / 1 g de lipides = 9 kcal

La règle générale qui prévaut en nutrition est d'une simplicité enfantine : celle de l'équilibre énergétique. En d'autres termes, il faut équilibrer les calories entrantes et les calories sortantes.

Trop de kilos = pas assez d'exercice

Calories entrantes (alimentation) = calories sortantes (exercice physique) → poids stable

Calories entrantes (alimentation) > calories sortantes (exercice physique) → prise de poids

Calories entrantes (alimentation) < calories sortantes (exercice physique) → perte de poids

Pour rester mince, il suffirait donc de faire coïncider la quantité de calories entrantes (alimentation) et celle des calories sortantes (métabolisme + dépense physique). Si l'on grossit, c'est qu'on mange trop et qu'on ne bouge pas assez.

D'où vient cette théorie nutritionnelle universellement admise ?

On la doit aux expériences menées dans les années 1950 par le Dr Jean Mayer, un médecin franco-américain. Dans son laboratoire à Harvard, il découvrit que les souris obèses mangeaient autant que les souris minces, mais qu'elles bougeaient moins. Eurêka ! Grâce à ses conclusions, le surpoids et l'obésité s'expliquaient aisément, et pouvaient être renvoyés, en grande partie, à une responsabilité individuelle. Ni les industriels et leurs produits, ni les pouvoirs publics et leurs législations n'étaient responsables... Dans les années 1970, Jean Mayer deviendra un contempteur du sucre, mais c'est une autre histoire.

Sa théorie initiale avait tout pour séduire. Elle imprègne encore aujourd'hui totalement la conscience collective en matière de nutrition, et inspire tous les programmes publics de lutte contre le surpoids et l'obésité.

En France, le PNNS ne dit pas autre chose, présentant « la nutrition comme l'équilibre entre les apports liés à l'alimentation et les dépenses occasionnées par l'activité physique ». Encore plus explicite, le site de référence du PNNS est baptisé www.mangerbouger.com.

Pour le Pr Paul Valensi, chef du service d'endocrinologie-diabétologie-nutrition de l'hôpital Jean-Verdier à Bondy, « si on veut stabiliser une courbe de poids, il faut travailler sur l'énergie totale car le déterminant principal de kilos en trop sont les calories en excès. D'ailleurs, pour mieux contrôler son poids, il faut agir sur les paramètres énergétiques les plus évidents, c'est-à-dire l'apport de calories sous forme de matières grasses, de sucres et d'alcool ».

Cependant, tous ne partagent pas cet avis, particulièrement Outre-Atlantique.

« Toutes les calories ne se valent pas ! », ne cesse de répéter Robert Lustig, endocrinologue pédiatrique à l'université de Californie (Sans Francisco), « gourou » de la tendance « no sugar » aux États-Unis et fer de lance du combat anti-obésité. « Qu'y a-t-il de commun entre une calorie de pomme et une calorie de boisson sucrée, ou entre une calorie d'amande et une calorie de barre chocolatée ? » Pour être clair, dans un cas, il y a des calories, ainsi que des fibres, des vitamines, des minéraux, parfois d'excellentes matières grasses, dans l'autre, il n'y a que des calories sous forme de sucre et, dans le cas de la barre chocolatée, des mauvaises matières grasses. « Répéter que toutes les calories se valent, c'est résumer le surpoids et l'obésité à une histoire de volonté individuelle. C'est absurde et, surtout, c'est faux ! », précise-t-il dans *Fed Up*[1], documentaire terrifiant sur l'épidémie d'obésité aux États-Unis. Il n'est pas le seul. Les études dénonçant les effets du sucre sur la santé et sa responsabilité dans la prise de poids se multiplient.

Qui croire ? Je suis intimement persuadée que les responsabilités sont partagées et que la prise de poids comporte des volets nutritionnels, comportementaux, émotionnels... Mais, dans le cas de mon expérience, c'est sur l'effet du sucre que je me suis concentrée. Les Anglo-Saxons ont-ils raison ? Totalement ou en partie ? Au bout de quatre mois sans sucre, j'avais commencé à fondre. Comment l'expliquer ?

5. L'AFFAIRE DU FRUCTOSE

Le responsable de la prise de poids globale partout dans les sociétés ayant adopté une alimentation industrielle de type occidental selon Robert Lustig et ses confrères ? Le sucre, allègrement surconsommé, et notamment le fructose. Pourquoi ?

1. Réalisé par Stephanie Soechtig, 2014.

Parce que les métabolismes du glucose et du fructose sont complètement différents. Si le glucose, issu des céréales, légumineuses, pommes de terre, ainsi que du sucre, est effectivement « brûlé » par l'organisme en tant que carburant, le fructose, lui, lorsqu'il est consommé seul (sans les fibres des fruits frais), est très majoritairement transformé en graisses et stocké dans les adipocytes. Bienvenue dans un nouveau TP de biologie...

Le métabolisme du glucose

Toutes les cellules du corps humain sont capables d'utiliser du glucose pour produire de l'énergie. Certaines d'entre elles, les cellules nerveuses, ont même impérativement besoin de glucose comme source d'énergie. Dans chaque cellule, la production de l'énergie se fait au niveau des mitochondries, sortes de petites centrales énergétiques qui ont pour mission d'extraire l'énergie du glucose et de la stocker sous forme d'ATP (adénosine triphosphate).

Pour pénétrer dans les cellules, le glucose présent dans le sang a besoin d'une hormone, l'insuline, produite par les cellules ß du pancréas, hormone qui se fixe sur des récepteurs situés sur les membranes de chaque cellule. Le glucose non utilisé par les cellules est ensuite transformé par le foie en glycogène, un produit non hépatotoxique pouvant, dans l'absolu, être stocké à l'infini par l'organisme.

Il sera ensuite, au fur et à mesure des besoins, retransformé en glucose au niveau du foie, via la glycogénolyse. Une toute petite part de ce glucose (moins de 1 %) finira sous forme de VLDL (lipoprotéine de très basse densité), et alimentera les adipocytes, cellules de stockage de la graisse.

Métabolisme du glucose

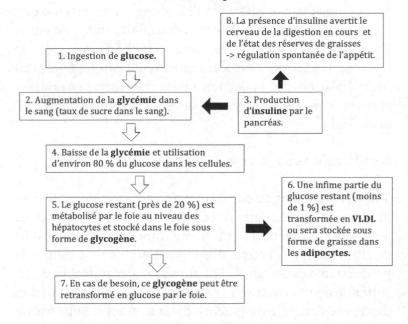

1. Ingestion de **glucose.**

2. Augmentation de la **glycémie** dans le sang (taux de sucre dans le sang).

3. Production d'**insuline** par le pancréas.

8. La présence d'insuline avertit le cerveau de la digestion en cours et de l'état des réserves de graisses -> régulation spontanée de l'appétit.

4. Baisse de la **glycémie** et utilisation d'environ 80 % du glucose dans les cellules.

5. Le glucose restant (près de 20 %) est métabolisé par le foie au niveau des hépatocytes et stocké dans le foie sous forme de **glycogène.**

6. Une infime partie du glucose restant (moins de 1 %) est transformée en **VLDL** ou sera stockée sous forme de graisse dans les **adipocytes.**

7. En cas de besoin, ce **glycogène** peut être retransformé en glucose par le foie.

Le métabolisme du fructose

Le fructose ne se métabolise pas comme le glucose. Seul le foie peut métaboliser le fructose, ce qu'il fait d'ailleurs de manière similaire à l'éthanol (la molécule active de l'alcool). Certains estiment dès lors que le fructose s'apparente à une toxine. Leur raisonnement s'appuie sur le fait que le foie est l'organe de détoxification numéro un de l'organisme, en charge des molécules impossibles à métaboliser autrement.

Dans sa vidéo « *The Bitter Truth* », conférence scientifique de 90 minutes, déjà vue plus de 5 millions de fois sur YouTube, Robert Lustig assène :

« Quand vous consommez du fructose, vous consommez du gras. »

Métabolisme du fructose

1. Ingestion de **fructose.**

2. Le fructose pénètre dans le foie, entraînant une cascade enzymatique qui aboutit à la fabrication d'**acide urique,** et influe sur la pression artérielle, favorisant l'**hypertension.**

3. La métabolisation du fructose dans le foie produit diverses enzymes dont trois (ACL, ACC, FAS) qui boostent la production d'**acides gras,** les triglycérides.

4. Le foie ne pouvant pas stocker trop de triglycérides (au-delà de 5%, on parle de stéatose ou foie gras), les triglycérides excédentaires sont transportés dans les tissus adipeux et les **VLDL** augmentent.

5. La consommation chronique de fructose conduit à une **dyslipidémie** qui se traduira à moyen terme par un surpoids, voire une obésité.

6. Trop de fructose entraîne par ailleurs :
- une inhibition de l'insuline ;
- une augmentation de la protéine JNK1 (marqueur inflammatoire) ;
- un stockage des graisses ;
- un dérèglement des capacités d'évaluation de la faim et des sucres par le cerveau ;
- une insulinorésistance musculaire et cellulaire.

Y aurait-il des similitudes entre l'alcool (éthanol) et le fructose ? Certains n'en doutent pas. La différence fondamentale entre ces deux molécules réside dans le fait que l'éthanol entraîne des effets secondaires en cas de surdose (perte d'équilibre, hypothermie, tachycardie, c'est-à-dire une cuite en langage courant), tandis qu'une surconsommation de fructose ne produit aucun effet. Pourquoi ?

Parce que le cerveau peut métaboliser l'éthanol, alors qu'il ne peut métaboliser le fructose. L'éthanol est une toxine aiguë, ce qui n'est pas le cas du fructose. Par contre, tout change lorsqu'on s'intéresse à une exposition chronique à ces deux substances. Là, les effets secondaires sont en partie similaires.

Conséquences similaires d'une exposition chronique à l'alcool et au fructose

Hypertension, infarctus du myocarde, dyslipidémie, pancréatite, obésité, dysfonction hépatique, addiction ou au minimum habituation...

Source : « The Bitter Truth », Robert Lustig

En résumé, pour reprendre les mots de Paul Benkimoun, journaliste santé au *Monde*, « le fructose stimule les modifications métaboliques qui aiguillent les calories vers le stockage dans les cellules du tissu adipeux abdominal. Ce mécanisme avait toute son utilité pour nos lointains ancêtres qui n'avaient pas un accès facile à des aliments nourrissants et n'avaient accès qu'à des quantités limitées de fructose, essentiellement dans des fruits mûrs. Au cours de l'évolution de l'humanité et surtout dans la période contemporaine, où l'ajout de sucres dans l'alimentation s'est largement répandu, cet avantage s'est transformé en inconvénient[1] ».

---

1. « Le fructose est le principal moteur du diabète », *Le Monde*, 30 janvier 2015.

Plus étonnant encore, on peut être tout à la fois mince et trop gras !

Je m'explique. Comme on l'a vu (*cf.* ce formidable TP de biochimie), le sucre et le fructose ont tendance à être stockés sous forme de graisses dans nos adipocytes. Sauf que la localisation de ces stocks de matières grasses se fait essentiellement au niveau abdominal, dans ce que je surnomme les « abdominables graisses ». En d'autres termes, la bouée qui, dans un implacable élan égalitaire transcendant les genres, frappe à présent autant les femmes que les hommes. Mais la bouée n'est pas la seule à se nourrir de ce stockage sauvage.

L'intérieur de la cavité abdominale est de plus en plus souvent plein de graisse viscérale qui s'installe autour des organes digestifs. Au point d'inspirer un acronyme, Tofi, pour « thin on the outside, fat on the inside » (« mince dehors, gras dedans »), pour les individus normaux ou minces dotés d'une quantité disproportionnée de graisse dans l'abdomen, pouvant atteindre plusieurs litres. Un terme lancé par Jimmy Bell, médecin anglais travaillant au Medical Research Council de l'Imperial College et spécialiste des IRM.

« Plus que la quantité de graisse totale, ce qui importe, c'est sa localisation, explique Jimmy Bell. La graisse extérieure, sous la peau, sur les fesses et les hanches, n'est pas dangereuse. La graisse intérieure, abdominale, est en revanche très difficile à perdre. Encore pire, des cycles réguliers de régimes pourraient stimuler le stockage de graisse dans cette région de l'organisme[1]. » Comment l'éliminer ? Les spécia-

1. « Are you a Tofi? », *The Guardian*, 20 décembre 2006.

listes recommandent tous une baisse drastique de la consommation de sucre, ainsi que des exercices physiques réguliers, brefs mais intenses.

À la lumière de mon enquête, je l'avoue : je suis une Tofi repentie.

6. LE SUCRE, UN ALIMENT DE PLUS EN PLUS FRÉQUENT

Après cet intermède biochimique, faisons un peu d'histoire et d'économie... Au cours du siècle dernier, notre alimentation a radicalement changé, surtout depuis cinquante ans. Imaginez que vous alliez faire les courses avec votre arrière-arrière-grand-mère. Elle serait sans aucun doute totalement perdue dans les rayons d'un supermarché ! Si la quantité de sel a crû et que les matières grasses ont changé, passant de matières grasses principalement animales à des matières grasses végétales, en partie hydrogénées, le changement le plus spectaculaire est l'augmentation de la quantité de sucre.

Au paléolithique, nos ancêtres avalaient environ 100 g de sucre par an[1]. D'où provenait-il ? D'un peu de miel qu'ils parvenaient à « voler » aux abeilles, de fruits mûrs et de racines... Quelques milliers d'années plus tard, tout a changé !

À l'échelle de la planète, la production de sucre (sucre de canne + sucre de betterave + sirop de glucose) a été multipliée par trois en cinquante ans, passant de 59 millions de tonnes

1. L. Cordain & *al.*, « Origins and evolution of the Western diet: health implications for the 21st century », *The American Journal of Clinical Nutrition*, 2005.

en 1961 à 180 millions de tonnes en 2013. La population mondiale ayant augmenté parallèlement, on estime que la disponibilité en sucre par habitant est passée de 19,7 à 23,5 kg/an et par personne[1]. En France, les ventes de sucre (canne et betterave) sont stables depuis quarante ans, s'établissant à 30-35 kg par an et par habitant, contre 5 kg/an/habitant en 1850[2]. Aux États-Unis, la quantité de sucres simples consommée est nettement plus élevée, s'établissant à près de 60 kilos par an et par habitant[3]. Cette omniprésence du sucre amène certains médecins, tel Mark Hyman, conseiller médical de Bill et Hillary Clinton, à qualifier ce changement de « vaste expérience menée sur l'être humain, hors de tout contrôle[4] ».

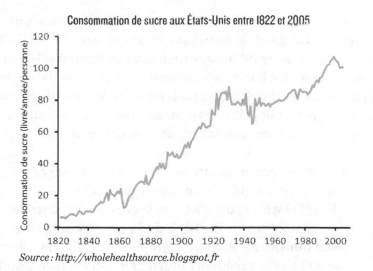

Consommation de sucre aux États-Unis entre 1822 et 2005

Source : http://wholehealthsource.blogspot.fr

1. Source FAOStat.
2. Chiffres www.lesucre.com.
3. Source US Department of Commerce et USDA.
4. Mark Hyman, *Trop de sucre. Changez votre alimentation et votre mode de vie pour éviter les maladies chroniques !*, Marabout, 2013.

En France, la consommation de sucre est-elle aussi orientée à la hausse ?
Philippe Reiser, directeur des affaires scientifiques du Cedus, nuance. « Dans l'Hexagone, on estime la quantité de sucres à 35 kg par personne et par an. Attention, car ce chiffre correspond à la quantité de sucres disponible, pas à celle effectivement consommée. En tenant compte des aliments gaspillés tout au long des circuits de production et de distribution, ainsi que de ceux éliminés chez le consommateur final, par exemple des boissons sucrées dégazées, on est plus proche de 25 kg de sucres simples par personne et par an. »

La stabilisation de la consommation de sucre « brut » (sucre de canne et de betterave en poudre ou cristallisé) depuis les années 1970 est principalement imputable à un changement des habitudes alimentaires et à une baisse de la fabrication à domicile des pâtisseries et des confitures. En d'autres termes, depuis une trentaine d'années, nous mangerions entre 25 et 35 kg de sucre par an et par personne.

Y a-t-il une bonne quantité de sucre à consommer ?
Sur ce sujet, les querelles d'expert sont légion...
– Pour **l'OMS**, depuis 2002, les sucres simples devraient représenter **moins de 10 % de l'apport énergétique total quotidien**. Pour une femme à l'activité physique normale, avec un apport journalier conseillé de 2 200 calories, cela représente 55 g de sucres simples, soit l'équivalent de 13 cuillères à café ou 9 morceaux de sucre par jour. Ce n'est pas tout... L'OMS envisage de durcir ses recommandations et a lancé une consultation publique sur ce sujet début 2014. Le nouveau projet suggère

qu'une réduction de ce pourcentage à moins de 5 % par jour apporterait des bénéfices supplémentaires. **L'idéal, soit 5 %, c'est environ 25 g de sucres simples par jour** (on ne compte pas ici les « sucres complexes » apportés par nos amis les céréales, légumineuses, pommes de terre, etc.), autrement dit 6 cuillères à café de sucre ou 4 morceaux de sucre[1]. L'objectif ? Ralentir l'explosion du surpoids et de l'obésité.

– L'**American Heart Association** promeut des positions encore plus fermes, prônant une diminution drastique de la quantité de sucre dans l'alimentation. Ses recommandations : **maximum 25 g par jour pour une femme**, soit 6 cuillères à café, et **35 g par jour pour un homme**, soit 9 cuillères à café.

Quelle est la position de la France ?

Pour le savoir et obtenir un chiffre de référence, j'ai contacté l'Agence nationale de sécurité sanitaire de l'alimentation, de l'environnement et du travail (Anses).

Début 2013, l'Anses recommandait d'augmenter la consommation de glucides afin d'atteindre 50 à 55 % des apports énergétiques totaux[2]. Simultanément, le PNNS recommandait de baisser de 25 % la quantité de sucres simples consommés quotidiennement. Malgré des échanges de mails avec l'Anses, impossible d'avoir un chiffre ferme de consommation de sucres simples. « Nous recommandons de

1. http://www.who.int/mediacentre/news/notes/2014/consultation-sugar-guideline/fr/
2. « Les glucides, définition, effets sur la santé et recommandations », février 2013.

réduire la consommation de sucres simples en général. L'idée est de réduire progressivement la consommation de glucides simples par les Français », m'a-t-on répondu, via le service de presse. En clair, il n'y a pas de volume recommandé, juste une réduction de 25 %. Mais 25 % de quoi ?

Décidée à obtenir ce chiffre, ou au moins une évaluation, j'ai pris ma calculatrice !

D'après les données de l'étude INCA 2[1], les glucides contribuent, en moyenne, à 44 % des apports énergétiques quotidiens des adultes. Or, le PNNS recommande des apports d'environ 2 000 calories par jour pour une femme.

➜ 2 000 × 0,44 = 880 calories issues des glucides/jour

L'Anses précise ensuite que, selon l'INCA 2, les glucides simples représentent près de la moitié des glucides consommés chez les femmes (46 %), un peu moins chez les hommes (39 %).

➜ 880 × 0,46 = 404 calories issues des sucres simples/jour
= 101 g de sucres simples/jour
(1 g de glucose ou de fructose apporte 4 calories).

Les recommandations officielles indiquent une réduction de 25 % de la consommation de sucres simples.

1. Étude individuelle nationale des consommations alimentaires 2, 2006-2007.

**Quantité de sucres simples recommandée en France
(pour une femme)**

100 g × 0,75 = 75 g de sucre par jour
= 18 c. à café de sucre
= 12,5 morceaux de sucre

Soit trois fois plus que les recommandations de l'OMS ou celles de l'American Heart Association !

---

100 g par jour de consommation moyenne et 75 g par jour de consommation recommandée, cela fait tout de même beaucoup plus que ce que préconise l'OMS (25 g), non ?

Après l'Anses, j'ai tenté ma chance auprès du Cedus. Le centre de lobbying des sucriers n'apprécie guère semble-t-il ce type de question. Interrogé, Philippe Reiser, le directeur scientifique, botte en touche. « Il est difficile d'estimer la part apportée par les sucres ajoutés, car on trouve également des sucres simples, qualifiés de "libres" par l'OMS, dans le pain, les fruits, les yaourts... Déterminer les quantités exactes de l'un ou l'autre aliment n'a guère d'intérêt, ce qui compte, c'est l'équilibre alimentaire global. Et il est essentiel de rappeler que la disponibilité du sucre est restée remarquablement stable depuis les années 1970, à environ 35 kg/an/personne pour une consommation évaluée à 25 kg par an et par habitant. »

Certes. Reste que d'autres sucres sont en augmentation dans notre alimentation : les sucres cachés, dont le fructose. En dehors de ces sucres cachés, imaginer pouvoir avaler douze à seize morceaux de sucre par jour me paraît juste impossible. Je les ai posés devant moi sur une assiette. Croyez-moi, cela fait beaucoup !

7. LE FRUCTOSE, NOUVEAU MEILLEUR AMI DE L'ALIMENTATION

L'été, dans les placards de notre cuisine en Belgique, ma mère conservait toujours un paquet de fructose cristallisé. Elle s'en servait pour réaliser des desserts que ma grand-mère diabétique pouvait manger car, à l'époque, on recommandait aux diabétiques le fructose, réputé ne pas nécessiter d'insuline pour sa digestion. Longtemps, le fructose, hors des fruits, me semblait être une sorte de sucre rare, exotique, voire thérapeutique, réservé aux vieilles dames malades...

Depuis que je me suis lancée dans mon projet « no sugar », je trouve du fructose partout.

1. D'abord dans le **saccharose**, composé d'une molécule de glucose + une molécule de fructose. Si la consommation de saccharose, dit « sucre de table » ou « sucre de bouche », est stabilisée à environ 7 kg par personne, le sucre est ailleurs. Selon le Dr Laurent Chevallier, « la consommation de sucre ne se fait pas le plus souvent directement par la prise de sucre en morceaux ou en poudre (25 % des apports), mais par les apports cachés (73 %), c'est-à-dire indirects. Les 2 % restants correspondant aux médicaments, sirops[1]... ».

2. Dans les **fruits frais**, éminemment recommandés pour la santé, qui contiennent naturellement un peu de fructose et apportent fibres, vitamines, minéraux, antioxydants...

---

1. *Je maigris sain, je mange bien, op. cit.*

	Glucides/100 g	Fructose/100 g
Ananas	11	2
Banane	20,5	3
Cerise	14,2	6
Clémentine/mandarine	9,19	1
Fraise	4,06	2
Framboise	4,25	2
Kiwi	9,37	5
Mangue	13,6	3
Orange	8,32	3
Pastèque	7,28	4
Pêche	8,74	1
Pomme	11,3	7
Poire	10,8	6
Prune	9,6	2
Raisin blanc	16,1	7

Sources : Anses / Tables CIQUAL 2012, Food Intolerance Diagnostics

3. Dans les **compotes et les jus de fruits**, qui procurent des quantités très importantes de fructose, en dépit de leur image d'aliments santé. Les compotes de fruits ont des taux de sucre et de fibres bien différents des fruits frais. Le cas est flagrant pour la pomme, qui constitue la base de toutes les compotes, quelles que soient leurs saveurs.

Teneur comparée en sucre des fruits frais et des compotes

	Pomme fraîche	Compote de pommes
Calories (100 g)	53,2	93,7
Glucides (100 g)	11,3	22
dont sucres (100 g)	11,3	15,9

Sources : Données Anses / Tables CIQUAL 2012

Quant aux jus de fruits, ils contiennent souvent autant de sucres que les sodas classiques. S'il ne s'agit pas de saccharose (du sucre de betterave ou de canne) ou de fructose (issu du maïs) ajouté aux sodas, le fructose naturel des jus de fruits n'en est pas moins du sucre. Quant aux vitamines, certes les jus de fruits en apportent un peu, mais les enfants français n'ayant pas ou peu de déficits vitaminiques, ces jus ne sont pas nécessaires.

Comparaison des apports caloriques des jus de fruits et boissons rafraîchissantes

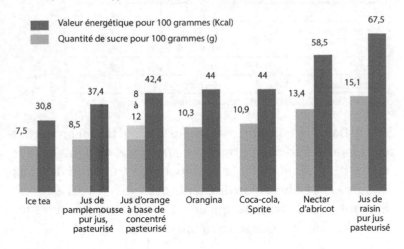

Source : Afssa

4. Dans les **sirops de glucose-fructose**, produits à partir du maïs et du blé, utilisés dans de multiples préparations alimentaires.

L'agro-industrie aime particulièrement ce sucre bon marché et liquide, « au pouvoir sucrant 20 à 40 % plus fort que le saccharose, qui contribue au croustillant et à l'aération des gâteaux, apporte coloration et arôme, et est un excellent conservateur[1]». Aux États-Unis, on estime que près de 80 % des 600 000 produits alimentaires présents sur le marché contiennent du sucre, souvent sous forme de HFCS («high fructose corn syrup»). En Europe, il n'y a pas d'estimation disponible pour les 200 000 produits alimentaires de nos linéaires, mais nul doute que la proportion d'aliments industriels contenant du fructose ne cesse d'augmenter. On le retrouve dans les confiseries, les confitures, les produits laitiers, les conserves de fruits, les gâteaux et biscuits, les aliments en conserve ou préparés...

Une catégorie d'aliments inquiètent tout particulièrement les spécialistes, celle des **boissons rafraîchissantes sans alcool** (dites BRSA) : sodas, eaux aromatisées, limonades, tonics, bitters, thés glacés, sirops...

Aux États-Unis, la consommation annuelle de boissons sucrées s'établissait à 174 litres par an et par personne en 2011[2]. Le hic, c'est qu'aux États-Unis, les boissons de ce type sont essentiellement sucrées à l'aide de HFCS. Des dizaines d'études ont établi des liens entre la consommation de boissons sucrées au HFCS et l'explosion de l'obésité. En France, la situation n'est pas la même. Certes, la consommation de boissons sucrées progresse, atteignant 63 litres par personne et par an en 2013, soit l'équivalent

---

1. Source : Fonds français alimentation & santé, « 5 clés pour comprendre le fructose », juin 2014.
2. Michael Moss, *Sucre, sel et matières grasses, op. cit.*

de 42 bouteilles grand format (1,5 l)[1]. Un phénomène en expansion qui touche surtout les plus jeunes. En 2010, 39 % des Français de 12 à 30 ans déclaraient avoir bu une boisson sucrée au moins une fois la veille contre 15 % des plus de 30 ans[2].

Cependant, les boissons sucrées en Europe sont surtout sucrées à l'aide de saccharose. Selon l'Usipa[3], « dans l'Union européenne, l'utilisation de sirops de glucose-fructose est actuellement faible dans les boissons car la teneur en fructose requise dans ces produits est d'au moins 42 % de fructose pour atteindre le goût sucré souhaité. Or, ces sirops ne sont disponibles en Europe qu'en quantité limitée. En effet, la production d'isoglucose, c'est-à-dire de sirops de glucose-fructose avec plus de 10 % de fructose, est limitée par le "régime communautaire du sucre" à 5 % de la production européenne totale de sucre. Son usage est donc plus limité qu'ailleurs dans le monde. Dans l'Union européenne, les boissons gazeuses doivent plutôt leur goût sucré au saccharose, dans lequel la proportion de fructose est de 50 %[4] ».

Cela signifierait-il que l'on peut boire autant de boissons sucrées qu'on le souhaite sans risque de prise de poids ? Non. Une canette de soda classique apporte près de 35 g de sucres, soit 7 carrés de sucre, répartis en 17,5 g de glucose et 17,5 g de

1. Source Syndicat national des boissons rafraîchissantes.
2. Baromètre Santé 2010, INPES.
3. Union des syndicats des industries des produits amylacés et de leurs dérivés.
4. Usipa, « Sirop de glucose-fructose / isoglucose, de quoi s'agit-il ? », février 2014.

fructose. Pas terrible. D'autant que nous sommes singuliè-
rement désarmés devant les calories liquides, mal comptabi-
lisées par notre estomac, notre cerveau et l'ensemble de notre
organisme.

« Inconsciemment, notre cerveau fait le compte des
calories que nous ingérons. Du moins pour la nourriture
solide. Alors que la nourriture liquide, elle, n'est pas ou mal
comptabilisée », précise Irène Margaritis, chef de l'unité
des risques liés à l'alimentation à l'Anses[1]. La raison ? Pour
s'hydrater, notre organisme n'a réellement besoin que d'eau,
laquelle n'apporte aucune calorie... Du coup, au cours de
l'évolution, l'être humain n'a pas développé de mécanisme
biologique permettant à l'organisme d'évaluer d'éventuelles
calories liquides. Au néolithique, il n'y avait ni sodas ni de jus
de fruits.

Tous ces chiffres abstraits, c'est très bien, mais prenons
un exemple concret. Un verre de 200 ml de jus de pomme
est fabriqué en pressant environ 600 g de pommes, soit 3 à
4 pommes fraîches. Je vous mets au défi de manger 3 à 4
pommes fraîches et d'être capable, ensuite, de manger dans
l'heure qui suit. Par contre, boire un verre de jus de pomme et
prendre un repas dans l'heure qui suit, nous en sommes tous
capables ! L'exemple vaut pour un verre de soda, de limonade,
de jus d'orange... Et voilà comment on peut, sans s'en rendre
compte, ingérer une grande quantité de calories liquides
venant s'ajouter à tout ce que l'on mange par ailleurs.

1. « Boire le jus d'un fruit équivaut-il à le manger ? », *Science & Vie*, juin
2014.

Le fructose aurait un autre défaut : il donnerait faim ! Publiée en décembre 2014, une étude américaine a jeté un pavé dans le soda. Selon Kathleen Page et ses collègues de l'université de Californie du Sud (USC), « la consommation de glucose réduit l'activité dans l'hypothalamus, un phénomène associé à la satiété, tandis que celle de fructose n'agit que peu sur la satiété des rongeurs, semblant même stimuler leur faim[1] ». Poursuivant leur étude à l'aide d'IRM fonctionnelles, les chercheurs ont constaté que les étudiants volontaires qui avaient bu du fructose présentaient plus d'appétit et d'envie de manger que ceux qui avaient bu une solution de glucose. Leur conclusion : « Consommer du fructose pourrait pousser les gens à trop manger. »

On l'a compris, le fructose n'est pas notre ami. Mais y a-t-il des raisons de s'inquiéter ? Combien de fructose mangeons-nous quotidiennement en France ?

Aucun chiffre précis n'est disponible. Le Fonds français pour l'alimentation et la santé (FFAS), une association financée par des fonds privés regroupant des scientifiques et des représentants de l'industrie, estime la consommation quotidienne de fructose des Français à 42 g/jour.

Ancien chef du service de médecine et de nutrition de l'Hôtel-Dieu, président du comité de rédaction des *Cahiers de nutrition et de diététique*, et membre du conseil d'administration du FFAS, le Pr Bernard Guy-Grand a coordonné un

---

1. « Fructose and glucose: Brain reward circuits respond differently to two kinds of sugar », American College of Neuropsychopharmacology, 2014.

rapport sur le fructose publié en juin 2014. Ses conclusions ? « On fait un mauvais procès au fructose. À des doses normales, inférieures à 50 g par jour, le fructose n'a pas d'effet délétère sur la santé. Au-delà de 70 g / jour, il sera susceptible de favoriser, davantage que le glucose, une résistance à l'action de l'insuline au niveau du foie (risque d'insulino-résistance), une élévation du taux de triglycérides dans le sang (facteur de risque d'athérosclérose) et une augmentation des graisses dans le foie (risque de stéatose hépatique). » À l'entendre, on est loin des mises en garde anglo-saxonnes.

Que croire ? Qui croire ?

De plus en plus d'indices semblent prouver que notre consommation de sucre, et notamment de fructose, joue un rôle non négligeable dans la prise de poids. Quelle est la « bonne » quantité de sucre ? Difficile de le dire. Reste que si l'OMS, peu suspecte de complotisme anti-industriel de l'agroalimentaire, préconise de baisser si drastiquement les volumes de sucres ingérés, c'est sans doute que le sucre, et le fructose, ne sont pas sans reproche.

8. MANGER MOINS, BOUGER PLUS OU MANGER MIEUX, BOUGER PLUS ?

À partir des années 1980, on a vu exploser la pratique du sport un peu partout. Aux États-Unis, ils avaient Jane Fonda en justaucorps sexy, nous avions Véronique et Davina. Mais, partout, on s'agitait, on suait, prenant d'assaut les salles de gym et leurs cours d'aérobic… Même moi, au fin fond de l'Afrique, j'avais des guêtres roses avec lesquelles j'ai dansé plus d'une fois devant une cassette VHS de « Gym Tonic » !

Nous avions tous intériorisé l'importance d'augmenter nos dépenses d'énergie pour rester fermes et minces. Sauf que le résultat fut pour le moins décevant... Dans *Fed Up*, Stephanie Soechtig rappelle qu'entre 1980 et 2000, les inscriptions dans les clubs de sport ont augmenté de 50 % aux États-Unis, sans ralentir le boom de l'obésité. Nombre de personnes en surpoids se plaignent de manger peu et mieux, de bouger, et de ne pas perdre de kilos. Selon une étude publiée en mars 2014, 46 % des Français sont en surpoids ou obèses, malgré une « bonne alimentation » et des activités physiques ou sportives pratiquées régulièrement. Encore mieux, 42 % des personnes obèses ont déjà consulté un diététicien[1].

Quelque chose ne tournerait-il pas rond au royaume enchanté de la nutrition ? La prise de poids pourrait-elle avoir d'autres causes ?

Si la plupart des médecins français restent arc-boutés sur « il faut équilibrer les calories entrantes et sortantes », ce dogme semble se lézarder sous la pression des consommateurs, excédés de se voir proposer des solutions inefficaces. Fin 2010, l'Anses publiait un rapport d'experts sur les régimes amaigrissants[2]. Parmi les risques identifiés, une conséquence majeure et récurrente des privations et exclusions pratiquées, quel que soit le régime, est, paradoxalement, la reprise de poids, voire le surpoids : plus on fait de régimes, plus on favorise la reprise pondérale (effet yo-yo), *a fortiori* en l'absence d'activité physique. Et de conclure que les régimes

1. Sondage OpinionWay/Mutuelle générale de l'Éducation nationale (MGEN).
2. https://www.anses.fr/fr/content/régimes-amaigrissants

amaigrissants présentent des risques pour la santé plus ou moins graves.

Foin des querelles d'experts, retour dans la vraie vie. Après avoir été pesée, mesurée et examinée, je discute avec mon endocrinologue, ravie de constater ma perte de poids, principalement localisée sur l'abdomen, autrement dit de la graisse viscérale, des « abdominables graisses ».

– Faites-vous très attention à ce que vous mangez ?, me demande le Dr Dorian Sandre-Banon.
– Je fais attention au sucre, mais en dehors de cela, non, pas particulièrement. Je suis même étonnée car j'ai l'impression de manger beaucoup plus gras qu'avant. Une à deux fois par semaine, je me roule dans la rösti à la graisse de canard, j'ai remis la crème fraîche épaisse à l'honneur, je mange beaucoup plus d'œufs, de fromages, de charcuterie, de beurre, d'avocats, de noisettes, d'amandes, de saumon... J'avoue que je ne comprends pas très bien pourquoi je mincis sans effort.
– Avez-vous augmenté votre activité sportive ?
– Non. Je fais une à deux heures de sport par semaine et un peu de vélo électrique, mais rien de plus qu'autrefois.
– Peut-être qu'effectivement vous mincissez parce que vous avez supprimé le sucre. Cela étant, en supprimant les produits sucrés, vous avez de fait éliminé de nombreuses matières grasses pas toujours terribles. Certes, il y a de la graisse de cacao dans le chocolat noir, mais aussi des matières grasses, souvent végétales et de piètre qualité, dans les gâteaux et les biscuits, les crèmes desserts, les barres de céréales, les sucreries, les pâtisseries, les viennoiseries, les glaces... Sauf que ces graisses-là, on ne les mange pas de manière consciente, donc on ne les comptabilise pas.

– Vous voulez dire qu'en mangeant moins sucré et d'une certaine façon plus gras, je mange mieux ?

– Oui, on peut voir cela comme ça. En tout cas, vous choisissez les graisses que vous mangez, ce qui fait qu'*a priori*, vous mangez de meilleures graisses.

Ce jour-là, sous le soleil d'été, je suis ressortie extatique de son cabinet. Après des années à m'interroger, j'avais l'impression d'avoir décroché le Graal de l'alimentation : manger simplement, sans me préoccuper des calories, ni des associations alimentaires, remettre le (bon) gras à l'honneur et mincir des endroits stratégiques.

En changeant ma manière de manger, je me rends compte à présent que j'éprouve un plaisir différent. J'ai pris goût au salé, à l'amer, à l'acide... Et comme ces aliments aux calories pleines de nutriments (vitamines, minéraux, graisses, antioxydants, fibres), et non vides comme les sucres, me rassasient beaucoup mieux, je n'ai plus d'envies erratiques. Résultat, je contrôle mieux mon poids en laissant spontanément mon organisme s'équilibrer.

Me libérer du sucre m'a libérée des kilos en trop que je traînais depuis des années. « No sugar » rime avec « no abdominables graisses », et ça, tant d'un point de vue esthétique que santé, c'est le jackpot !

Août

Chapitre 8

Le « no sugar » et les autres

« Acstas horribilis » pour beaucoup, qui se rappelleront le millésime 2014 comme d'un été pluvieux pas heureux, j'en ai quant à moi plutôt de bons souvenirs. En bonne part sans doute grâce au micro-climat qui, cet été-là, s'est fixé sur la Manche et la Bretagne. Fin juillet 2014, je termine des vacances dans la Manche, à Agon-Coutainville. Depuis quinze jours, le ciel est d'un bleu parfait. Au loin, les îles Chausey et Jersey se dévoilent, puis se cachent, au fil des marées... Les jours se sont écoulés au rythme d'un programme inébranlable : cours de poney des enfants, promenades sur la plage, baignades à marée haute (à marée basse, l'eau se retire beaucoup trop loin), siestes, et surtout le marché. Sublime, forcément sublime. Je m'y ravitaille en somptueux poissons, légumes et fruits, dont des fraises à l'incomparable saveur sucrée et enivrante.

Après la plage, Rose et Julia, ma filleule, se gorgent de glaces à la Sucette chaude, le lieu de rendez-vous des glucose addicts locaux et des vacanciers. Une fois, je dois l'avouer, j'ai cédé à la tentation d'une boule de glace au café. Lorsque j'ai passé commande pour les filles, le serveur m'a dit : « Et vous madame, vous ne prenez rien ? C'est dommage, c'est l'été, profitez-en.» Tout à coup, en l'entendant, j'ai eu envie de retrouver le goût des vacances, d'une glace parfumée fondant dans la bouche pendant que le soleil tape dehors... J'hésite un peu, me disant que c'est idiot de faire un écart au bout de plus de cinq mois, mais l'envie me taraude. L'envie de revivre des souvenirs agréables. L'envie de sacrifier à un rituel estival. L'envie de faire comme les autres, de ne pas me singulariser. Vite, je passe commande d'une boule de glace au café au jeune homme qui vient de tendre son cornet à Rose.

Quelques instants plus tard, nous nous éloignons toutes les trois du stand pour nous installer sur la jetée face à la mer. Deux bouchées plus tard, j'arrête. En fait, cela ne me procure pas de plaisir. Ni de plaisir gustatif, ni de plaisir social. Le tout avec une double mauvaise conscience : celle d'avoir mangé du sucre et celle de jeter une boule de glace dont je sais objectivement qu'elle est bonne. Deux jours plus tard, rebelote. Il est 17 heures, nous quittons la plage. Rose a envie d'une crêpe beurre-sucre, Julia aussi. Les filles savourent leurs crêpes et en laissent. Je ne sais pas quoi faire avec ces morceaux de crêpe dans les mains. Toutes les injonctions entendues, de « on ne jette pas la nourriture » à « il faut finir son assiette », remontent d'un coup. Je regarde les bouts de crêpe que je tiens. Des cristaux de sucre y brillent sous le soleil. Après un instant de flou, je les jette. Re-mauvaise conscience.

Début août, nous rejoignons des amis en vacances à Groix. Paysages magnifiques, temps divin (chaud le jour, frais la nuit, j'en profite pour féliciter l'office de tourisme local qui alla jusqu'à caler les orages entre 23 heures et 7 heures du matin pour ne gêner personne !), déplacements à vélo (électrique pour moi qui tire deux enfants + le goûter et/ou le pique-nique dans la remorque), grandes tablées d'amis, bains de mer toniques... Ce sont des vacances de rêve !

Seul hic, l'absence de sucre. Non pas que cela me manque d'un point de vue physiologique, non, pas du tout. Ce dont je prends conscience, à l'occasion de ces vacances, c'est de la place du sucre dans les rapports sociaux.

Les amis qui me reçoivent à Groix, grâce leur soit rendue, sont parfaitement au courant de mon défi. Très gentiment, ils ne me mettent pas de tentations sous le nez et s'efforcent d'ailleurs de minimiser les desserts. Certes, je bois, comme tout le monde, un peu de rosé. Pour éviter de trop alourdir ma facture « sucre », je bois des glaçons au rosé quand les autres sirotent du rosé avec un glaçon... Au dessert, je me contente de fruits quand, parfois, les autres savourent un far, une glace ou un gâteau. Qu'importe, cela ne me manque pas.

Ma seule dérogation des vacances ? Quelques Spritz le soir au crépuscule, en admirant les voiliers passer entre Groix et Lorient. Oui, je sais, l'Aperol contient du sucre. C'est vrai. C'est peut-être la preuve que je suis humaine. Une fois encore, je transige en n'en prenant pas tous les soirs, loin de là, en remplaçant le prosecco par de l'eau pétillante et en forçant sur les glaçons. Plus tard, je trouverais des plans B, comme le lime fizz (eau pétillante + citron vert + menthe + glaçons) ou ma recette de gin tonic (gin + eau pétillante + un quartier de pamplemousse pressé + glaçons)...

Des amis d'amis, venus passer une semaine, se montrent curieux de mon projet. Là encore, je raconte, on me questionne, on discute. Chacun y va de son anecdote de « sugar binge eating », de goûters passés à dévorer des gâteaux sans pouvoir s'arrêter, de sacs de bonbons avalés en voyage ou devant la télévision, de l'incapacité de résister à un seau de pop-corn caramélisés au cinéma. Stoïque, je suis au milieu d'eux, sans envie, mais me sentant un peu en marge.

Comme, quelques jours plus tard, lorsque nous nous arrêtons au bourg de Groix pour un goûter après une promenade au phare de l'autre côté de l'île. Sur la terrasse de la crêperie, chacun passe commande. Une crêpe beurre-sucre, une crêpe caramel-vanille, une crêpe banane-Nutella et supplément de chantilly, une crêpe sucre-citron... Les boissons suivent : bière, Coca, sirop de grenadine, jus de fruits. Je scrute anxieusement la carte. Deux jours avant, j'avais pu commander une galette pommes-andouille de Guémené le soir. Mais au goûter ?

Quand vient mon tour, je m'inquiète auprès de la serveuse.

– Y a-t-il du sucre dans la pâte à crêpe ?

– Du sucre ? Je ne sais pas. Oui, peut-être...

– Pouvez-vous aller demander en cuisine, s'il vous plaît ?

Quelques instants plus tard, elle revient avec les premières crêpes des autres convives.

– Le chef me dit qu'il y en a un tout petit peu dans la pâte à crêpes mais qu'il n'y en a pas dans la pâte des galettes.

– Ah. Est-il possible d'avoir une galette de sarrasin alors ? Avec des pommes.

– Des pommes ?

– Oui, juste des pommes, telles quelles ou avec un peu de beurre. Et je prendrai un Perrier avec la galette aux pommes.

J'attends, admirant mon entourage qui dévore de bonne humeur le caramel, les crêpes, les bananes, la chantilly et le reste... Cinq minutes plus tard, mon assiette arrive. En remerciant la serveuse, j'ai envie de pleurer. Sur une galette de sarrasin brute, il y a des quartiers de pommes crues. J'avais cru qu'on allait au moins me les faire revenir avec un peu de beurre, ce qui les aurait « naturellement » sucrées. Erreur ! Le plat est d'une tristesse rare.

Autour de la table, tout le monde me regarde d'un air un peu goguenard. Comme je les comprends. Cela me ferait rire aussi si ce n'était à moi de le manger. Comble de malchance, les pommes sont très acides. Au bout de quatre bouchées, je renonce et me contente de siroter mon Perrier. Au moment de payer le goûter, quelques instants plus tard, la serveuse me regarde d'un drôle d'air. Alors que je récupère ma carte bleue, le chef sort de la cuisine et me demande si tout va bien. À ma réponse positive, il s'enhardit.

– C'est la première fois qu'on me commande une galette brute avec des pommes crues.

– Je dois avouer que c'est la première fois pour moi aussi.

– Vous n'aimez pas le sucre ?

Lâchement, je bats en retraite.

– Il y a du diabète dans ma famille et je dois faire attention, lui dis-je.

– Ah, je comprends. Mais vous savez, ma mère est diabétique et elle a le droit de manger des crêpes, elle…, me répondit-il.

Zut, ça va être plus compliqué que prévu.

– Je vous remercie pour tout. Nous avons passé un très bon moment, finis-je par dire avant de filer sous deux regards un peu perplexes.

Le lendemain, je retourne seule au Bourg. Seize heures trente, je sors d'un institut de beauté et suis littéralement submergée par une odeur de crêpe, de beurre et de sucre.

J'ai l'impression d'être dans une confiserie géante! Toutes les crêpières de l'île doivent être en pleine activité... Avant de rentrer, je fais un arrêt chez Bleu Thé, le célébrissime salon de thé du bourg. En pénétrant dans la boutique, je butte sur des dizaines de gâteaux. Far breton, cheese-cake, madeleines, financiers, cake au chocolat, tartes aux fruits sont alignés comme à la parade. Devant moi, deux dames emportent une grosse portion de far. « Et si je prenais quelque chose ? me demandé-je. C'est l'heure du thé, je suis seule et personne ne me connaît ici. » À ce moment, une table se libère en terrasse. C'est un signe! Je m'y installe.

Autour de moi, en famille ou entre amis, on fait une pause thé ou café, systématiquement accompagnée d'une pâtisserie ou d'une crêpe. Sur la carte, une collection de thés donne le tournis. Je jette mon dévolu sur un thé vert sencha, puis je passe aux desserts et gâteaux. Une fois, deux fois, trois fois... Je lis et je relis la carte. Me rends compte qu'en fait je n'en ai pas envie et me contente de commander mon thé.

– C'est tout ? Pas de gâteau ? Ni de crêpe ?

– Oui, ce sera parfait, à moins que vous n'ayez un gâteau sans sucre.

– Sans sucre ? Non, on n'a pas ça ici, c'est un salon de thé, madame.

– Un thé sera parfait. Merci beaucoup.

Face à l'église, je bois mon thé doucement, profitant du moment et réfléchissant.

Au moment de passer ma commande, j'ai senti presque un peu d'agressivité chez la serveuse. Et de la curiosité aux tables voisines. Sur cette terrasse où l'on prend le thé avec des pâtisseries, mon thé seul a des airs jansénistes. Je détonne, je me distingue.

Tout à coup, cela me rappelle la réaction initiale de ma mère. En avril, lorsque je lui avais fait part de mon projet, elle m'avait félicitée de m'être lancé ce défi, en avouant qu'elle n'en serait pas capable. Quelques heures plus tard, elle semblait malheureuse parce que je déclinais le vacherin maison qu'elle nous servait. S'en est suivi un dialogue étonnant.

– Tu ne veux pas de mon dessert?, me dit ma mère.

– Comme je te l'ai dit, je ne mange pas de sucre pendant un an. J'imagine qu'il y a du sucre dans le vacherin.

– Oui, mais même moi qui suis diabétique, j'en mange. Tu peux en prendre un peu, toi.

– Maman, je suis sûre qu'il est délicieux comme tout ce que tu cuisines. Et il me donne envie, j'adore ça. Mais si je veux faire une année sans sucre, il faut que je la fasse vraiment. Donc, non, je n'en prendrai pas. Je vais prendre un peu de raisin.

Je crois que ma mère a été déçue ce jour-là et sans doute un peu blessée. En refusant son dessert, peut-être a-t-elle eu l'impression que, symboliquement du moins, je refusais ce qu'elle avait mis tant de temps à préparer, une traduction concrète de son amour pour nous. Je vous rassure, dès le lendemain, elle ne m'offrait plus de sucre et, le surlendemain, elle me proposait une glace vanille à la stévia...

Depuis que je me suis lancée dans mon année sans sucre voilà six mois, les réactions de mon entourage sont contrastées.

Il y a ceux qui explosent de rire et me déclarent, au choix, que :

– je n'y arriverai jamais ;

– c'est impossible de tenir ;

– je vais craquer ;
– c'est un défi débile/idiot/inconscient...

Comme le dit Alex, un ami d'ami, « de toute façon, même si t'essaies, tu ne pourras jamais être vraiment sûre de ce que tu manges. En gros, tu vas te rassurer un peu, mais au fond t'es comme tout le monde, tu vas en manger du sucre, plus ou moins caché ». Ceux-là, je les range vite dans la catégorie des faux amis.

Il y a ceux qui sont dubitatifs.

Émilie, une amie directrice artistique, se révèle appartenir à une catégorie plus délicate à caractériser. Lorsque je lui ai parlé pour la première fois de mon année sans sucre en mars, elle s'est emballée. « C'est une idée géniale ! s'enthousiasme-t-elle d'abord. J'adorerais faire la même chose. Oh là là ! ça va te demander vachement de travail... Il va falloir que tu décryptes tous les étiquetages, que tu te documentes sur tout, que tu en discutes avec des médecins, que tu cuisines tout toi-même, que tu ailles au boulot avec tes repas et tes en-cas. Tu ne vas plus pouvoir aller au restaurant, ni aller dîner chez des amis, ni tester des tas de recettes. En tout cas, bravo, parce que c'est un énorme sacrifice. »

Si je résume la pensée d'Émilie : c'est super et ta vie va être un enfer.

Merci Émilie, tout ça, je le sais. Pas la peine de transformer mon expérience en œuvre de Soulages. Quoique... Comme le disait une de mes anciennes rédactrices en chef, femme formidable et dotée d'un appétit de vivre hors normes, « il y a toujours une lumière au bout du tunnel ». Vrai, comme dans les peintures de Soulages, d'un noir lumineux. En l'occurrence, la lumière au bout du tunnel de mon année sans sucre, ce sera, certes, l'idée qu'un jour cette contrainte disparaîtra. Mais surtout que, comme je le sens déjà, cette expérience aura modifié en profondeur certaines de mes habitudes alimentaires liées au goût sucré.

Il y a également ceux qui cherchent à me faire craquer. Bizarre mais vrai.

C'est la bonne copine qui, tout à coup, ne conçoit plus de manger son gâteau seule au salon de thé, en a trop, vraiment trop, et vous supplie de le partager avec elle.

C'est le convive d'un dîner qui vous répète dix fois que « les nanas qui font des régimes sont chiantes et que cette charlotte à la fraise est juste à tomber, tu devrais goûter ».

C'est la journaliste qui vous écoute d'un air distrait, puis ne cesse de vous envoyer des mails prouvant que cela a déjà été fait cent fois ailleurs. Autrement dit : « Tu ne fais rien d'extraordinaire, calme-toi. »

C'est le serveur au restaurant qui, une fois que vous lui avez demandé s'il y avait du sucre dans la sauce, passe et repasse près de votre table avec les desserts, vous demande trois fois si, « vraiment, vous ne voulez pas goûter quelque chose ? » et conclut par « je vous mets deux cuillères pour le dessert ? Vous allez partager avec monsieur ? ».

C'est la cousine éloignée qui essaie d'arrêter de fumer depuis dix ans et qui, d'un coup, devient acide, me crucifie de piques, ne cesse de me parler de sucreries et tente à tout prix d'en faire manger encore et encore à ma fille devant moi.

C'est le copain en surpoids depuis longtemps, et que le cardiologue menace du pire s'il ne maigrit pas, qui d'un coup devient franchement désagréable, vous fait des remarques dans les dîners.

C'est la relation professionnelle qui passe le déjeuner à se justifier en expliquant que boire du vin tous les midis, c'est bon pour la santé quand on choisit un rouge de qualité, que c'est une preuve d'art de vivre et que, durant les vacances, elle arrête comme elle veut.

C'est l'amie qui, curieusement, vous zappe systématiquement des dîners, sous prétexte, dixit les autres membres de la bande, « que c'est trop compliqué de se prendre la tête avec un menu spécial pour Danièle avec son projet "no sugar", et d'obliger tout le monde à subir ce régime ».

Depuis six mois que j'ai arrêté de manger du sucre, on n'a jamais autant cherché à m'en faire manger... Et cela, en explorant tout le registre des échanges, des critiques aux suppliques, des tentations aux admonestations, de la manipulation à l'humiliation, du sabotage au boycott.

Comment interpréter ces réactions ? Décrocher du sucre gênerait-il les autres ?

Pour le Pr Michel Lejoyeux, « se sevrer d'une substance est souvent vécu comme une agression par les personnes de l'entourage qui sont elles-mêmes consommatrices ou dépendantes d'une substance addictogène, qu'il s'agisse du tabac, de l'alcool, de la nourriture, des jeux vidéo ou d'autre chose. Arrêter une substance clairement identifiée, et consommée par tous, est une interrogation de la normalité d'autrui et de la norme, jusque-là clairement admise par tous. D'un point de vue social et culturel, c'est violent et même gênant ».

L'une de mes connaissances me l'a déclaré en substance. Nous étions début mai et nous passions le week-end chez un ami à la campagne. Le soir, après le dîner, nous étions plusieurs dehors, en train de discuter. Notre hôte me demande comment cela se passe et comment je me sens. Je lui réponds, ce qui suscite des tas de questions et, une fois de plus, j'explique mon projet, mes premières semaines, les premiers effets... En face de moi, une jeune femme que je ne connais pas, qui s'était déclarée végétarienne au début du repas, réagit.

« C'est un peu dingo ton truc ! Qu'est-ce que ça t'apporte ? Tu ne trouves pas que ton choix est totalement artificiel et déconnecté des réalités ? Franchement, ce n'est pas une part de gâteau qui va changer quoi que ce soit à ta vie, ni au destin de l'humanité », déclare-t-elle. Surprise par sa virulence, je lui demande doucement ce qu'elle pense des personnes qui se permettent de qualifier un mode de vie végétarien d'hystérie écolo ou de bonne conscience bobo. Blanc autour de la table. Un invité se tourne vers moi en me disant : « Tu ne peux pas affirmer des choses pareilles ! Être veggie est un choix de vie profond qui accompagne des convictions autant écolos qu'humanistes. » Sans vouloir rentrer dans un débat philosophique sur les mérites comparés d'un régime végétarien ou « no sugar », j'ai juste perçu à cet instant précis combien mon choix pouvait déstabiliser, mettre mal à l'aise, combien il était difficilement compréhensible pour certains.

Voir quelqu'un arrêter une substance comme le sucre renverrait donc chacun d'entre nous à ses propres « faiblesses », ses propres dépendances, qu'elles soient socialement autorisées ou pas. Un choix de vie qui ébranlerait par ricochet celles et ceux qui essaient depuis des années, sans succès, de se sevrer du tabac, de perdre quelques kilos, de se mettre au sport, de zapper l'apéro...

Et si ce changement profond initié par un individu le rendait également étranger aux autres ?

Dans son entourage familial, amical ou professionnel, on pense connaître l'autre. En tout cas, on s'en fait une certaine idée. Et si l'arrêt brutal d'un aliment comme le sucre rimait avec une inquiétude diffuse chez les autres, tout à coup mis en face d'un nouveau « moi », d'une Danièle qui dévoilerait un aspect inattendu de sa personnalité ? Après tout, la nourriture et le partage de la nourriture sont les premiers liens sociaux.

La symbolique des aliments lie les individus à un lieu et à une communauté, elle lie les individus entre eux, elle les lie à l'histoire, aux ancêtres et aux descendants... Remettre en cause le système alimentaire accepté par la communauté, n'est-ce pas remettre en cause la société elle-même ? Celui qui fait un pas de côté, via un régime inhabituel, ne questionne-t-il pas la société et ses membres ?

Mon amie Céline, psychologue, avec laquelle j'évoquais cette hypothèse, m'a proposé une autre lecture du phénomène. « Peut-être, m'a-t-elle suggéré, est-ce parce que chacun de nous joue un rôle social dans la vie du groupe, qu'il s'agisse de la famille ou de la bande d'amis. Ce rôle est en grande partie le fruit de nos comportements passés, de notre personnalité, de ce que nous avons choisi consciemment et inconsciemment de mettre en avant. C'est aussi parfois une "case" symbolique que nous remplissons aux yeux des autres. Il y a la bonne copine, la bonne vivante, l'hystérique, la loseuse, la solide sur laquelle les autres s'appuient, l'énergique, la compliquée... Chacun joue un rôle, son rôle, pour que la pièce puisse se jouer, jour après jour, année après année. Celui qui change tout à coup ou évolue fortement déséquilibre la distribution des rôles, peut mettre en danger d'autres personnages. »

À une époque d'«hystérisation alimentaire», où nous nous emballons, saison après saison, pour un nouveau gâteau, un nouveau régime, un nouveau légume, un nouveau chef, une nouvelle boisson, où les produits sont «géniaux» et les cuisiniers «dingues», où le gluten est un «poison» et les produits laitiers «toxiques» pour la santé, difficile d'avoir un regard serein sur les choix alimentaires d'autrui.

Dernier point, notre culture française, latine, fortement imprégnée de catholicisme, peut être heurtée par un choix privilégiant l'idée d'une responsabilité individuelle, d'un choix éclairé de l'individu décidant de prendre en main son destin (en l'occurrence ici sa santé). Nous sommes là plus proches d'une éthique protestante anglo saxonne que catholique et latine. En effet, chez les protestants, l'absence d'intercession entre Dieu et les hommes, c'est-à-dire l'absence de clergé spirituellement privilégié, rend chacun libre et responsable de ses choix, femmes comprises, depuis la Réforme au XVIᵉ siècle. Résultat, historiquement, le discours sur le sucre est ambivalent depuis le XVIIIᵉ siècle dans le monde anglo-saxon et protestant. Dans la France du XXIᵉ siècle, questionner un parti pris de société où le sucre est synonyme de plaisir et de récompense, poser un regard critique sur un produit universellement considéré comme souhaitable, c'est bouleverser les codes.

En d'autres termes, choisir de vivre «no sugar» booste autant la confiance en soi que cela peut miner l'ensemble des rapports sociaux.

Fin août, je rentre à la rédaction. Les vacances sont finies. Mes collègues me demandent si l'été fut bon et si j'ai réussi à tenir avec un été «no sugar». Globalement oui, j'ai tenu, mis à part une demi-douzaine de dérapages contrôlés Spritz allégés. Je suis plutôt fière de moi et je me rends vite compte que mes ami(e)s le sont pour moi. Car il y a ceux qui m'encouragent. Purement, simplement et absolument. Ceux qui me soutiennent, me félicitent, me répètent à quel point ils sont fiers de moi et de ce que je vais tenter. Ceux dont les sourires, les petits mots et les mails avec des références d'articles « no sugar », de documentaires, de livres, sont autant de bâtons sur lesquels je m'appuie tout au long de ma traversée de ce désert sans sucre...

Pour cette seconde moitié de mon année sans sucre, je me promets une chose : en parler le moins possible pour éviter de froisser les personnes en face de moi, et ne pas compliquer mes rapports avec autrui.

Septembre

Chapitre 9

Le sucre nous rend-il malades?

Septembre, c'est la rentrée.

Comme tout le monde, je cours entre les fournitures scolaires manquantes, l'inscription zappée au cours de sport pour Rose (il fallait s'inscrire en ligne cet été et je n'ai pas pensé à me connecter au serveur de l'école le 23 juillet!), les réunions diverses et variées, les rendez-vous professionnels et les dîners amicaux...

Les batteries rechargées par un été truffé de rires, de soleil, de siestes, de famille et d'amis, je me sens en pleine forme. Mi-septembre, j'ai rendez-vous chez mon médecin généraliste (formidable praticien) afin d'obtenir la batterie de certificats médicaux nécessaires pour cette nouvelle année.

– Bon, comment allez-vous?

– Bien, l'été fut très bon.

– Vous avez l'air en forme. Vous n'avez rien eu au cours des six derniers mois? La dernière fois que je vous ai vue, c'était en février...

– Euh... non. Rien de particulier.

– Pas même une sinusite ? L'année précédente, je vous avais vue huit fois pour des sinusites aiguës.

– Non, depuis six mois, je n'ai rien eu, mis à part le nez un peu bouché une fois. J'ai pris des gouttes d'huiles essentielles d'arbre à thé et d'origan, et c'est passé.

– Tant mieux ! Bon, combien de certificats vous faut-il ?

En sortant de son cabinet, j'ai réalisé qu'en effet, depuis six mois, je n'avais rien eu. Rien de rien. Chez moi, c'est inhabituel. Mon point faible ? Les infections ORL, fréquentes et ravageuses, dues à une inflammation chronique des sinus. Une histoire d'allergie, de pollen, de cuisine et de curiosité...

Avril 1988. Pendant les vacances de printemps, nous sommes partis en direction de Bandundu, une ville située à 250 km à vol d'oiseau de Kinshasa, sur la rivière Kwilu. Pour la rejoindre, il faut compter plus de 600 km de très mauvaises routes, soit deux jours de voyage minimum dans la jeep Toyota de mon père. Dans le coffre, nos bagages, mais aussi une boîte frigo pleine, de la nourriture pour deux jours, trois roues de secours, deux boîtes à outils et un bidon de 200 litres de gasoil. Sur la route, tout peut arriver. Accident, panne, station-service aux cuves vides... Il faut partir parés à toute éventualité, conduire de jour uniquement (la nuit, les véhicules roulent avec un nombre de phares aléatoire, allant de zéro à deux) et faire des haltes régulières.

Notre destination ? Une petite mission dans la brousse, où mes parents vont voir un ami missionnaire, et, par la même occasion, observer un projet forestier local. Le trajet est long. Nous arrivons finalement dans une petite vallée, au milieu de collines ondulant à l'infini. Quelques arbres chétifs parsèment un paysage dans lequel n'apparaît nulle trace humaine. Les herbes qui plient comme des vagues sous le vent atteignent 1,50 m de haut. On ne voit pas grand-chose. Mon père arrête le véhicule sur une crête et nous propose de monter un à un sur le toit pour admirer la vue. Je grimpe. Le souffle coupé, j'observe le moutonnement des collines. Pas de lignes électriques, pas de routes, excepté deux pistes qu'on devine au loin, pas de constructions, l'horizon est vierge de toute trace humaine. Je me sens insignifiante face à l'infinité de ce pays. Une demi-heure plus tard, nous arrivons à la mission où le père Ekelboom est ravi de nous voir. Nous passerons quelques jours là, dans une maison au confort spartiate. Lampes à pétrole le soir, douche au pommeau bricolé avec une boîte de conserve, cuisine au makala (charbon de bois local)...

Si le confort est sommaire, l'accueil est chaleureux. Mais dès la première nuit, je vais mal. J'ai la gorge qui râpe, je tousse, je respire assez mal. Les nuits suivantes sont de plus en plus difficiles, tandis que les journées se passent à peu près bien. Mes parents sont inquiets. Ma mère sort sa (grosse) trousse à pharmacie, me donne de l'aspirine, du sirop, mais rien n'y fait. En rentrant à Kinshasa, je tousse toujours la nuit, épuisée. Nous allons voir le médecin de la coopération belge. Perplexité du praticien. Il m'ausculte, écoute mes poumons, regarde ma gorge, évoque l'éventualité d'une diphtérie. Ma mère change de couleur. Quant à moi, j'ai beau avoir 14 ans, ce diagnostic potentiel me semble peu rassurant.

Peu convaincue, ma mère m'emmène chez le pédiatre qui, deux ans auparavant, avait été le seul à diagnostiquer une poussée de croissance brutale (5 cm en un mois) accompagnée de chutes de tension à répétition. Rapidement, celui-ci conclut à une allergie, avant de nous apprendre que nous étions en pleine saison de floraison des graminées, c'est-à-dire des herbes sauvages de la brousse. *A priori* allergique à ces pollens, j'avais séjourné en plein milieu d'un véritable bouillon de pollen.

Dans les années qui suivent, mes allergies vont et viennent. À 20 ans, on me diagnostique une allergie aux pollens de chêne, de graminées et d'urticacées. En parallèle, j'ai les lèvres qui gonflent lorsque je mange des figues, de l'avocat, du melon ou du concombre... Pratique ! À 25 ans, cela change encore. L'avocat et le concombre ne me gênent plus, mais les figues sont rejointes par le latex.

Mais l'acmé de mes allergies sera atteinte en juin 2008. Avec Grégoire, un ami photographe, je suis envoyée chez Alexandre Gauthier, jeune prodige de la gastronomie, dont le restaurant La Grenouillère est situé dans le Pas-de-Calais, près de Montreuil-sur-Mer. Nous sommes chargés de réaliser un reportage sur lui et sa cuisine, dont la parution est prévue au cours de l'été. En fin d'après-midi, après avoir shooté plusieurs recettes dans sa cuisine, Alexandre nous propose de goûter son invention du jour. Il nous tend deux cuillères à moka contenant de minuscules quenelles de glace blanche. « C'est une glace au pollen, je viens de la faire, c'est vraiment sympa », nous dit-il. J'avale et je trouve en effet cela délicieux. Encore mieux, je laisse fondre une boule de pollen dans ma bouche pour sentir vraiment quel goût ça a. Deux minutes plus tard, nous partons rejoindre notre hôtel à deux pas.

Que s'est-il passé à votre avis ? Oui, c'est cela, vous avez deviné, vous montrant nettement plus intelligent que je ne l'ai été ce jour-là. Pourtant, je vous assure que je suis à peu près « cortiquée ». Je n'ai simplement pas réalisé que lorsqu'on est allergique au pollen dans l'air, on ne mange pas de pollen. Jamais.

En rentrant dans ma chambre d'hôtel, je ne me sens pas bien. Je m'allonge sur mon lit. Au bout de cinq minutes, mes yeux me font un mal de chien. Je me précipite dans la salle de bains. Horreur ! Mes yeux sont rouge vif, pleurent, mes paupières ont gonflé, mon nez coule. Je retire mes lentilles, me rendant compte que 1. j'ai oublié mes lunettes à Paris, 2. je n'ai pas d'antihistaminiques...

À tâtons (je suis une taupe avec – 4,5 à l'œil gauche et – 7 à l'œil droit), je longe le couloir et frappe à la porte de Grégoire. Quand il ouvre, il reste bouche bée, avant de m'emmener ventre à terre à la réception de l'hôtel. Bien évidemment, ils n'ont pas de médicaments, nous sommes dimanche et la pharmacie est fermée. Ils nous envoient à la pharmacie de garde à 8 km de là où le pharmacien me fait une piqûre et me donne des antihistaminiques lyophilisés. Finalement, il y aura plus de peur que de mal. Nous arrivons à 20 heures à La Grenouillère, Grégoire me guidant telle une aveugle (impossible de remettre mes lentilles)... Très embêté, Alexandre s'excuse. Il n'est pourtant pas responsable. Je n'ai qu'à m'en prendre à moi-même !

Trois mois plus tard, je vois un allergologue à Paris. Entre-temps, j'ai eu deux crises de sinusite. Le spécialiste se montre peu optimiste.

– En mangeant cette glace au pollen, plus un grain de pollen pur, vous avez fait exploser votre seuil de sensibilité allergique, m'explique-t-il. C'est comme si vous aviez mangé mille fois la dose qui vous faisait réagir. Vous êtes une miraculée. J'ai des patients dans votre cas qui ont passé plusieurs jours dans le coma. Mais qu'est-ce qui vous est passé par la tête ce jour-là ? Quelle idée de manger une glace au pollen !

– Je sais que j'ai fait une erreur, docteur. Depuis, j'ai eu deux sinusites en trois mois. Vous pensez que c'est lié ?

– Impossible d'en être sûr, mais il se peut très bien qu'en ayant mangé ce pollen, vous ayez causé une inflammation de vos sinus.

D'après le test que nous faisons dans son cabinet, me voici à présent hyper allergique à tous les pollens d'arbres fruitiers. Pommiers, poiriers, pêchers, pruniers... Je ne fais pas de sélection ! Bilan : je déclare des allergies ophtalmiques pour un oui ou pour un non, tandis qu'un scanner montre une sinusite inflammatoire chronique de tous les sinus de la face, « la médaille d'or de l'infection de l'année », déclarera un radiologue taquin en 2009. Seule bonne nouvelle : je suis équipée de Kestinlyo, antihistaminique puissant à l'action hyper rapide.

Depuis, j'ai des crises quotidiennes au printemps qui m'obligent à prendre trois doses par jour pendant près de quatre mois, et des crises aléatoires qui me contraignent à ne manger pommes et poires que cuites, et à prier avant d'oser un brugnon ou une pêche.

Quelques exemples :

– *Mars 2012, Menton* : nous sommes chez Mauro Colagreco, talentueux jeune chef et ami. Devant sa maison, un arbre qui laisse tomber de drôles de petits fruits. Rose me demande ce que c'est. J'en ramasse un, perce la peau avec un ongle et lui dit que cela ressemble à une sorte de petit avocat. Cinq minutes plus tard, j'ai les yeux injectés de sang et envie de les arracher tant ça me gratte.

– *Juillet 2013, Patmos* : Rose ramasse une figue sur la route et la jette dans les fourrés. Deux minutes plus tard, ayant toutes les deux oublié cet épisode, je lui donne la main. Il suffit de quelques instants pour sentir monter la crise.

– *Janvier 2014, Paris* : un soir, je lave une pomme bio pour Rose, la lui coupe en quartiers et me lave aussitôt soigneusement les mains. Dix minutes plus tard, en lui lisant une histoire, je sens qu'une crise monte. Je prends un comprimé. Deux minutes plus tard, les choses s'aggravent. J'ai du mal à ouvrir ou fermer les yeux. En regardant dans une glace, je constate que mes paupières ont gonflé et que de curieuses vésicules de liquide se forment littéralement sur le blanc de mes yeux, la sclère. J'appelle SOS médecins. Le médecin de garde me conseille de tripler les doses d'antihistaminiques et si dans quinze minutes rien ne change, de foncer aux urgences des Quinze-Vingts pour une injection de cortisone dans les yeux... Coup de chance, dans les minutes qui suivent, l'allergie reflue.

Mais l'ingestion d'une grosse dose de pollen a eu un autre effet sur mon organisme.

Non, je ne brille pas la nuit et je ne suis pas capable, comme Mystique, alias Jennifer Lawrence dans *X-Men*, de me transformer en n'importe quoi... Par contre, si le moindre virus ORL passe par là, j'explose en moins de six heures. Vingt heures, j'éternue et j'ai la gorge qui gratte. Minuit, j'ai une sinusite. Boum! La prescription type pour m'en sortir? Une semaine d'antibiotiques et cinq jours de cortisone en pulvé-risation locale et en comprimés. Le hic, c'est qu'en moyenne, depuis 2008, je tourne à une dizaine de crises de sinusite par an. Épuisant et peu recommandé pour l'organisme.

Quel rapport avec le sucre, me direz-vous.

Tout simplement le fait qu'en 2014, après six mois de mon régime « no sugar », j'ai réalisé que je n'avais pas eu de sinusite. Pourtant, rien d'autre n'avait changé dans ma vie. Aucun autre paramètre biologique n'avait été modifié. Je n'avais pas moins travaillé, je n'avais pas fait plus de sport, je ne dormais pas plus, je ne méditais pas, je n'avais pas pris de vitamines, de plantes adaptogènes ou d'oligoéléments pour booster mon immunité, je n'avais pas bu de kombucha, ni avalé de probiotiques...

Au cours de mes lectures « no sugar », j'ai de très nom-breuses fois été confrontée aux témoignages de repentis du glucose/fructose qui expliquaient qu'en supprimant les sucres de leur alimentation, ils avaient constaté qu'ils étaient moins malades. Pour Eve O. Schaub[1], qui passa une année « no sugar » avec sa famille, l'effet fut particulièrement sympto-matique sur ses deux filles, élèves en primaire. « En 2010, raconte-t-elle, Greta et Ilsa [ses filles] manquèrent entre 5 et 15 jours d'école. En 2011, année sans sucre, elles manquèrent 2 à 3 jours. »

Vrai ou faux? Certains des détracteurs du sucre tombent dans la pensée magique, rendant le sucre responsable de presque tous les maux de la terre, réchauffement climatique

---

1. *Year of No Sugar: A Memoir*, Sourcebooks, 2014.

excepté (encore que...). Si leur position me paraît extrême, il était néanmoins troublant de constater une telle similitude d'expériences.

Je le répète, je ne suis pas médecin. Et je n'ai pas la prétention de me substituer au corps médical.

Par essence, la maladie me semble être le plus souvent multifactorielle. Désigner un seul coupable me paraît pour le moins hasardeux.

Néanmoins, se pourrait-il que notre consommation de sucre fragilise ou détraque notre organisme, ouvrant la porte à des infections virales, bactériennes, ou à des maladies auto-immunes ? Dans la littérature scientifique et grand public, essentiellement anglo-saxonne, le sucre est devenu le poison du moment.

Sans vouloir stigmatiser le Grand Méchant Sucre, que sait-on aujourd'hui, ou que soupçonne-t-on, de ses effets santé ? Pour tenter d'apporter des réponses, j'ai beaucoup lu, contacté des experts... Voici le résultat de mon enquête.

I. LE DIABÈTE

C'est sans doute la conséquence numéro un d'une surconsommation de sucre dénoncée par ses détracteurs. Et une des préoccupations majeures du corps médical et des autorités sanitaires car cette maladie chronique explose littéralement partout dans le monde ! Selon certaines estimations, il y aurait déjà près de 400 millions de personnes atteintes de diabète sur notre planète, pour un coût évalué à 470 milliards de dollars par an, soit 10 % des frais de santé mondiaux.

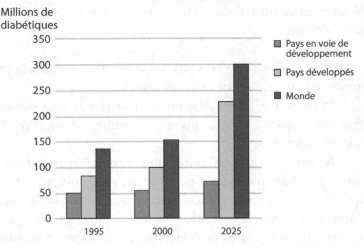

Le diabète dans le monde

Millions de diabétiques

Légende :
- Pays en voie de développement
- Pays développés
- Monde

Source : OMS

Sur le site de l'OMS, l'aide-mémoire « Diabète[1] » daté de janvier 2015 fait froid dans le dos :

– En 2014, la prévalence mondiale du diabète[2] était estimée à 9 % chez les adultes âgés de 18 ans et plus.

– En 2012, on estimait que le diabète avait été la cause directe de 1,5 million de décès.

– L'OMS prévoit qu'en 2030 le diabète sera la septième cause de décès dans le monde.

En France, un rapport de l'InVS[3] a tiré la sonnette d'alarme en 2010. Selon les experts, « la prévalence du diabète traité pharmacologiquement a été estimée en 2009 à 4,4 % de la population résidant en France. Le nombre de personnes

1. http://www.who.int/mediacentre/factsheets/fs312/fr
2. Glycémie à jeun ≥ 7,0 mmol/l (126 mg/dl) ou patient sous traitement.
3. Institut national de veille sanitaire.

diabétiques a été estimé à environ 2,9 millions de personnes, soit au moins 160 000 personnes diabétiques de type 1, au moins 2,7 millions de personnes diabétiques de type 2 traitées pharmacologiquement[1] ».

En 2000, 2,6 % des Français étaient atteints de diabète. En 2006, ce chiffre était monté à 3,95 %. En 2009, il atteignait 4,4 % de la population, soit 3,5 millions de personnes, un chiffre pourtant attendu pour 2016. L'Association française des diabétiques parle d'une « véritable croissance de l'épidémie », estimant par ailleurs que plus de 700 000 Français seraient atteints de diabète sans le savoir. Si la tendance se maintient, ce chiffre passera à 6 millions d'ici à 2025.

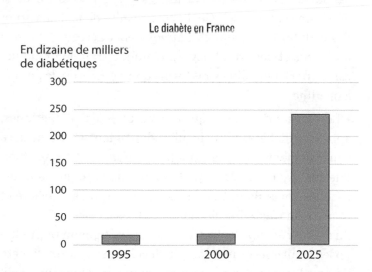

Le diabète en France

Source : OMS

1. « Prévalence et incidence du diabète, et mortalité liée au diabète en France. Synthèse épidémiologique », novembre 2010.

Diabète & diabète

Défini par la Fédération française des diabétiques comme « un trouble de l'assimilation, de l'utilisation et du stockage des sucres apportés par l'alimentation », le diabète est une maladie auto-immune qui se traduit par un taux élevé de glucose dans le sang : on parle d'hyperglycémie.

On distingue deux types de diabète :

– Le *diabète de type 1* qui touche 10 % des diabétiques, appelé « diabète insulinodépendant », est généralement découvert chez des sujets jeunes (entre l'enfance et le début de l'âge adulte). Ce diabète résulte de la disparition des cellules ß du pancréas, attaquées et détruites par des anticorps et des lymphocytes. L'unique traitement actuel est l'apport d'insuline sous forme d'injections ou de pompe à insuline.

– Le *diabète de type 2*, qui touche 85 % des diabétiques, appelé « diabète non insulinodépendant », se déclare généralement chez des sujets de plus de 40 ans (bien que les premiers cas d'adolescents et de jeunes adultes touchés apparaissent en France). Le surpoids, l'obésité et le manque d'activité physique sont les causes principales du diabète de type 2 chez les sujets génétiquement prédisposés. Sournois et indolore, le développement du diabète de type 2 peut passer longtemps inaperçu. On estime qu'il s'écoule en moyenne de cinq à dix ans entre l'apparition des premières hyperglycémies et le diagnostic. Ce diabète est dû à une fabrication insuffisante d'insuline par le pancréas (l'insulinopénie) ou à une insuline n'agissant pas suffisamment (l'insulinorésistance). Le diabète de type 2 est causé par une origine génétique et/ou des facteurs environnementaux. Il est traité par des mesures hygiéno-diététiques et des traitements anti diabétiques oraux ou injectables.

Le décor est planté.

Une maladie sournoise et discrète, avec des complications potentiellement lourdes à long terme (cataracte, glaucome, perte de la vue, neuropathie, sensibilité aux infections, problèmes de cicatrisation, troubles vasculaires pouvant entraîner une atteinte des reins, maladies cardio-vasculaires dont infarctus et AVC, démence...), touchant de plus en plus d'entre nous et qui échappe à toute tentative de régulation. Une alimentation de plus en plus suspectée d'être propice au développement de cette maladie. Des patients manquant d'informations. Des systèmes de santé débordés.

Mais quel est le lien entre le sucre et le diabète ?

Le diabète étant une maladie causée par trop de sucre dans le sang, c'est-à-dire une hyperglycémie, on a longtemps cru que manger trop de sucre produisait un diabète. Faux. Tous les diabétiques non insulinodépendants vous le diront, ils ne mangeaient pas le sucre à la cuillère.

L'enchaînement est plus compliqué et plus subtil. L'hypo-thèse privilégiée aujourd'hui, dite hypothèse hormonale, est la suivante :

Alimentation trop riche en sucre et matières grasses

⬇

Prise de poids

⬇

Syndrome métabolique
Caractérisé par au moins trois ou plus des facteurs de risques suivants* :
- *Embonpoint abdominal* (tour de taille supérieur à 80 cm pour les femmes et 94 cm pour les hommes).
- *Taux élevé de triglycérides sanguins* (taux ≥ à 1,7 mmol/l ou 150 mg/dl).
- *Hypertension* (tension artérielle ≥ 130 mm Hg / 85 mm Hg).
- *Faible taux de « bon cholestérol » (HDL)* (inférieur à 1,0 mmol/l (40 mg/dl) chez les hommes et à 1,3 mmol/l (50 mg/dl) chez les femmes.
- *Glycémie élevée* (égale ou supérieure à 5,6 mmol/l ou 101 mg/dl à jeun).

Critères de la Fédération internationale du diabète

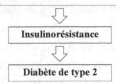

Insulinorésistance

⬇

Diabète de type 2

Certes, les spécialistes argueront que les choses sont plus complexes, mais, schématiquement, voilà le *modus operandi* du diabète de type 2, le plus fréquent et celui qui se développe si vite aujourd'hui. En résumé, la surconsommation de sucre et de gras, généralement présents simultanément dans les produits industriels, ferait grossir, ce qui conduirait à long terme au diabète non insulinodépendant.

En d'autres termes, si le sucre n'est pas le seul responsable d'une prise de poids, c'est un contributeur majeur. Et cela, on le soupçonnait depuis près d'un siècle.

Sir Frederick Banting, qui reçut le prix Nobel en 1922 pour sa découverte de l'insuline, liait déjà l'augmentation rapide du nombre de cas de diabète aux États-Unis à l'augmentation de la consommation de sucre. En 1924, Haven Emerson, le délégué à la Santé de la ville de New York, publia un article intitulé « La mort douce », dans lequel il dénonçait le sucre comme responsable de l'augmentation des cas de diabète parmi la population aisée new-yorkaise.

Le surpoids est tellement lié à la survenue d'un diabète de type 2 que l'on parle maintenant de « diabésité ».

Dans *Trop de sucre. Changez votre alimentation et votre mode de vie pour éviter les maladies chroniques !*, Mark Hyman, médecin et conseiller santé du couple Clinton, précise dès l'introduction que « "diabésité" est un terme plus complet et polyvalent pour décrire le continuum qui va d'une glycémie idéale vers la résistance à l'insuline, pour parvenir à l'explosion d'un diabète ». Il poursuit en ajoutant que « prendre 5 à 7 kg double le risque d'émergence d'un diabète de type 2, et 8 à 11 kg le triple. Pire, on voit aujourd'hui des diabètes de type 2, longtemps surnommés "diabète de l'adulte", apparaître chez des enfants de huit ans ».

Pour Réginald Allouche, médecin et ingénieur, auteur de *Le Plaisir du sucre au risque du prédiabète*, la cause est entendue. Lorsque je l'avais interrogé au moment de la sortie de son livre, il affirmait : « Si nous déclarons tant de diabètes, c'est parce que nous grossissons. Et si nous grossissons, c'est parce que nous mangeons de plus en plus d'aliments gras et sucrés. Ce qui est terrible, c'est que le sucre fait des dégâts silencieux pendant dix à vingt ans. On peut ainsi avoir un prédiabète des années durant qui ne sera pas diagnostiqué, alors même que cette maladie est dangereuse car elle évolue plus de 80 % du temps vers un diabète de type 2 inguérissable. Il faut dire et répéter que cette maladie, encore assez mal connue, n'est pas anodine. Le diabète est la première cause de cécité et d'amputations non traumatiques dans notre pays. »

Du côté des diabétologues, le point de vue est plus nuancé. « Il n'y a pas encore de preuve que le sucre altère le pronostic de survenue d'un diabète de type 2, modère le professeur Paul Valensi, chef du service d'endocrinologie-diabétologie-nutrition de l'hôpital Jean-Verdier de Bondy. Il faut se méfier des raccourcis. Certes, les sucres simples contribuent à augmenter le poids car ils alourdissent la facture calorique, mais ce qui "nourrit" les fameuses graisses abdominales, ce sont les calories au sens large, qu'il s'agisse de trop de graisses, trop de sucre ou trop de sel. S'il est vrai qu'une alimentation riche en produits hyperglycémiants (qui font monter le taux de sucre sanguin) et pauvre en fibres accroît le risque de développer un diabète, il n'y a pas de corrélation directe entre un nutriment et cette maladie. »

Que peuvent alors recommander les médecins à leurs patients prédiabétiques ? « Le poids est un déterminant majeur dans la survenue du diabète de type 2, conclut Paul Valensi. On ne prévient pas cette maladie autrement qu'en maigrissant. Il ne s'agit pas de retirer le sucre de l'alimentation, mais de baisser globalement les apports caloriques. Le sucre joue un rôle car il est surtout présent dans les aliments gras et sucrés. En faisant perdre 5 à 7 kg aux patients prédiabétiques, on obtient une baisse de 60 % du risque de diabète. C'est considérable ! »

Dernier point, celui du facteur épigénétique dans l'épidémie de diabésité. L'épigénétique est l'ensemble des influences environnementales intervenant dans l'expression du code génétique. Activité physique, alimentation, environnement, niveau de stress, exposition aux polluants... Autant de paramètres, dont l'ensemble a été baptisé «exposome[1]», qui ne changent pas notre patrimoine génétique, mais l'expression des gènes. Mark Hyman le résume avec une formule choc : **«La nourriture n'est pas juste une affaire de calories, c'est de l'information!»**

Conclusion, les scientifiques ont très longtemps lié, et lient toujours, la survenue d'un diabète à un excès d'apports caloriques, quelles que soient ces calories. Mais cette position va peut-être évoluer. Depuis peu en effet, de nouvelles études montrent un lien direct entre (sur)consommation de sucre et risque de développer un diabète.

En février 2013, Sanjay Basu, chercheur à l'université de Californie (San Franciso), et son équipe ont ainsi montré que le sucre aurait un lien direct avec la survenue du diabète. Pire, cette étude épidémiologique[2], basée sur les données récoltées par la FAO, lierait directement les consommations élevées de sucre à des taux supérieurs de survenue de diabète de type 2, indépendamment des taux d'obésité. «Nous ne diminuons pas l'importance de l'obésité, précise Sanjay Basu, mais les chiffres suggèrent qu'au niveau d'une population, il y a des facteurs additionnels qui contribuent au risque de diabète, en plus de l'obésité et de l'apport calorique, et que le sucre semble jouer un rôle de premier plan[3].»

1. «Exposure Science and the Exposome: An Opportunity for Coherence in the Environmental Health Sciences», *Journal of Exposure Science & Environmental Epidemiology*, 2011.
2. «The Relationship of Sugar to Population-Level Diabetes Prevalence: An Econometric Analysis of Repeated Cross-Sectional Data», *Plos One*, février 2013.
3. http://www.ucsf.edu/news/2013/02/13591/quantity-sugar-food-supply-linked-diabetes-rates

Cent cinquante calories supplémentaires de sucre disponibles par jour et par personne (soit le taux de sucre d'une canette de soda classique) font grimper le taux de diabète de 1 %, tandis que 150 calories de plus sans distinction de nutriments augmentent le risque de diabète de seulement 0,1 %.

Que penser de tout cela ?

Pour moi dont la mère, la grand-mère, la grand-tante et le grand-oncle ont été ou sont diabétiques de type 2, l'information a son importance. Certains de mes ascendants correspondent en effet au profil « personnes âgées en surpoids », d'autres pas du tout, comme feu ma grand-tante Theodora qui était une petite femme très mince.

Ce qui est certain, c'est qu'aucun diabétique de type 2 n'a avalé de pleins saladiers de saccharose. Mais peut-être ont-ils eu une alimentation trop grasse et/ou trop sucrée. Or, sucre et gras vont généralement de pair dans notre assiette. Zapper les aliments sucrés, c'est aussi zapper une bonne partie des mauvaises graisses, souvenez-vous de ce que disait mon endocrinologue en juillet !

Pour ma part, je suis persuadée que lever sérieusement le pied sur notre alimentation sucrée nous fait mécaniquement maigrir, essentiellement au niveau de la taille. Or, un bourrelet de moins dans cette zone stratégique s'accompagne généralement de quelques centimètres de moins et d'une réduction de nos graisses abdominales. Résultat, une taille affinée, une silhouette plus élancée et un risque de diabète de type 2 repoussé...

Alors, oui, je crois qu'on peut dire que la (sur)consommation de sucre est liée, si ce n'est directement, au moins indirectement à la survenue du diabète de type 2.

Un peu comme au billard français, les choses se font par la bande, par ricochet. Si faire un peu attention tout au long de la vie permet de réduire considérablement les risques, le jeu en vaut la chandelle. Au moins à mes yeux.

2. LES MALADIES INFLAMMATOIRES

Grande question que celle liant le sucre aux maladies inflammatoires...

Je vous l'ai dit au début de ce chapitre, en ce qui me concerne, baisser drastiquement ma consommation de sucre a eu un effet très net sur mes sinusites, une inflammation des muqueuses qui recouvrent l'intérieur des sinus.

L'inflammation, de quoi s'agit-il ?

Réaction de défense immunitaire type du corps à une agression (infection, brûlure, allergie, etc.), l'inflammation peut également être chronique, lorsque l'organisme se maintient en état d'activation permanent. Cette inflammation chronique pourrait être causée par le surpoids, la pollution ambiante, la nourriture industrielle, les altérations du microbiote, le stress, le tabac, la sédentarité, le manque de sommeil... Cette inflammation chronique peut conduire à long terme à diverses maladies, parmi lesquelles les cancers, les maladies cardio-vasculaires, la maladie d'Alzheimer, l'arthrite ou certaines maladies auto-immunes.

Lorsque j'ai interrogé le Dr Dorian Sandre-Banon, mon endocrinologue, sur les liens éventuels entre sucre et inflammation, elle s'est montrée réservée. « Il est difficile d'affirmer que le sucre est un facteur pro-inflammatoire. La métabolisation du fructose entraîne en effet une cascade enzymatique et la production de certaines molécules pro-inflammatoires, mais une étude récente[1] montre que la consommation de doses élevées de fructose ou de glucose (150 g par jour) au cours d'une période de quatre semaines n'augmentait pas le niveau d'inflammation. À mon avis, il n'y a pas aujourd'hui de réel consensus scientifique allant dans un sens ou dans l'autre sur ce sujet. »

Ce qui est cependant avéré, c'est que certains régimes alimentaires sont plus susceptibles que d'autres de conduire notre organisme à produire des molécules pro-inflammatoires, dont les cytokines et les prostaglandines E2... Cette théorie a été popularisée en France par le Dr David Servan-Schreiber, via son best-seller *Anticancer* (Robert Laffont, 2007).

C'est d'autant plus vrai que **la graisse est aujourd'hui considérée comme un organe à part entière**[2], dont les adipocytes ont un rôle essentiel au plan physiologique, et notamment hormonal.

1. G. Silbernagel et *al.*, « Plasminogen activator inhibitor-1, monocyte chemoattractant protein-1, e-selectin and C-reactive protein levels in response to 4-week very-high-fructose or -glucose diets », *European Journal of Clinical Nutrition*, 2014.
2. « The adipose tissue as an endocrine organ », *Seminars in Nephrology*, 2013.

Un peu partout dans notre corps, les graisses produisent des hormones qui peuvent perturber les cycles endocriniens normaux. Nos bourrelets sur le ventre ne se contentent donc pas d'être disgracieux... Ils ont également un rôle métabolique non négligeable. Au niveau viscéral, la graisse est le refuge d'une infinité de leucocytes (globules blancs) aux propriétés inflammatoires. Et d'où vient cette graisse viscérale ? D'un cocktail d'alimentation déséquilibrée et trop riche, de manque d'activité physique et de terrain individuel.

Suspects alimentaires pro-inflammatoires, levez-vous ! Sur le banc des accusés, on retrouve les graisses de mauvaise qualité, les aliments trop cuits (grillades et barbecue), les sucreries, les aliments raffinés, les fritures, la viande rouge... En clair, une majorité d'aliments industriels et processés, parmi lesquels nombreux sont ceux qui contiennent du sucre. Le résultat, c'est qu'au fil du temps ces aliments abîment les cellules, comme le montrent les centaines d'études scientifiques sur ce thème déjà parues.

Si la nourriture peut être source d'inflammation, elle peut aussi nous aider à faire baisser cette inflammation. « Que ta nourriture soit ta médecine, et ta médecine ta nourriture », aurait déjà prêché Hippocrate au Ve s. avant J.-C. Dans son ouvrage *Les Secrets de l'alimentation anti-inflammatoire* (Albin Michel, 2010), le Dr Catherine Serfaty-Lacrosnière, spécialiste en nutrition, prône les glucides complexes, les poissons gras porteurs d'acides oméga-3, les fruits et les légumes entiers frais, les cuissons douces à la vapeur, les huiles d'olive, de colza et de noix, les fruits de mer pour leur teneur en zinc, le thé vert, le chocolat noir et les épices (curcuma, piment de Cayenne, gingembre). Avec un régime alimentaire de ce type, on baisse l'inflammation chronique de l'organisme, ainsi que les risques de développer une pathologie liée à l'inflammation.

Que penser des liens éventuels entre sucre et inflammation?

A priori, il semblerait que l'ingestion de sucrose et de glucose purs n'aurait pas d'effet sur la production de certaines molécules pro-inflammatoires.

Cela étant, en dehors des boissons sucrées, rares sont nos consommations de glucose ou fructose purs. Le sucre que nous consommons est généralement associé à des acides gras trans, souvent des graisses végétales insaturées hydrogénées (palme, soja, maïs), largement présentes dans les sucreries, les gâteaux, les plats industriels, etc. Une fois encore, zapper l'essentiel des produits sucrés, c'est éviter une bonne partie de ces graisses, donc faire baisser ses niveaux d'inflammation. L'effet, bien qu'indirect, semble néanmoins non négligeable.

3. LES MALADIES CÉRÉBRALES, DONT ALZHEIMER

Oublis répétés, sautes d'humeur, pertes de repères, dépendance... La maladie d'Alzheimer fait peur, avec plus de 200 000 cas diagnostiqués tous les ans en France. En septembre 2012, cette pathologie neurodégénérative inquiétait 86 % des Français (58 % d'entre eux se déclarant même très inquiets[1]). En 2006 déjà, Dominique de Villepin, alors Premier ministre, déclarait la lutte contre cette maladie qui efface les capacités cognitives « grande cause nationale » pour 2007.

---

1. Sondage Viavoice, Groupe Pasteur Mutualité et France-Alzheimer.

Se pourrait-il que notre surconsommation de sucre depuis une cinquantaine d'années ait un lien avec l'augmentation des cas de maladie d'Alzheimer ? L'hypothèse peut paraître, au choix, extrême, farfelue ou terrifiante. Cependant, c'est celle de chercheurs et neurologues toujours plus nombreux, qui qualifient Alzheimer de « diabète de type 3 » ou de « diabète du cerveau ».

La maladie d'Alzheimer serait un diabète localisé dans le cerveau. Lorsque cette hypothèse a été lancée au milieu des années 2000, elle a d'abord sonné comme une provocation ! Elle émanait pourtant de deux chercheuses reconnues et respectées par leurs pairs : Suzanne de la Monte, de l'université Brown (Rhode Island), et Suzanne Craft, du Wake Forest Baptist Medical Center (Caroline du Nord).

Travaillant indépendamment l'une de l'autre, elles sont pourtant arrivées aux mêmes conclusions : les lésions caractéristiques dans le cerveau des malades d'Alzheimer sont dues à une banale résistance à l'insuline. En 2008, par exemple, Suzanne de la Monte et Jack R. Wands publient une étude qui fait du bruit[1]. Se basant sur l'autopsie de cerveaux de patients décédés de la maladie d'Alzheimer et sur des recherches en laboratoire sur modèle animal, ils affirment que « se référer à la maladie d'Alzheimer comme à un diabète de type 3 est justifié, car ses anomalies moléculaires et biochimiques fondamentales se superposent à celles des diabètes de type 1 et de type 2, plutôt qu'elles n'imitent les effets de l'un ou de l'autre ».

1. « Alzheimer's Disease Is Type 3 Diabetes–Evidence Reviewed », *Journal of Diabetes Science and Technology*, 2008.

Selon eux, les plaques amyloïdes toxiques qui se forment dans le cerveau, plaques séniles dues à l'agrégation d'une étrange protéine, et signe le plus caractéristique de la maladie d'Alzheimer, seraient un effet secondaire d'un mécanisme de défense du corps, les neurones peinant de plus en plus à s'alimenter en glucose. Ils ne sont pas les seuls à s'intéresser à cette voie. En 2005, Eric Steen, professeur de médecine interne au UT Southwestern Medical Center, copubliait une étude[1], s'interrogeant sur les liens entre la maladie d'Alzheimer et l'insuline.

Un dossier de *Science & Vie* consacré à cette hypothèse médicale en 2014[2] précise que ce que Suzanne de la Monte a découvert, c'est qu'aux stades les plus avancés de la maladie d'Alzheimer, les récepteurs spécifiques à l'insuline des neurones sont 80 % moins actifs que dans un cerveau normal. Et que l'insuline se lie beaucoup moins bien à ces mêmes récepteurs.

Tout comme les récepteurs des cellules d'un diabétique réagissent de moins en moins à l'insuline, les neurones des patients Alzheimer paraissent devenir insulinorésistants. Et de citer Florence Pasquier, neurologue au CHU de Lille, qui souligne que « l'insuline, indispensable pour faire entrer le glucose dans les neurones d'un cerveau sain, participe aussi à la maintenance des synapses. Si l'action de l'insuline est perturbée, les neurones peuvent être altérés. L'insulinorésistance

1. « Impaired insulin and insulin-like growth factor expression and signaling mechanisms in Alzheimer's disease--is this type 3 diabetes? », *Journal of Alzheimer's Disease*, 2005.
2. Coralie Hancok, « Alzheimer, l'hypothèse du diabète », *Science & Vie*, n° 1161, juin 2014.

augmente également le stress oxydatif et les mécanismes inflammatoires qui peuvent favoriser la dégénérescence des neurones».

Est-ce tout? Non. En laboratoire, certaines molécules utilisées dans le traitement du diabète de type 2 semblent relativement efficaces sur la maladie d'Alzheimer. C'est le cas des molécules de la famille de la thiazolidinedione et de la metformine.

D'autres pistes sont explorées, telle celle d'un régime alimentaire inadapté. Neurologue américain, le Dr David Perlmutter a signé un best-seller vendu à près d'un demi-million d'exemplaires aux États-Unis depuis sa sortie en septembre 2013. Son titre? *Grain Brain: The Surprising Truth about Wheat, Carbs, and sugar. Your Brain's Silent Killers* (Little, Brown and Company). En France, l'ouvrage vient d'être publié chez Marabout, sous le titre *Ces glucides qui menacent notre cerveau. Pourquoi et comment limiter gluten, céréales, sucres et glucides raffinés.*

Selon lui, l'explosion de certains troubles cérébraux, parmi lesquels la maladie d'Alzheimer, mais également les maux de tête chroniques, l'épilepsie, le TDAH (trouble déficitaire de l'attention avec hyperactivité), l'insomnie, etc., serait causée par notre tendance à consommer de plus en plus de sucre et de glucides, bien plus que par des prédispositions génétiques ou la fatalité. « Tout est lié aux changements en termes de nutrition observés au cours du siècle dernier, explique-t-il dans son introduction. Nous sommes passés d'une alimentation riche en graisses et pauvre en glucides à un régime pauvre en graisses et riche en glucides, principalement constitué de céréales et autres glucides à l'origine de nombreux fléaux qui affectent aujourd'hui le cerveau.»

Il poursuit en précisant que «le cerveau est assailli par les glucides qui, pour nombre d'entre eux, renferment une multitude de substances inflammatoires susceptibles, comme le gluten, d'irriter le système nerveux. Les glucides sont dévastateurs pour le cerveau, même à dose faible». Pourquoi? Parce que même à petite dose, ces glucides provoqueraient une élévation de la glycémie qui pourrait entraîner une inflammation systémique et une détérioration de la barrière hémato-encéphalique. Amoindrie, cette barrière laisserait passer plus facilement toxines, bactéries et autres substances étrangères qui fragiliseraient le cerveau. Contrairement au reste de l'organisme, le cerveau ne possédant pas de capteurs de la douleur, sa souffrance chronique ne se manifeste pas.

Grossir fait maigrir le cerveau

À chaque kilo pris, le cerveau rétrécit un petit peu. C'est la conclusion d'une étude* menée par des neuroscientifiques de l'Ucla (université de Californie, Los Angeles) et de l'université de Pittsburgh. L'examen d'images IRM et scanners du cerveau de près de 100 personnes de 70 à 79 ans a montré que le cerveau des patients dont l'IMC était situé entre 25 et 30 semblait avoir huit ans de plus que celui de patients à l'IMC normal, inférieur à 25. Quant aux patients dont l'IMC dépassait 30, leur cerveau semblait seize ans plus âgé que celui des personnes sans surcharge pondérale. Pire, chez les personnes en surpoids ou obèses, les zones les plus atteintes (soit – 4 % et – 8 % de volume cérébral) étaient le lobe frontal et le lobe temporal, soit les zones impliquées dans la prise de décision et le stockage des informations, c'est-à-dire la mémoire.

*Source : « Brain structure and obesity », Human Brain Mapping, 2010

Mettant les choses au point, David Perlmutter précise d'emblée qu'il « n'a pas dit que la maladie d'Alzheimer était due au diabète, mais que ces pathologies ont la même origine, et que le nombre de sujets victimes de la maladie d'Alzheimer augmente au même rythme que le nombre de personnes souffrant d'un diabète de type 2 ». Le risque de développer un Alzheimer est d'ailleurs près de deux fois plus élevé pour les malades souffrant d'un diabète de type 2.

Bien que cette hypothèse d'un « diabète cérébral » ne fasse pas encore consensus parmi le corps médical, les indices se multiplient. En février 2013, au 57e congrès annuel de la société de biophysique, Yifat Miller, scientifique israélienne, a présenté les conclusions des recherches menées avec son équipe. Selon eux, le lien entre les deux maladies (diabète et Alzheimer) se situe au niveau de l'interaction entre deux peptides qui s'agrègent au niveau atomique : l'amyline, un peptide présent dans le pancréas et le cerveau, et la bêta-amyloïde, présent dans les plaques caractéristiques d'Alzheimer au niveau cérébral.

Les chercheurs ont trouvé ces deux peptides dans le pancréas de malades diabétiques, tandis que, pour ces deux pathologies, leur présence est directement corrélée à l'état de progression de la maladie[1]. Fin 2014, Yifat Miller récidive, annonçant à présent, au vu de ses derniers résultats, qu'il y

---

1. « Type II diabetes and Alzheimer's connection », Biophysical Society, *Science Daily*, février 2013.

aurait également un lien entre le diabète et d'autres maladies neurodégénératives, dont la maladie de Parkinson.

Au-delà des expériences sur le microscopique en laboratoire, des données épidémiologiques vont dans le même sens. Selon une équipe américano-britannique menée par le professeur Sam Norton, « un tiers des cas de maladie d'Alzheimer pourraient être attribués à des facteurs de risque potentiellement modifiables, tels la sédentarité, le tabagisme, l'hypertension et le diabète[1] ».

Encore là ? Vous n'avez pas décroché ? Après ce voyage dans les labos, retour dans la vie de tous les jours d'une personne lambda, c'est-à-dire moi.

Que penser des rapports entre diabète de type 2 et maladies neurodégénératives ? La médecine étant une science en perpétuelle évolution, le plus prudent serait d'avancer que de nouvelles pistes de recherche semblent montrer qu'il existerait des liens entre le développement du diabète de type 2 et certaines pathologies neurologiques. Beaucoup de conditionnel dans cette phrase ? Oui. Mais les conditionnels sont indispensables, car nous savons certaines choses et en ignorons encore beaucoup d'autres.

Que vient faire le sucre dans tout cela ? Une fois encore, nul ne peut affirmer qu'il existe un lien direct entre surconsommation de sucre(s) et maladies neurologiques et/ou neurodégénératives.

1. « Potential for primary prevention of Alzheimer's disease: an analysis of population-based data », *The Lancet Neurology,* août 2014.

Mais s'il y a bien un lien entre le diabète de type 2 et Alzheimer, si Alzheimer se révèle finalement bien être une sorte de « diabète de type 3 », alors tous les efforts que nous pouvons faire pour ne pas fatiguer exagérément notre pancréas et ne pas risquer de créer une insulinorésistance devraient être tentés.

Faut-il pour autant craindre de perdre la raison parce qu'on croque dans un biscuit ou qu'on aime les pâtes al dente ? Vivant comme vous dans une « civilisation du glucide », présent sous toutes ses formes à quasi tous les repas (pâtes, riz, pain, pommes de terre, amidon sont partout), je m'interrogeai.

Le régime pro-cerveau

Comme un moteur, notre cerveau a besoin de carburant de bonne qualité.

Le régime idéal pour le protéger à court, moyen et long terme ?

1. Zapper autant que possible la nourriture industrielle transformée et riche en additifs.
2. Manger à chaque repas des graisses de bonne qualité : viandes bio et produits laitiers, poissons gras (saumon, anchois, maquereau, foie de morue), œufs bio...
3. Préférer les produits laitiers entiers et bio.
4. Manger tous les jours de bonnes graisses végétales présentes dans les amandes, noix, noisettes, pistaches, l'avocat, l'huile de coco.
5. Limiter fortement les glucides simples (produits sucrés) et les céréales raffinées.
6. Préférer les glucides complexes : blé ou riz complet, légumineuses (lentilles, haricots, pois chiches)...

7. Éviter au maximum les grillades et barbecues.

8. Préférer les modes de cuisson doux comme la vapeur.

9. Boire surtout de l'eau, du thé vert et, de temps en temps, un jus de fruits pressé maison coupé à l'eau.

10. Forcer sur les végétaux frais (légumes et fruits), entiers et bio.

Pour en savoir plus, j'ai pris contact avec le Pr Henri Joyeux, chirurgien cancérologue, ardent défenseur de la médecine préventive, et auteur de *Changez d'alimentation* (éditions du Rocher, 2013), qui a signé la préface de la version française de l'ouvrage du Dr David Perlmutter. « J'ai préfacé ce livre car il est intéressant, témoigne-t-il. Le trop-plein de glucides simples et de glucides complexes trop cuits est l'un des facteurs du boom des maladies dites "civilisationnelles", c'est-à-dire le surpoids, l'obésité, les maladies cardio-vasculaires, le diabète, les cancers. Une des solutions est de mettre en place une véritable médecine préventive, d'éduquer le grand public et de revoir notre régime alimentaire en privilégiant les fruits frais, un peu de miel, le blé complet bio, idéalement issu de semences anciennes, ainsi que les glucides complexes présents dans les légumes et légumineuses. »

Conclusion, à les entendre, oui, trop de glucides, notamment rapides, rime avec une prise de poids et une inflammation de l'organisme, un risque accru de surpoids ou d'obésité, donc de diabète, ce qui peut conduire à des maladies neurodégénératives ou neurologiques.

Au bout de plusieurs mois, je ne me sens pas plus rapide intellectuellement, je n'explose pas les scores à Duel Quiz et je ne suis pas devenue une star du sudoku... Mais, une fois encore, pour faire simple et garder un minimum les idées claires, il me semble qu'il vaut mieux ne pas abuser des produits gras et sucrés.

4. LES MALADIES DU FOIE

Continuons notre voyage au pays des maladies. Cette fois, direction un service d'hépatologie, c'est-à-dire un service de médecine spécialisé dans les maladies du foie.

Le foie est un organe exceptionnel qui assure trois fonctions vitales : une fonction d'épuration, en tant que filtre principal de notre organisme ; une fonction de synthèse, notamment dans le métabolisme des glucides, des lipides et des protéines, dans la production de facteurs de coagulation, ainsi que dans la production de la bile ; et une fonction de stockage des vitamines et de l'énergie.

Pesant environ 1,5 kg, c'est le plus gros organe du système digestif, celui qui effectue le plus de transformations chimiques et le seul qui puisse se régénérer. Bref, une sorte de surdoué, de premier de la classe !

Pourquoi nous intéresser au foie dans le cadre d'une enquête sur le et les sucres, pensez-vous. Parce que le foie, lui aussi, est affecté par une surconsommation de glucides.

Ingérer du sucre et des glucides en grande quantité, c'est obliger notre foie à les transformer et à les stocker sous forme de graisse. Cette graisse s'accumulera notamment dans nos cellules hépatiques, conduisant à long terme à une stéatose hépatique. Késako la stéatose ? C'est le nom savant du « foie gras ». Oui, oui, ni plus ni moins celui que nous mettons sur des toasts, et qui est produit par les canards et les oies gavés au maïs. Ce « foie gras » intimement lié à la résistance à l'insuline concernerait jusqu'à 35 % des adultes en Europe et aux États-Unis, et est considéré comme une manifestation hépatique du syndrome métabolique[1].

Dans le cadre de cette enquête, je suis tombée sur un documentaire à charge diffusé sur France 5, intitulé *Sucres : l'addiction s'il vous plaît !*[2]. Une chose m'a choquée : le témoignage d'un patient du service d'hépatologie de l'hôpital Saint-Antoine. Cet homme d'une bonne cinquantaine d'années racontait qu'il consommait 1,5 à 2 litres de sodas par jour au cours des vingt dernières années, ne buvant jamais d'eau. Le résultat ? Une cirrhose du foie nécessitant une greffe. N'était-elle pas imputable à autre chose, un virus ou une consommation excessive d'alcool ? Ni l'un ni l'autre. Il n'était pas porteur d'un virus lié aux pathologies hépatiques, et n'avait jamais avalé d'alcool. La seule explication était une surconsommation de calories sous forme de pâtisseries et de boissons sucrées. Le Pr Lawrence Serfaty, hépatologue, s'exprimait, assurant que « maintenant, on sait clairement que la consommation excessive d'acides gras saturés, de sucres rapides et de fructose toxique pour le foie peut aboutir à des lésions inflammatoires et, à terme, à une cirrhose ».

Vous, je ne sais pas, mais pour moi, la greffe du foie était réservée à des cas de cirrhoses dues à l'alcool, au virus de l'hépatite ou au cancer du foie.

1. http://www.passeportsante.net/fr/Nutrition/Dietes/Fiche. aspx?doc=steatose-hepatique-diete
2. Film documentaire réalisé par Marie Chagneau.

J'ai joint le Pr Lawrence Serfaty[1] qui a confirmé ce cas, ajoutant que ce n'était que la pointe de l'iceberg... « Nous voyons augmenter nettement les cas de stéatoses hépatiques non alcooliques (ou NASH) dans les services d'hépatologie, raconte-t-il. Le problème, c'est que près de 20 % des patients souffrant d'une NASH développeront des cirrhoses. Aux États-Unis, la NASH est devenue la troisième cause de transplantation de foie avec environ 10 % des greffes. » Est-il étonné de l'ampleur de ce phénomène ? Non. « En laboratoire, on a réussi à induire des cirrhoses sur des animaux en leur faisant consommer du fructose, qui est aussi agressif que l'alcool pour le foie. Dans nos services, c'est même devenu le premier facteur de consultation à la suite d'anomalies hépatiques dans les bilans sanguins. » Et de me renvoyer à une étude américaine[2] montrant que parmi les populations à risque, le taux de stéatose métabolique (autre nom de la NASH) s'élève entre 50 et 90 % chez les personnes obèses et entre 60 et 70 % chez les diabétiques de type 2. Le pire étant qu'un diabète de type 2 rend les résultats d'une greffe du foie beaucoup plus aléatoires car les risques d'une récidive de la maladie sont très élevés.

Est-ce à dire que lorsqu'on consomme beaucoup trop de produits sucrés, on court le risque de développer une cirrhose ? « Oui, il faut le dire, poursuit le Pr Lawrence Serfaty. Le problème, c'est que c'est une maladie difficile à définir car il n'y a pas de marqueurs spécifiques. Heureusement, il

1. Coauteur avec Maud Lemoine de « Stéatose hépatique non alcoolique : diagnostic et prise en charge », *Consensus cardio pour le praticien*, n° 71, septembre 2011.
2. « Prevalence of nonalcoholic fatty liver disease and nonalcoholic steatohepatitis among a largely middely-aged population utilizing ultrasound and liver biopsy: a prospective study », *Gastroenterology*, 2011.

existe maintenant des dépistages par Fibrocan®, qui permet d'évaluer l'élasticité hépatique. » Ce n'est malheureusement pas tout. Dans le cas de malades contaminés par le virus de l'hépatite C, le diabète augmente notablement le risque de développer un cancer du foie, selon une étude japonaise[1]. Et le médecin de conclure : « Dans les années qui viennent, les cas de cirrhoses dus à des hépatites C vont baisser, voire disparaître, grâce aux nouveaux traitements, tandis qu'on va voir monter les cas de stéatoses et de cancers hépatiques. Le pire étant pour nous l'épidémie d'obésité chez les jeunes, qui nous conduit à voir de plus en plus d'adolescents et de jeunes adultes souffrant déjà de NASH. »

Le tableau est sombre !

Manger trop de sucre conduirait-il tout droit à la cirrhose ? Je ne sais qu'en penser. Entre un saint-honoré, un chocolat chaud ou un soda et une greffe du foie, j'ai l'impression qu'on parle de deux univers tellement éloignés que cela paraît énorme et disproportionné. Mais les cas semblent se multiplier dans les services hospitaliers concernés. Et les médecins qui les traitent sont peu susceptibles de s'en réjouir.

Une fois encore, il paraît hasardeux de tracer un lien direct et irréfutable entre la consommation de sucre et ces maladies hépatiques.

Une fois encore, ces maladies ont certainement des origines multifactorielles. Une fois encore, nous sommes plus dans le cas de conséquences par ricochet que de conséquences directes.

---

1. « Effect of type 2 diabetes on risk for malignancies includes hepatocellular carcinoma in chronic hepatitis C », *Hepatology*, 2013.

Une fois encore, nous avons affaire à des maladies lentes, chroniques et non aiguës.

Mais ces éléments incitent à la prudence.

Trop de produits sucrés et gras n'affecteraient visiblement pas que notre tour de taille.

5. LES MALADIES CARDIO-VASCULAIRES

Encore, me direz-vous. « Ne pourrait-on pas arrêter l'avalanche de mauvaises nouvelles et de soupçons sur les produits contenant du sucre ?, s'est écriée une amie à qui je parlais de mes découvertes... C'est flippant ce que tu racontes. »

Oui, je sais. Moi aussi, cela me fait peur.

Jusque-là, nous avons découvert qu'au vu des dernières études, il se pourrait bien qu'une consommation excessive de produits sucrés et/ou de sucres augmente le risque de diabète de type 2 et celui de développer une maladie neurodégénérative, stimule l'inflammation dans l'organisme et conduit, indirectement mais assez sûrement, à des maladies graves du foie. N'en jetez plus !

Pourtant si. Il y a encore une vaste catégorie de maladies dans l'apparition desquelles le sucre pourrait être impliqué : les maladies cardio-vasculaires, dites MCV.

Cette catégorie, première cause de décès dans le monde selon l'OMS avec 31 % de la mortalité mondiale[1], regroupe diverses pathologies : infarctus, AVC, embolies, cardiopathies rhumatismales, thromboses... Une famille vaste et variée, dont les membres sont cependant tous inquiétants. C'est la famille Addams de la santé !

1. http://www.who.int/mediacentre/factsheets/fs317/fr

Pourquoi nous intéresser aux MCV dans le cadre de cette enquête sur nos rapports au sucre ? Parce qu'il existerait des liens entre consommation de sucre et risque de mourir d'une maladie cardio-vasculaire.

En février 2014, une étude[1] américaine menée par les chercheurs des CDC[2] d'Atlanta sur plus de 11 000 adultes démontrait « une relation significative entre la consommation de sucre ajouté et les taux de mortalité liés à une maladie cardiovasculaire ». Selon leurs constatations, chez sept adultes sur dix, l'apport énergétique du sucre ajouté s'élève à plus de 10 %, et ce taux atteint même 25 % pour un adulte sur dix. Comme on l'a vu (p. 160-163), il n'y a pas de seuil universellement accepté pour la quantité de sucres ajoutés... Leur conclusion ? « Plus la consommation de sucre est élevée, plus le risque pour le cœur et les vaisseaux sanguins augmente. Enfin, lorsque 25 % des apports caloriques proviennent du sucre, le risque de décéder d'une MCV est multiplié par trois. » Interrogé par la journaliste Anne Prigent pour *Le Figaro*[3], le Pr Jacques Blacher, cardiologue à l'Hôtel-Dieu, évoque un changement de paradigme. « Finalement, le sucre ne fait pas juste grossir en apportant des "calories vides", mais peut nous rendre malades. Ces données épidémiologiques sont très inquiétantes », dit-il, avant de rappeler que les habitudes alimentaires des Français sont très différentes de celles des Américains, notamment en ce qui concerne les boissons sucrées.

1. « Added Sugar Intake and Cardiovascular Diseases Mortality Among US Adults », *JAMA Internal Medicine*, 2013.
2. Centers for Disease Control and Prevention.
3. « Le sucre raffiné, ennemi des artères », *Le Figaro*, 11 février 2014.

Quelques années plus tôt, une autre étude américaine[1] avait pointé un risque supérieur de MCV pour les gros consommateurs de sucre et d'édulcorants, cette fois à travers la baisse du cholestérol HDL, le « bon cholestérol ». D'un côté, nous avons des sujets dont l'apport de sucres ajoutés et d'édulcorants représentait 10 % et plus de l'apport énergétique global. De l'autre, d'autres sujets dont l'apport en sucres ajoutés et édulcorants ne dépassait pas 5 %. Résultat, les premiers avaient, avec une probabilité augmentant de 50 à 300 %, des taux de cholestérol HDL nettement inférieurs aux seconds. Par ailleurs, les taux de triglycérides constatés augmentaient systématiquement en fonction de l'apport en sucres ajoutés, ce qui est également associé à un risque supérieur de troubles cardio-vasculaires.

Alors, dangereux pour les artères et le cœur, le sucre ? « On ne peut pas l'affirmer de manière aussi catégorique, tempère Jacques Blacher lorsque je le contacte. Peut-être y a-t-il des liens directs, peut-être des liens indirects, peut-être pas du tout... Ce que l'on constate, c'est qu'alors que la part des sucres croît dans nos assiettes et nos verres, il y a de moins en moins de maladies cardio-vasculaires, et de plus en plus d'obésité et de diabète. Pour ce qui touche à la santé cardio-vasculaire, on ne sait pas très bien s'il faut baisser les quantités de graisses ou celles de sucres. Personne n'a réussi à isoler une variable plutôt qu'une autre. Pour en avoir le cœur net, il faudrait isoler une population humaine pendant des décennies afin d'éliminer tout "bruit de fond" et mener des études inattaquables. C'est évidemment impossible. Enfin n'oublions pas

1. « Caloric Sweetener Consumption and Dyslipidemia Among US Adults », *JAMA*, 2010.

que les comportements les plus néfastes pour les MCV sont l'alcool et le tabac. Les seules certitudes que nous avons, c'est que les MCV sont liées au tour de taille et de hanche, et que le régime alimentaire idéal pour réduire significativement les maladies cardio-vasculaires est le régime méditerranéen. Cela, l'étude Predimed[1] nous l'a montré.» Predimed est un essai randomisé[2] publié en 2013, mené sur un échantillon de 7 447 participants à haut risque cardio-vasculaire. Après près de cinq ans de suivi, Predimed a montré que les participants qui avaient reçu l'un des deux régimes méditerranéens enrichis soit en huile d'olive, soit en noix, avaient un risque d'IDM (infarctus du myocarde), d'AVC ou de mortalité cardio-vasculaire inférieur de 30 %.

En d'autres termes, on a beau ne pas très bien savoir si, oui ou non, le sucre est directement ou indirectement impliqué dans les maladies cardio-vasculaires, on sait qu'un régime en contenant très peu est la meilleure manière de les éviter.

Vous trouvez cette conclusion un peu abrupte? Le régime méditerranéen, parfois qualifié de crétois, met à l'honneur les végétaux, les céréales complètes, les légumineuses, le poisson, l'huile d'olive, les oléagineux (dont les noix), l'ail, l'oignon, les aromates, le vin rouge quotidien en petite quantité, les produits laitiers de chèvre, les œufs de poules gambadant dans la nature... Ce qui est rare dans ce régime? Les produits sucrés, uniquement apportés quelques fois par semaine par les fruits

---

1. «Primary Prevention of Cardiovascular Disease with a Mediterranean Diet», *The New England Journal of Medicine*, 2013.
2. Essai clinique dans lequel les patients qui reçoivent un traitement sont choisis au hasard.

et le miel, ainsi que la viande rouge. Pas de biscuits industriels, de crèmes glacées, de chocolat, de pâtisseries, de boissons sucrées, de sucreries ou de céréales de petit déjeuner chez les Crétois ! S'agirait-il d'une démonstration par l'absurde ? En d'autres termes, c'est un peu comme si on nous disait : « On ne sait pas si l'abondance de sucre est mauvaise pour la santé et provoque des maladies cardio-vasculaires, mais on sait que sa quasi-absence donne d'excellents résultats. » Quel que soit le consensus scientifique sur cette question, qui semble être en l'occurrence une absence de consensus, je laisse chacun libre de tirer ses conclusions.

Pour ce qui me concerne, souffrant d'une légère malformation cardiaque, je sais tout l'intérêt de prendre soin de cet organe essentiel. Au menu, peu de sucre.

MES CONCLUSIONS

Une fois encore, ma compréhension des rapports entre consommation élevée de sucre et maladies n'engage que moi. Je ne suis pas médecin, je ne suis pas scientifique, je ne suis que journaliste et consommatrice. J'ai tenté de trouver des réponses relativement simples à des questions éminemment complexes.

Compte tenu des intérêts en jeu, je pressens en écrivant ces lignes que mes conclusions seront attaquées et remises en cause. Il est évident que nul, tout spécialiste qu'il soit, ne peut aujourd'hui embrasser toute la littérature scientifique. Il est encore plus vrai que la médecine est une science en perpétuelle évolution, et que les vérités d'aujourd'hui peuvent être invalidées demain.

À la lumière de tout ce que j'ai lu, vu, entendu, je suis persuadée qu'une consommation limitée de sucres simples est l'une des meilleures assurances santé et que cela va bien au-delà de l'absence de caries.

Pour terminer, j'ai deux dernières informations à vous transmettre.

La première est un formidable documentaire[1] de la BBC diffusé le 27 février 2015 sur Arte. Il met en scène l'étude comparative menée par des frères anglais, tous deux médecins : Chris et Xand van Tulleken. Leur particularité ? Ce sont de parfaits jumeaux. Pour comprendre qui du sucre ou du gras est pire pour la santé, ils se sont lancé un défi. Durant un mois, l'un, Xand, va manger 100 % lipides et 0 % glucides (soit du fromage, de la viande, des œufs et quelques légumes), tandis que l'autre, Chris, va manger 100 % glucides et 0 % lipides. Les résultats vont à l'encontre des idées reçues. Au terme de leur expérience, Xand a perdu 3,5 kg, a un cholestérol quasi identique, mais frôle l'insulinorésistance. Chris, quant à lui, n'a perdu que 1 kg, tout en voyant sa production d'insuline être plus performante. Avec l'aide de nutritionnistes britanniques réputés, ils démontrent ensuite à quel point nous sommes sensibles au mélange du gras et du sucre.

Leur conclusion ? **Les problèmes de santé sont multifactoriels et, s'il est absurde de condamner un seul nutriment, il est indispensable de faire attention à la nourriture industrielle et de limiter notre consommation de produits gras et sucrés.**

---

1. *Sucre ou gras : lequel est notre pire ennemi ?*, de David Stewart.

La seconde est une étude publiée en septembre 2013 par le Research Institute de la banque Crédit Suisse, un établissement qui ne peut être soupçonné de tentations complotistes anticapitalistes... Son titre ? « Sugar: Consumption at a crossroads », c'est-à-dire « Sucre, la consommation à un carrefour ». Téléchargeable par tout un chacun[1], cette étude très sérieuse analyse notre rapport au sucre et ses conséquences pour la société d'un point de vue santé, économie et business. Responsable Global Equity Research au Crédit Suisse et auteur de cette étude, Stefano Natella explique que « bien que la causalité soit difficile à démontrer dans ce domaine, 90 % des médecins généralistes sondés aux États-Unis, en Europe et en Asie sont convaincus que la consommation excessive de sucre est liée à la forte croissance du diabète de type 2 ou de l'obésité. Le pourcentage important de sondés convaincus de ce lien a fait que nous ne pouvions pas ignorer la réalité ni les conséquences ». Sur une quarantaine de pages truffées de chiffres et de tableaux, l'étude décortique l'histoire de notre rapport au sucre et décrypte ses conséquences santé. « Même si la consommation varie considérablement d'un pays à l'autre, la ration actuelle de sucres ajoutés est nettement supérieure aux niveaux recommandés dans plusieurs pays développés et en développement », constate Stefano Natella. Ses conclusions sont sans appel : l'excès de sucre nous rend collectivement malades. Et de mettre en garde l'industrie agroalimentaire. « Nous constatons déjà une baisse de la consommation de sucre chez certaines couches de la population. Néanmoins, cela varie en fonction de la localisation, du revenu et, plus encore, du niveau d'éducation. » L'étude finit

1. https://publications.credit-suisse.com/tasks/render/file/index.cfm?fileid=780BF4A8-B3D1-13A0-D2514E21EFFB0479

en forme de mise en garde. « Pour aider à financer les dépenses de santé croissantes liées à la consommation excessive de sucre, nous pensons que la mise en place d'un impôt est une option à ne pas écarter. Nous pensons que la croissance de la consommation de sucre (qui a évolué en phase avec la croissance démographique mondiale d'environ 2 % par an) finira par subir une forte pression, même si cela pourrait prendre plusieurs années. » Près de 400 millions de personnes dans le monde sont atteintes de diabète de type 2 pour des dépenses de santé évaluées à 470 milliards de dollars. Si rien ne change, le nombre de personnes touchées pourrait s'élever à 500 millions d'ici à 2020, pour des dépenses atteignant le chiffre faramineux de 700 milliards de dollars. Comment nos systèmes de santé à bout de souffle financièrement vont-ils pouvoir faire face à cette menace ?

Quel plaisir me reste-t-il ? En abandonnant le goût du sucre et les produits sucrés, j'ai bien évidemment restreint mon champ de plaisirs gustatifs. Le kif d'un morceau de chocolat, la jouissance d'une bouchée de chantilly vanille, la joie de croquer dans du caramel... Tout cela a disparu. Mais la disparition de ces sensations-là a permis à d'autres bonheurs de voir le jour et, surtout, d'être vraiment ressentis, d'être compris. J'ai plus confiance en moi et en ma force. Je me sens plus actrice de ma vie. J'ai l'impression de savoir plus de choses. Je me sens en meilleure santé.

Faut-il renoncer au sucre pour toujours et à jamais ? Au vu de ce que j'ai découvert ou confirmé, non, un renoncement total ne me paraît pas utile. Mais une consommation éclairée me paraît indispensable. Pour mieux mesurer le plaisir qu'elle nous apporte, sans hypothéquer notre avenir.

Octobre

Chapitre 10

Sommes-nous conditionnés au sucre?

Dimanche 26 octobre 2014. Le soleil descend doucement sur le bocage normand. Il fait beau et assez chaud. Au volant sur l'A13, sur le chemin des vacances, j'écoute France Inter en passant au large de Caen. Je tombe sur l'émission « 116 rue Albert-Londres » animée par Alain Le Gouguec. L'invitée s'appelle Édith Bouvier, 34 ans et déjà plusieurs vies. Grand reporter, elle enchaîne les sujets sur des terrains d'une violence inouïe : Somalie, Pakistan et Syrie. Syrie où elle a failli mourir en 2012, lorsqu'une bombe la blesse à Homs, tuant la reporter américaine Marie Colvin et le photographe français Rémi Ochlik. Sauvée et soignée, elle en garde des séquelles à une jambe. Au fil de l'entretien, son intelligence et son humilité m'éblouissent. Dans une autre vie, je rêverais de faire, un tout petit peu, ce qu'elle a le courage d'oser.

Tout à coup, je me fige. Édith raconte une anecdote. Lors de la Coupe du monde de football 2014, loin des stades brésiliens, elle est à Alep. Sous les bombes, avec des activistes de l'Armée syrienne libre, elle regarde les matchs sur beIN Sports. « Ils avaient vu que je ne me sentais pas très bien, raconte-t-elle. Les bombardements s'étaient intensifiés avec la nuit, les barils de TNT remplis d'explosifs et de clous, déversés par le régime d'Assad, faisaient trembler l'immeuble toutes les dix minutes. Ça me nouait l'estomac et me hérissait les poils. Alors ils m'ont apporté des glaces pour me calmer car il n'y a que ça qui marche avec les filles : le sucre. L'opium du peuple. » Waouh ! Une reporter de guerre avoue que dans les pires moments de stress, ce qui l'apaise le mieux, c'est une glace, pour le sucre que cela lui procure.

À l'aune de ma propre expérience (non pas des bombardements en Syrie, mais d'une année sans sucre), comment interpréter cette anecdote ?

Plus de sept mois après le début de mon année « no sugar », je m'interroge de plus en plus sur nos rapports au sucre. Je sens, je sais que je m'en suis détachée, mais pourquoi était-ce si difficile au départ ? Je me remémore mon papier de septembre 2013 titré « Le sucre, pire que la coke ? ». Je repense aux nombreuses amies me disant : « Jamais je ne pourrais arrêter le sucre, je suis addict ! » Édith Bouvier a spontanément employé le terme d'« opium ». En dépit de toutes les dénégations et de tous les communiqués de presse envoyés par une industrie sucrière s'insurgeant contre l'assimilation du sucre à une drogue, y aurait-il un lien entre les deux ? Sommes-nous conditionnés à aimer le sucre ? Cette substance nous rend-elle addicts ?

Avant toute chose, je pense qu'il est nécessaire de procéder ici à une mise au point.

Le sujet de l'addiction, réelle ou supposée, au sucre est peut-être bien le plus sensible de tous. Rien ne hérisse davantage l'industrie sucrière et l'industrie agroalimentaire que d'entendre cet aliment être comparé à une drogue. On les comprend. Une drogue, c'est « une substance psychotrope naturelle ou synthétique, qui conduit au désir de continuer à la consommer pour retrouver la sensation de bien-être qu'elle procure », dixit le *Larousse*.

La drogue est synonyme d'interdit, d'illégalité, de danger, de risques pour la santé... Peut-on classer le sucre dans cette catégorie ? Doit-on le faire ? Encouragée par la confession d'Édith Bouvier et celle de toutes ses camarades qui se qualifient de « sugar addict », j'ai une fois de plus tenté d'y voir plus clair.

I. LE SUCRE, UN PLAISIR INSTINCTIF

Aimer le sucré, c'est être humain.

Rose avait un an lorsqu'elle a goûté pour la première fois un morceau de chocolat. Aventurière gustative née, elle avait déjà testé et approuvé, à dose homéopathique, le tajine d'agneau aux citrons confits, la ratatouille, le fenouil et le saint-nectaire. Mais le chocolat fut un moment « extraordinaire » au sens premier du terme. Ce jour-là, nous fêtions Noël chez mes parents en Belgique. Le dessert consistait en une bûche glacée à la vanille couverte de copeaux de chocolat noir. Sur les genoux de son père, Rose montrait un intérêt très vif pour le dessert servi par sa grand-mère. Finalement, nous avons concédé à lui en faire savourer un tout petit peu. Du bout de sa cuillère, Éric a pris l'équivalent d'un demi-centimètre de cube de glace avec un gros morceau de chocolat. Lorsqu'elle a refermé la bouche sur la cuillère, nous avons vu une succession d'émotions s'inscrire sur son visage. Tout d'abord une surprise absolue, puis un plaisir intense, suivi d'une détente totale, et, enfin, l'excitation et l'envie de recommencer... Cette dernière émotion s'est manifestée par un grand cri, des mouvements vifs, et une tentative ratée de tirer l'assiette jusqu'à elle.

Comme tous les petits d'homme, Rose aimait le sucre.

Longtemps, nous avons cru qu'il y avait une zone de la langue sur laquelle se situaient les papilles associées au sucre. Faux et archifaux ! Le sucré n'est pas plus associé au bout de la langue que l'amer ne l'est au fond de la langue.

Pour comprendre la biologie de la perception du sucre, je vous recommande la lecture du dossier spécial « Pourquoi nous aimons manger » de *La Recherche*, publié en 2010[1]. Ce qui nous permet de goûter le sucre, ce sont les bourgeons gustatifs, petits amas de cellules en forme de grain de raisin contenus dans les papilles qui couvrent la langue. Ces bourgeons gustatifs, au nombre de 10 000 environ, contiennent chacun de 50 à 125 cellules sensorielles gustatives reliées entre elles, qui se renouvellent tous les dix jours. Dotées de capteurs en surface, ces cellules sensorielles nous permettent de percevoir les saveurs grâce aux molécules de goût baignant dans la salive, molécules qui se fixent sur leurs récepteurs. La fixation d'une molécule de saccharose ou apparentée entraîne une cascade biochimique qui se traduit par l'envoi d'un

1. « Pourquoi nous aimons manger », *La Recherche*, n° 443, juillet-août 2010.

influx nerveux au cerveau. L'amer, le sucré et *l'umami*[1] sont détectés grâce à des récepteurs membranaires, tandis que le salé et l'acide sont détectés via des canaux membranaires. Le goût dépend également d'un second système, baptisé rétro-olfaction. Lorsqu'on mastique, des molécules odorantes des arômes sont libérées dans la bouche. Leur petite taille et leur volatilité leur permettent de passer dans les cavités nasales où les neurones olfactifs les détectent. L'ensemble des informations relatives au goût (texture, température, saveurs...) sont transmises au cerveau par l'intermédiaire de quatre nerfs : le nerf facial, le nerf trijumeau, le nerf glossopharyngien et le nerf vague.

Vous avez lâché ? Aucun souci, ce n'est pas si grave pour la suite... Ce qu'il faut retenir, c'est que le goût est un mécanisme biochimique complexe qui dépend du mix de deux systèmes : les papilles et la rétro-olfaction. Et qu'il s'agit d'un phénomène ultrarapide. « Il suffit de 150 millisecondes pour percevoir le goût du sucre dans un aliment », précise Serge Ahmed, directeur de recherche au CNRS.

Pourquoi aime-t-on tous spontanément le sucré ?

Souvenez-vous de Rose, extatique après sa première bouchée de glace vanille + chocolat noir. Sa réaction était similaire à celle de tous les petits mis en contact avec du sucre, le

---

1. Littéralement « goût savoureux » en japonais, *l'umami* est le terme scientifique utilisé pour décrire le goût des glutamates et des nucléotides. Il s'agit d'un goût durable et doux que l'on retrouve dans les bouillons de viande et d'algues, les légumes, les poissons, les crustacés, les viandes fumées, le thé vert, les fromages...

fameux « réflexe gusto-facial » qui leur fait se lécher les lèvres et parfois même sourire[1].

À en croire Sophie Nicklaus, directrice de recherche à l'Inra, il s'agit là d'une réaction instinctive. « À la différence des autres saveurs (salé, acide, amer et *umami*), le sucré est apprécié dès la naissance, explique-t-elle. Le nouveau-né manifeste cet engouement par des expressions traduisant la satisfaction. Cette appréciation précoce se manifeste avant même que le nouveau-né ait eu la possibilité de consommer un aliment sucré et donc l'opportunité d'apprendre l'association entre son goût et son apport énergétique... Une stimulation sucrée est également associée à un allongement des cycles de succion (pour mieux savourer ?) et à une accélération du rythme cardiaque, proportionnelle à la concentration en sucre[2]. » Les nombreux tests effectués sur les nouveau-nés le prouvent. Le goût du sucre est inné. Il existerait même au stade anténatal car, lorsque la mère est sous injection de glucose, le liquide amniotique devenant plus sucré, le fœtus témoigne sa satisfaction en modifiant sa déglutition et son rythme cardiaque.

D'où nous viendrait ce goût inné pour le sucre ?

Personne ne le sait très bien, mais selon l'hypothèse la plus communément admise, ce goût du sucré serait le

1. J. E. Steiner, « Facial expressions of the neonate infant indicating the hedonics of food-related chemical stimuli », *Taste and Development*, 1977.
2. Sophie Nicklaus, « L'acquisition des préférences alimentaires : le cas du goût sucré », *Le Goût du sucre, plaisir et consommation*, Autrement, 2010.

résultat de l'évolution naturelle. À l'époque où nos ancêtres étaient dans la savane et se nourrissaient de baies, de graines, de racines et de charognes, l'attirance et l'acceptation du goût sucré dès le plus jeune âge a dû représenter un avantage adaptatif non négligeable. Aimer une racine riche en amidon, synonyme d'énergie stockée sous forme de graisses, était préférable à se pâmer pour le concombre d'alors. Les temps ont bien changé. Comment expliquer qu'aujourd'hui tous les humains aiment le sucré, avant même leur naissance ? Toujours par l'évolution naturelle. Les gènes prédisposant à une acceptation forte du sucré se sont sans doute propagés tant chez les humains que chez d'autres mammifères, en raison de l'avantage adaptatif que cela représentait. Ce serait donc nos gènes qui nous feraient aimer le sucre, ce qui expliquerait que les nouveau-nés l'adorent eux aussi. Dans le monde animal, les hommes ne sont pas les seuls à aimer le sucre... Dans un article intitulé « Le goût n'est pas le propre de l'homme[1] », Claude Marcel Hladik et ses coauteurs[2] expliquent que « des études menées chez les primates révèlent une étonnante proximité entre nos perceptions gustatives et celles de nos cousins. Les réponses provoquées par les sucres (saccharose et fructose) apparaissent proches : les mêmes fibres nerveuses sont activées la plupart du temps ». Encore mieux, selon eux, le primate peut distinguer le fructose d'un fruit du saccharose de la betterave.

Appartenir à la famille des hominidés, ce serait notamment être sensible au goût sucré.

1. *La Recherche*, n° 443, juillet-août 2010.
2. Sabrina Krief, Bruno Simmen et Patrick Pasquet.

2. « TO BE ADDICT OR NOT TO BE ADDICT »,
TELLE EST LA QUESTION

Attention, terrain miné.

Comme je vous l'ai dit, on entre dans l'équivalent alimentaire de la DMZ, la zone démilitarisée qui court le long de la frontière entre les deux Corées. De part et d'autre, des soldats, ici les industriels et le lobby du sucre, surveillent le moindre faux pas, prêts à répliquer...

La comparaison du langage courant et de celui des scientifiques est absolument fascinante.

Du côté des consommateurs, on n'hésite pas à utiliser un vocabulaire se référant à la toxicomanie pour parler de son rapport au sucre et aux produits sucrés. Petit échantillon des expressions entendues au cours des derniers mois :

– Je suis addict au sucre.

– Si je n'ai pas ma dose de chocolat, je me sens mal.

– Le sucre dans le café, c'est ma drogue.

– Le sucre, ça m'obsède.

– Je suis toxico des sucreries.

– Quand je commence à manger des bonbons, c'est compulsif, je ne peux plus m'arrêter.

– Comment tu as fait pour te désintoxiquer, toi ?

– Je me shoote au chocolat.

– Après un bon morceau de chocolat, je plane littéralement.

– La descente post-gâteaux, c'est le pire.

– Quand je me sens mal, je prends un soda. Direct, je suis bien.

– Il faudrait que j'aille en cure de désintox pour me libérer du sucre.

– Le problème avec les sucreries, c'est qu'elles sont partout en vente libre.

– Parfois, quand je fais mes réserves au rayon sucreries du supermarché, j'ai l'impression d'être chez mon dealer.

– Quand mon fils mange un goûter sucré, j'ai l'impression que ça lui monte direct au cerveau.

– Je me came aux caramels.

– Si je ne finis pas un repas sur une note sucrée, je me sens en manque.

– Ma poudre à moi est en vente libre : c'est le sucre.

– Ce que j'aime c'est la junk food.

Et je pourrais continuer encore et encore... Vous avez compris le principe. Il serait assez facile de remplacer les termes sucre/sucreries/chocolat, etc., par les noms de substances addictives non autorisées sur le marché français. Verbalement en tout cas, les consommateurs se décrivent assez fréquemment comme dépendants aux produits sucrés.

Psychiatre et spécialiste du comportement alimentaire, Gérard Apfeldorfer raconte très bien cela lorsqu'il s'interroge sur la réalité d'une addiction au sucre. « L'idée est séduisante. À certains moments de la journée, elles [certaines patientes] sont prises de désirs frénétiques (ou *cravings*) qui, à leurs yeux, évoquent l'état de manque du toxicomane, et ne pensent plus qu'à une chose : se procurer leur aliment sucré préféré, coûte que coûte, pour le dévorer sans délai et à toute vitesse. Elles le savent bien, qu'elles n'ont pas faim, et ce n'est pas non plus le rassasiement qui les arrête, mais l'épuisement du produit ou un ventre rempli à ras bord[1]. » Un

1. « Addiction aux aliments sucrés : vrai ou faux débat », *Le Goût du sucre, plaisir et consommation, op. cit.*

peu plus loin, Gérard Apfeldorfer s'insurge contre cette allégorie toxicomane. « L'usage de cette terminologie n'est pas innocent, dénonce-t-il. Considérer qu'il existe des "troubles addictifs alimentaires" conduit à l'idée que ce qui fait problème, c'est le produit. Comme il n'y aurait pas d'alcooliques sans alcool ou d'héroïnomanes sans héroïne, il n'y aurait pas d'obèses ou de boulimiques s'il n'y avait pas, en vente libre, tous ces maléfiques produits à forte densité calorique, gras et sucrés. » Se présenter comme « victime » du sucre, ce serait faire l'économie de sa responsabilité et de sa volonté, ou de son manque de volonté. En un mot, c'est rendre le produit responsable et non le comportement, même partiellement. Un point de vue partagé par de nombreux nutritionnistes.

Passons à présent aux chercheurs en sciences « dures ».

Où il est question de rats et de deux poudres blanches : la coke et le sucre.

L'histoire se passe dans un laboratoire à Bordeaux où officient Serge Ahmed, spécialiste de l'addiction et directeur de recherche au CNRS, et son équipe. Son thème de recherche principal ? Les mécanismes d'induction de l'addiction aux drogues dures, c'est-à-dire l'héroïne et la cocaïne. En d'autres termes, comprendre pourquoi ces substances sont si addictives. Dans ses cages, il y a des rats rendus toxicomanes. La célébrité viendra d'une expérience au cours de laquelle les animaux cocaïnomanes ont délaissé la cocaïne pour se jeter sur de l'eau sucrée.

« Cette découverte a été complètement fortuite, se souvient-il. Nous voulions savoir si un animal addict à une drogue depuis plusieurs semaines verrait la recherche de cette drogue prendre le pas sur toutes les autres activités "récompensantes". Face à la cocaïne, nous avons choisi une récompense qui nous paraissait anodine : l'eau sucrée. Les rats avaient le choix entre boire une gorgée d'eau sucrée ou recevoir une dose de cocaïne en intraveineuse. Dès le deuxième jour, 90 % des rats s'étaient détournés de la cocaïne au profit de l'eau sucrée. Le score pouvait même atteindre 100 % selon la concentration en sucre. Au début, on n'y a pas cru ! On a mené le protocole plusieurs fois avec des expériences de contrôle pour s'assurer de la validité de nos résultats. Quatre ans après la première expérience, nous avons cherché à publier notre travail. La revue *Nature* l'a refusé, tout en nous assurant pourtant qu'ils n'avaient pas de critiques de fond... Finalement, nous l'avons publié dans *Plos One* en 2007[1]. »

On pourrait s'attendre à des réactions immédiates face à une découverte aussi explosive... Malgré cela, il faudra plusieurs années avant que les médias ne s'y intéressent. « Les découvertes en rupture avec les idées préconçues mettent du temps à être acceptées, "digérées" par les autres scientifiques et les médias, analyse-t-il. Depuis 2011, il y a de plus en plus de réactions car cela résonne avec des préoccupations sociétales, ainsi que parce que nos travaux ont été confirmés par de nombreuses autres publications. Notre découverte principale a été de constater que la consommation de sucre stimulait très fortement le système de récompense sur lequel agissent toutes les drogues. »

1. « Intense Sweetness Surpasses Cocaine Reward », *Plos One*, 2007.

Pourquoi le cerveau adore le sucre

Si nous aimons tant le sucre, d'après Serge Ahmed, c'est qu'il active de deux manières notre système de récompense comprenant des neurones à dopamine. Soit une fois de plus que la cocaïne par exemple... Lorsque ces neurones sont activés, ils libèrent de la dopamine, un neurotransmetteur qui est parfois surnommé « hormone du bonheur ou du bien-être ». En résumé, manger du sucre revient à produire deux « shoots » de dopamine, ce qui induit une motivation à répéter l'acte afin de revivre cette expérience.

1. Le goût sucré en bouche : comme nous l'avons vu plus haut, les papilles gustatives détectent le goût du sucre et transmettent l'information au cerveau en 150 millisecondes, soit le temps de trois relais biochimiques. Instantanément, les neurones dopaminergiques (producteurs de dopamine) agissent et lâchent de la dopamine dans le cerveau. Miam ! C'est bon ! Encore !

2. La digestion du glucose : lorsque le taux de glucose augmente dans le sang, ce glucose baigne le cerveau, agit sur des récepteurs situés sur l'hypothalamus qui vont directement stimuler les neurones dopaminergiques, dix minutes après avoir ingéré l'aliment. C'est le « deuxième effet Kiss Cool » du sucre. Et celui-là est systématique dès qu'il y a du glucose dans un aliment, qu'il soit salé ou sucré.

La zone du système de récompense, ou noyau accumbens, est abritée dans une région du cerveau très particulière située entre la partie reptilienne (qui régule les fonctions essentielles comme la faim, la soif, le sexe) et le cortex (lieu de la conscience, de la pensée et des sentiments, entre autres).

Serge Ahmed pense-t-il que le sucre a un potentiel addictif?

« Au vu de nos découvertes, la question se pose, répond-il. Ce qui est sûr, c'est que le double effet du sucre sur les neurones à dopamine le rend particulièrement efficace. De plus, le deuxième effet semble jouer un rôle essentiel dans le développement des préférences alimentaires. Le sucre caché des aliments consolide à notre insu nos préférences alimentaires. » En clair, dès qu'on avale du sucre, qu'on l'identifie ou non dans l'aliment, c'est le feu d'artifice du 14 Juillet au Trocadéro dans notre cerveau... Avant de conclure, « en tout cas, l'Anses a envisagé son potentiel addictif, même si nous en sommes toujours au stade des recherches et qu'aucune expertise publique n'a été lancée pour le moment».

Il n'est pas le seul à creuser le potentiel addictif des produits sucrés sur les rats. Dans le Connecticut, Josef Schroeder, professeur associé de psychologie et directeur du programme de neurosciences comportementales, et ses étudiants ont démontré que la consommation d'Oreo, les célèbres biscuits bicolores américains récemment arrivés en France, activait plus de neurones dans le « centre du plaisir » du cerveau que la prise de cocaïne ou de morphine[1]. Les conditions de cette

---

1. « Are Oreos Addictive? Science says yes », Connecticut College, *Science Daily*, octobre 2013.

étude ont depuis suscité des critiques, même si le fond de l'étude n'a pas été attaqué.

Bien entendu, les études de Serge Ahmed, ont, elles aussi, été remises en question par certains scientifiques, ainsi que par les secteurs du sucre et de l'industrie agroalimentaire.

Le 13 janvier 2015, j'ai assisté au Nutri-Débat « Existe-t-il un "juste sucre"? » organisé par l'agence Nutritionnellement, avec le soutien de Coca-Cola France. À cette occasion, le Pr Marc Fantino, cofondateur de CreaBio Rhône-Alpes et directeur scientifique des études de nutrition, est intervenu sur le thème « Goût sucré : plaisir, nécessité, dépendance? ». Selon lui, le conditionnement de préférence pour le sucre ne peut conduire ni à une dépendance au sucré, ni à une addiction au sucré. Autre argument en faveur d'une non-assimilation du sucre à la catégorie des substances addictives selon Marc Fantino, l'absence de dépendance au sens défini par le DSM-V. En conclusion, oui, « il existe un risque d'usage nocif, c'est-à-dire d'abus d'usage des produits sucrés caloriques, mais il s'agit d'un problème comportemental du consommateur et non d'un problème de nature du produit ». Dans la salle, diverses plaisanteries ont suivi sa présentation, dont une m'a marquée. « De toute façon, on n'a jamais vu un gamin faucher le sac d'une petite vieille pour s'acheter une bouteille de soda, non? » C'est sans doute ce qu'on appelle la preuve par l'absurde.

DSM-V : une dépendance très encadrée

Le *DSM* (pour *Diagnostic and Statistical Manual of Mental Disorders*) est le manuel diagnostique et statistique des troubles mentaux, c'est-à-dire le manuel de référence publié par la Société américaine de psychiatrie. Soumis à de vives critiques, il n'en demeure pas moins utilisé dans le monde entier. Sa cinquième version, le DSM-V, a été publiée en mai 2013.

Selon le DSM-V, la dépendance à une substance est avérée en cas de présence de trois manifestations suivantes (ou plus), à un moment quelconque d'une période continue de douze mois :
1. Tolérance (quantité ou effet).
2. Sevrage (syndrome).
3. Substance souvent prise en quantité plus importante ou prolongée.
4. Désir persistant.
5. Beaucoup de temps passé à des activités nécessaires pour obtenir la substance.
6. Activités sociales, professionnelles ou de loisir importantes abandonnées.
7. Utilisation de la substance poursuivie bien que la personne sache avoir un problème psychologique ou physique persistant ou récurrent.

Source : Inserm

Marc Fantino basait notamment sa démonstration sur le fait qu'il n'y avait pas de dépendance physique au sucre, puisque son sevrage n'entraînait ni manifestations physiques (insomnie tenace, douleurs abdominales ou dorso-lombaires, crampes nocturnes, mouvements anormaux, asthénie, ralentissement idéomoteur), ni manifestations psychiques (vive anxiété ou angoisse, déficit thymique ou dépression, désintérêt pour les autres choses de la vie, déficit intellectuel).

Pour résumer sa démonstration :

Pas de tolérance + pas de symptômes physiques de sevrage
= pas d'addiction aux produits sucrés

Lorsque je lui ai posé la question des éventuelles manifestations psychiques listées par le DSM-V, il n'a pas relevé. Pourtant, mon expérience personnelle m'a prouvé qu'on pouvait être obnubilé par le sucre, en consommer des quantités plus importantes que d'habitude et continuer à le faire tout en sachant avoir un problème psychologique ou physique persistant ou récurrent...

Un autre point de sa démonstration avait attiré mon attention.

Après sa présentation, j'avais évoqué les recherches de Serge Ahmed et lui avait demandé ce qu'il pensait de ces études sur des modèles animaux montrant que les rats cocaïnomanes se détournaient de la cocaïne pour privilégier l'eau sucrée. Marc Fantino a rigolé, puis critiqué ces études, expliquant que les souches de rats utilisées par Serge Ahmed étaient résistantes à l'addiction à la cocaïne et avaient par ailleurs une addiction naturelle à la saccharine. Ces deux paramètres faussaient les expériences. Il était donc normal qu'ils aient préféré l'eau sucrée. Dans la salle, d'autres experts conviés par l'agence Nutritionnellement hochaient la tête, approuvant.

Un peu surprise, j'ai rappelé Serge Ahmed, et lui ai exposé les arguments de Marc Fantino.

« C'est du grand n'importe quoi ! a réagi Serge Ahmed. Nous avons utilisé deux souches de rats, Sprague-Dawley et

Wistar, qui sont les plus courantes et se retrouvent dans 90 % des expériences. Nous avons évidemment testé la saccharine, mais aussi le saccharose, qui a confirmé nos résultats, avec une préférence encore plus marquée des rats. Ce que vous me racontez est un bel exemple d'intoxication, à la limite de l'intégrité scientifique. »

En raccrochant, je me suis dit que le monde de la recherche n'était pas loin de ressembler aux Atrides... C'est *Dallas* dans les paillasses ! Qui croire ? Que croire ? La science n'est décidément pas un univers paisible, pacifique et respectueux.

Aux États-Unis, les figures de la croisade anti-sucre ne s'embarrassent pas de conditionnel ou de circonvolutions. « À l'instar de nombreuses autres substances addictives, écrit Jacob Teitelbaum, médecin et auteur de *Décrochez du sucre* (Marabout, 2014), le sucre vous apporte une sensation de bien-être durant quelques heures, mais ensuite, il fait des ravages dans votre organisme. » « On sait depuis longtemps que les drogues peuvent court-circuiter le cerveau et rendent dépendant. Les résultats scientifiques actuels montrent que la nourriture peut devenir une source de plaisir telle qu'elle en devient addictive. On veut croire qu'on prend des décisions rationnelles alors que notre cerveau est en permanence pris en otage », explique David Kessler, ancien responsable de la FDA dans le documentaire *Fed Up*. Le docteur Mark Hyman poursuit un peu plus loin, déclarant que « la dépendance à la nourriture n'est pas une métaphore, c'est un fait biologique. Les IRM montrent que le cerveau réagit de la même façon au sucre et à la cocaïne. En fait, le sucre est même six fois plus addictif que la cocaïne. D'ailleurs, si vous donnez des choses très sucrées à un enfant très jeune, il deviendra dépendant. L'idée de la volonté individuelle, de la responsabilité personnelle ne vaut rien face à l'addiction ». Si les communicants du sucre, comme le Cedus en France, ciblent en priorité l'éducation des enfants, multipliant les actions à destination des écoles et des enseignants, ce n'est peut-être pas par hasard.

Je n'ai pas de DESS en rats, ni de doctorat en biochimie. Néanmoins, si je repense aux résultats de mon étude avec sa cohorte d'un individu unique (moi), en simple voyant (et non en double aveugle), je conclus que je suis incapable de dire si le sucre est addictif ou pas. Ce dont je suis sûre, par contre, c'est qu'apprendre à m'en passer a été plus complexe, douloureux et angoissant que je ne le pensais.

3. ADDICTIF OU ADDICTOGÈNE ?

Étape suivante, interroger un spécialiste des addictions humaines.

Professeur de psychiatrie et d'addictologie à l'université Paris-Diderot, chef du service de psychiatrie et d'addictologie de l'hôpital Bichat, président d'honneur de la Société française d'alcoologie et auteur d'un ouvrage intitulé *Les Secrets de nos comportements* (Plon, 2009), Michel Lejoyeux a eu la gentillesse de me répondre.

– Peut-on parler du sucre comme d'une substance addictive ? ai-je demandé.

– Oui et non. Peut-être est-ce une substance avec une dimension addictive, ce qui n'est pas la même chose. Il existe d'autres substances comparables pour lesquelles il est difficile de se réfréner, comme le téléphone portable ou les jeux vidéo.

Quand on arrête le sucre, la sensation de manque est réelle, tout comme la perte de contrôle. En conséquence de quoi, la phénoménologie addictive est vraie. Mais attention de ne pas mettre sur le même plan le sucre d'un côté, et de l'autre l'héroïne, la cocaïne, le tabac ou l'alcool.

– Quel est le risque ?

– Méfions-nous des amalgames et des simplifications. Il faut hiérarchiser les risques. Aujourd'hui, le tabac et l'alcool sont toujours parmi les premières causes de mortalité en France. La cocaïne et l'héroïne ont démontré leur toxicité. Ce n'est pas le cas du sucre.

– Avez-vous déjà vu des patients venir consulter pour des problèmes d'addiction au sucre ?

– Non, jamais. Tout ce qui touche aux troubles du comportement alimentaire relève d'addictions difficiles à cerner et à traiter. En addictologie, le discours est encore malheureusement tronçonné par substances. Il ne serait pourtant pas absurde de s'interroger sur l'ensemble de ces substances lorsqu'on élabore une politique de santé publique et cela pourrait bien entendu comprendre également le sel, le sucre, les matières grasses...

– Pensez-vous que le sucre soit injustement ciblé en ce moment ?

– En addiction comme dans toutes les maladies, il y a des modes. Il y a une « rumeur » sur le sucre depuis de très nombreuses années. Cependant, certains produits toxiques sont audibles, et d'autres pas. L'image des produits détermine leur statut politique et l'investissement consenti par les lobbys. Actuellement, notre société est en proie à une phobie d'exclusion. On élimine le gluten, les produits laitiers, le sucre... On se demande parfois ce qui va rester.

– Le sucre présente-t-il un danger ?

– Je ne pense pas que l'on puisse dire que le sucre est addictif, mais peut-être est-il addictogène, ce qui n'est pas la même chose.

Addictif / addictogène

Addictif : se dit des substances chimiques (drogues médicales ou non, nicotine, alcool, cannabis, opiacés, etc.), des activités ludiques (casinos, jeux, sports) ou des structures sociales (sectes religieuses ou non) susceptibles de provoquer une addiction, c'est-à-dire une dépendance très importante empêchant le sujet de se livrer à toute autre activité de pensée que celle concernant la substance, l'activité ou la société addictive elle-même.

Addictogène : substance qui entraîne une addiction, qui rend dépendant, mais pas dans les mêmes proportions.

– Qu'est-ce que cela change ?

– La règle en addictologie, c'est la polyaddiction. Aujourd'hui, nous sommes entourés de produits addictogènes autorisés. La normalité, c'est d'être capables de consommer certains produits addictogènes en quantité raisonnable. Boire un ou deux verres de vin, fumer quelque cigarette, manger un peu de sucre... C'est le basculement dans l'incapacité de se maîtriser qui est essentiel en psychopathologie.

– Peut-on évaluer le potentiel addictogène des substances ?

– Non. Il est difficile de définir les potentiels addictogènes des différentes substances car la posture prohibitrice n'est pas la bonne. L'addiction, c'est la rencontre entre une molécule qui a des potentialités d'accrochage et une personnalité, une psychologie, dans une société donnée.

– En France, sommes-nous particulièrement sensibles aux addictions ?

– La France est une société très anxieuse, mais pas forcément sur les bonnes cibles. On préfère être anxieux sur des produits qui ne nous menacent pas vraiment ou pas de manière aiguë.

– Cela signifie-t-il que le sucre n'est pas une menace ?

– Non, cela signifie que ce sont des choix de société. Dans le DSM-V, le café est considéré comme addictif, tandis que le sucre ne l'est pas. L'interrogation sur la demande de réponses objectives me paraît tout à fait légitime. Prenons le chemin de l'évaluation scientifique comme cela a été fait pour l'amiante, l'alcool, le sida... En France, on demande souvent des mesures avant même que les études aient été menées. Des cas uniques comme votre expérience sont passionnants à titre individuel, mais ne sont pas valables d'un point de vue scientifique. Mon expérience m'incite à demander une évaluation généralisable menée par des experts scientifiques neutres.

Alors, pas addictif le sucre, mais peut-être addictogène ?

Ce que je lui ai raconté de mes sensations de manque, de mes envies brutales, de mes *cravings*, de mes angoisses, de mes doutes, de mes rechutes initiales, tout cela, m'a-t-il dit, correspond parfaitement aux émotions de personnes addicts qui luttent contre la substance à laquelle elles sont dépendantes. Une chose est sûre, le sucre n'est pas un nutriment neutre.

4. UNE ADDICTION CRÉÉE, VOIRE NOURRIE, PAR L'INDUSTRIE ?

Nous entrons dans une nouvelle dimension : celle du « complot », théorie populaire en ces temps de méfiance, pire, de défiance généralisée.

Qui risque encore une crise de botulisme ? Combien de cas de salmonellose y a-t-il par an ? Quand on se penche sur l'histoire de l'humanité, on peut affirmer sans crainte que la nourriture n'a jamais été aussi sûre. En tout cas pour tout ce qui touche aux risques aigus d'intoxication ou d'infection. Par contre, des questions toujours plus pressantes se posent au sujet de l'innocuité à moyen et long terme de nos aliments, globalement bourrés de nutriments douteux et d'additifs.

L'inquiétude pointe chez un consommateur sur ses gardes face à des produits tellement transformés, processés et modifiés qu'ils ne ressemblent souvent plus, ou peu, à des aliments identifiables. Les listes d'ingrédients à rallonge, truffées de sigles incompréhensibles et de noms de molécules chimiques, ne sont pas là pour le rassurer. S'y ajoute un discours alimentaire officiel de plus en plus complexe, cacophonique et culpabilisant.

Dans les rayons du supermarché, on imagine très bien ce dialogue fulgurant et inconscient.

– Ça a l'air bien ce truc, la photo sur l'emballage est alléchante et on dit que c'est plein de vitamines. Zou, je le prends.

– Doucement ! Fais attention à ce que tu manges car n'oublie pas que tu es responsable de ce que tu avales. Tu es sûr que c'est bon pour toi ?

– J'en sais rien... Oui, ça a l'air bien, il y a des légumes et de la viande sur la photo.

– Tu as lu la liste des ingrédients ? Ouh là là, regarde quelle longueur elle fait ! Il y a des trucs complètement bizarres : glutamate, guanylate et inosinate de sodium... T'es sûr que c'est bon pour la santé ? Moi j'ai jamais entendu parler de ces trucs-là.

– Ben, j'en sais rien si c'est bon pour la santé. En même temps, si c'est vendu ici, c'est que ça doit être autorisé, non ?

– Peut-être, mais est-ce que c'est bon à moyen et long terme ? Tu sais bien qu'on est responsable de sa santé et qu'on dit de plus en plus que mal manger, ça nous rend malade.

– Zut ! Moi, j'en ai envie. J'en ai déjà mangé et c'était carrément bon. Et puis, c'est pratique, il suffit de le réchauffer, et j'ai la flemme de cuisiner le soir.

Pour finir, ce produit à l'emballage alléchant termine dans le caddie. Quelques heures ou quelques jours plus tard, on le mangera, en s'étonnant parfois, une fraction de seconde, de la différence d'aspect esthétique entre la photo de l'emballage, joliment mise en scène par un styliste, éclairée par un photographe et retouchée par un graphiste, et la réalité un peu triste de notre assiette. Une fois en bouche, force est de constater que de plus en plus de ces préparations industrielles sont molles ou tendres. Bienvenue dans l'ère de l'alimentation « doudou » !

Cette inquiétude diffuse des consommateurs est partagée par certains spécialistes bien informés. « Vous avez le droit de vous faire plaisir », suggèrent en chœur les industriels de l'agroalimentaire... « Mais de quel plaisir parle-t-on ? », s'interrogeait en 2011 le Dr Laurent Chevallier[1]. Et le médecin, consultant en nutrition et praticien en clinique et à l'hôpital du CHU de Montpellier, de poursuivre : «Les mets cuisinés maison avec des ingrédients sains sont aux antipodes de certains produits industriels qui provoquent des instabilités pulsionnelles, flattent les sens, leurrent l'organisme avec des colorants, des épaississants, des fluidifiants, des aromatisants chimiques, le tout conditionné dans des emballages fort attractifs. Et ces produits sont promus par des publicités qui vous persuadent de les acheter de mille manières. On vous matraque avec les mêmes messages, mais certaines techniques sont plus insidieuses, comme le conditionnement émotionnel ou le redoutable neuromarketing.»

Il n'est pas le seul à questionner la responsabilité des industriels. Fortement ébranlés par les scandales sanitaires qui se sont succédé au cours des vingt dernières années, de la vache folle aux lasagnes à la viande de cheval, en passant par le poulet à la dioxine, les consommateurs s'interrogent. Les fabricants de l'agroalimentaire sont-ils vraiment prêts à (presque) tout pour nous vendre leurs produits ?

A. *Un ingrédient aux superpouvoirs*

S'il y a du sucre partout, est-ce pour piéger le consommateur ?

« Non ! », protestent en chœur les fabricants. Si le sucre est devenu omniprésent dans les listes d'ingrédients des produits que nous achetons, y compris salés, c'est pour d'autres raisons.

1. *Je maigris sain, je mange bien, op. cit.*

Sur le site lesucre.com, on lit ainsi qu'« on retrouve du sucre dans la plupart des produits sucrés (gâteaux, produits laitiers, confiseries, boissons, glaces, chocolats, etc.) qui ne portent pas ce nom par hasard et qui sont consommés pour leur bon goût. Le sucre est également utilisé pour des raisons technologiques car il permet d'améliorer la texture et la couleur mais aussi car c'est un excellent conservateur naturel (ex : les confitures). Certains produits salés peuvent aussi en contenir car il permet de contrebalancer une acidité trop forte par exemple mais cela est fait à des teneurs très faibles et maîtrisées (0,1 à 3 % en général) ».

Dans *Grain de sucre*, le magazine publié par le Cedus, un article d'octobre 2014 en dit plus sur la présence de sucre dans le salé. « La présence de saccharose ou d'autres sucres dans certains aliments salés et plats cuisinés est une nécessité technique qui apporte à ces produits des qualités spécifiques : texture, conservation, couleur, saveur... Bien que les sucres soient utilisés dans des proportions extrêmement faibles, leur suppression entraînerait dans la plupart des cas une altération de la qualité finale de l'aliment. » Et de poursuivre en expliquant que « dans les charcuteries et les salaisons, les sucres interagissent avec les protéines lors de la cuisson, formant des composés colorés et aromatiques qui rendent si appétissants les jambons braisés, les pâtés de campagne et pâtés en croûte. Les sucres enrayent par ailleurs l'oxydation de la viande et favorisent la formation de la belle couleur rose des jambons et saucissons secs. Les biscuits de snacking salés et les produits de panification (biscottes, pain de mie...) tirent également parti des qualités technologiques du sucre. Il permet par exemple de démarrer rapidement la fermentation des levures, d'assouplir les pâtes. Ailleurs, comme dans les sauces tomate, il corrige l'acidité».

Pourrait-on s'en passer ? Vous, je ne sais pas, mais moi, quand je cuisine des carottes maison, je n'ajoute pas de sucre. Il y en a pourtant 3 à 4 % dans une boîte de carottes. De même, je n'ajoute pas de sucre dans mes sauces tomate, jamais, et cela ne les empêche pas d'être dévorées par tous ceux qui sont là, enfants et adultes.

La position des communicants officiels du sucre, le Cedus, semble être la suivante : le sucre dans les produits non sucrés est très rare et, de toute façon, il est indispensable. Et de lister les inconvénients d'une absence du sucre dans les recettes :

« – **Déséquilibre** : les sauces et préparations à base de tomates seraient acides et transmettraient leur acidité au produit fini, tandis que les pâtés de foie ou à teneur réduite en sel seraient plus amers.

– **Tristesse** : biscottes, fonds de tarte et pâtes à pizza resteraient désespérément blanchâtres.

– **Pénurie** : impossible de fabriquer du pain de mie digne de ce nom.

– **Insipidité** : le goût des épices et des ingrédients aromatiques des biscuits salés ou des plats préparés seraient moins valorisé.

– **Infraction** : les petits pois à l'étuvée pourraient ne pas être conformes à la réglementation.»

Cet encadré est une merveille de communication... Éliminer le sucre dans les recettes salées risquerait de nous rendre tristes (à la pizzeria, la pâte blanche n'a que rarement suscité des décompensations brutales ou des dépressions aiguës), nous confronterait à des goûts différents (peut-être plus proches de ceux des produits non industriels), nous empêcherait de manger certains produits (le pain de mie industriel est-il absolument indispensable, la question se pose), nous ferait moins bien percevoir certains arômes (mais augmenter la proportion des épices et des ingrédients aromatiques résolverait peut-être ce problème...) et ferait de nous des hors-la-loi (peut-on survivre à l'absence de mention « à l'étuvée » sur une boîte de petits pois ?!).

Exhausteur de goût, conservateur, agent de plasticité, dépresseur de la température de congélation (ce qui améliore la texture des glaces), agent de texture (croustillance), colorant, le sucre est aussi fermentescible, facile à manipuler et bon marché. « Différentes forces nous poussent à manger. Certaines sont des besoins émotionnels, alors que d'autres renvoient aux fondamentaux de la nourriture industrielle : d'abord le goût, suivi par l'arôme, l'apparence et la texture. Et un seul ingrédient les recoupe tous : le sucre », expose Michael Moss, journaliste au *New York Times*, lauréat du prix Pulitzer en 2010 et auteur d'une enquête passionnante intitulée *Sucre, sel et matières grasses, comment les industriels nous rendent accros*. Et le pompon, c'est que, comme nous l'avons vu, le sucre est aussi le seul ingrédient qui actionne deux fois notre circuit de récompense cérébral et ses fameux neurones à dopamine. Impossible que cette merveilleuse coïncidence ait échappé aux personnes intelligentes qui président aux destinées des géants de l'agroalimentaire...

« Arrêtons de jouer les naïfs et regardons la réalité en face, exhorte le docteur Réginald Allouche[1]. Il faut être réaliste et

---

1. *Le Plaisir du sucre au risque du prédiabète, op. cit.*

responsable. Il est trop facile d'attaquer les industriels qui, après tout, ne font que leur métier : vendre le plus possible de produits en dégageant un maximum de bénéfices.» Vrai, les entreprises agroalimentaires n'ont jamais caché leurs objectifs : augmenter leurs parts de marché, parfois baptisées leurs «parts d'estomac». Et pour s'assurer d'écouler leurs produits, la meilleure solution consiste à les rendre irrésistibles.

B. *Des produits irrésistibles*

Sucre, sel et matières grasses, comment les industriels nous rendent accros, l'ouvrage de Michael Moss, décortique la manière dont les géants américains de la food œuvrent à duper et doper nos sens à l'aide d'outils biochimiques et marketing.

Pour nous convaincre d'acheter et de racheter leurs produits, les industriels, explique-t-il, traquent notre «bliss point», ou «point de félicité», sorte de climax gustatif, ni trop sucré, ni pas assez, qui provoque une envie irrésistible d'y revenir encore et encore. Dans le secret des laboratoires, on teste, on formule, on reteste, on modifie des recettes qu'on soumet à des goûteurs humains et à des machines reproduisant notre mastication pour obtenir le meilleur ratio sucré + salé + croquant + pétillant + aromatisé. Pour certains spécialistes, comme Julie Mennella, biopsychologue au Monell Chemical Senses Center de Philadephie, notre point de félicité pour le sucre serait d'ailleurs déterminé par nos expériences de nourrisson. Plus on mange sucré dans la toute petite enfance, plus on développera le goût d'une alimentation sucrée et plus il nous faudra ensuite en manger des quantités importantes pour éprouver le même plaisir. L'objectif primordial de l'industrie, c'est de faire de ses produits la norme gustative du consommateur. Pas étonnant que Rose tente d'échanger quatre des cinq M&M's reçus de Léonie à la récréation... Pour une petite fille comme elle, qui n'a que très peu mangé de sucreries, le goût des M&M's est saturé, presque « violent », comme elle me l'a expliqué. À l'inverse, son amie Léonie, elle, a trouvé ses cakes bio aux pépites de chocolat « bof, sans beaucoup de goût ».

Autre point intéressant, la « satiété temporelle spécifique » qui serait, d'après Michael Moss, « la tendance qu'ont les goûts très marqués à inonder le cerveau, qui répond alors par une sensation de satiété très rapide. Cette satiété sensorielle est devenue un principe fondamental dans la conception de la nourriture industrielle. Les plus gros succès (sodas Coca-Cola, biscuits Oreo, chips, etc.) sont dus à des recettes qui stimulent les papilles suffisamment pour être appétissantes, mais qui n'ont pas de saveur dominante qui fait dire au cerveau : "Ça suffit !" ».

Si nous mangeons un aliment à présent, c'est rarement parce que la faim nous tenaille. Quasiment aucun d'entre nous n'a jamais expérimenté une réelle sensation de faim, quand le corps et le cerveau, en manque de nutriments, tirent la sonnette d'alarme. Nous mangeons pour d'autres raisons : les envies, les pulsions, le stress, la disponibilité des produits, l'ennui, les émotions... Conscientes de cela, de très nombreuses marques de nourriture industrielle cherchent à associer systématiquement leurs produits à des événements procurant un sentiment de bien-être, qu'il s'agisse de manifestations sportives, de concerts, de défilés ou de spectacles. Acheter et consommer ce produit renverra ensuite toujours à ce contexte émotionnel. Il s'agit de la « stratégie de l'ubiquité ». Coca-Cola l'a bien compris, qui en a fait l'un des piliers de son marketing, des publicités XXL sur le Stade de France aux spots télé encadrant les programmes sportifs ou de variétés.

L'omniprésence de l'offre est également remise en cause par les observateurs de ce marché. Dans son livre, Michael Moss parle de la bataille contre la junk food menée dans les quartiers pauvres des États-Unis. Les épiceries du début du XXIe siècle lui rappellent « les crack houses des années 1980 ». La comparaison est terrible ! « On sort de ces magasins avec d'énormes bouteilles de soda, des paquets de chips, des gâteaux gras, des bonbons... À Philadelphie, j'ai pu observer comment les directrices d'école et les parents manifestaient ensemble devant les épiceries pour exiger qu'ils arrêtent de vendre de la junk food à leurs enfants. Parce que les gamins ne peuvent pas apprendre. Ils sont aussi défoncés que leurs aînés l'étaient au crack il y a vingt ans. » Le surnom donné à ce phénomène ? Le « snack crack[1] ». Cela ne vous rappelle rien ?

Sans forcément valider un vocabulaire aussi extrême, je rejoins Michael Moss sur un point. Quand on décide comme je l'ai fait d'arrêter le sucre, on réalise rapidement à quel point les produits sucrés sont partout, du supermarché à l'épicerie, en passant par le kiosque à journaux, le distributeur sur le quai de métro et la station-service. Si jamais une envie subite survient, le plus simple, c'est d'ouvrir un sachet et de manger le produit qui s'y trouve, généralement gras et sucré, toujours

1. « Comment la junk food nous rend accros », *Les Inrockuptibles*, n° 902, mars 2013.

disponible et prêt à rendre service... Trouver une alternative à ces produits omniprésents nécessite une véritable organisation. Pas question de laisser faire le hasard et la pulsion ! Or, la pulsion est devenue la valeur n° 1 de notre société de consommation. Manger non sucré rime avec une forme de déconditionnement. Il faut être capable de se détacher progressivement de toutes les incitations publicitaires, panneaux d'affichage, écrans 3D, emballages aux couleurs vives, présentoirs attractifs... Parfois, au début de cette année « no sugar », je marchais les yeux rivés au sol pour ne pas les voir, ne pas laisser mon cerveau enregistrer inconsciemment leurs messages. J'ai aussi éteint et rangé la télévision, avec l'accord de mon mari qui, de toute façon, ne l'allumait que pour les matchs de rugby. Bref, on comprend assez vite que la mise à distance du sucre est un comportement qui va à rebours de nombre d'automatismes contemporains.

Recettes irrésistibles + textures addictives + saveurs plaisantes + marketing agressif + incitations permanentes + distribution omniprésente

=

un consommateur cerné de toutes parts
gustativement, sensoriellement et inconsciemment

C. *Le recours aux neurosciences*

Mais les industriels ne se sont pas arrêtés là, ils ont investi un nouveau champ de recherche aux découvertes directement applicables dans la bataille pour les parts de marché.

Le nom de cette « super arme de consommation massive » : le neuromarketing.

Sur Google, la recherche « neuromarketing », terme apparu au début des années 2000, génère déjà 696 000 résultats. Définie comme « l'application des neurosciences cognitives au marketing et à la communication », cette discipline émergente vise à mieux comprendre les comportements des consommateurs via l'identification des mécanismes cérébraux qui interviennent lors d'une publicité ou d'un achat. Le but des industriels étant, bien évidemment, d'améliorer leurs outils de persuasion afin de séduire et de captiver encore plus les consommateurs.

L'essor de ce nouveau domaine scientifique doit beaucoup au développement et au perfectionnement d'outils de mesure de l'activité cérébrale, parmi lesquels l'électroencéphalographie (EEG), l'IRM fonctionnelle (IRMf), l'IRM de diffusion, l'imagerie spectroscopique proche infrarouge (mesure de l'oxygénation d'une zone du cerveau pour évaluer son activité). L'analyse toujours plus fine des paramètres métaboliques et de l'activité physiologique entre également en jeu : fréquence cardiaque, électromyographie (enregistrement des courants électriques qui accompagnent l'activité musculaire), conductance cutanée (activité électrique biologique enregistrée à la surface de la peau reflétant l'activité des glandes de sudation et du système nerveux autonome), oculométrie (enregistrement des mouvements oculaires), mesure de la dilatation oculaire... Grâce à tous ces paramètres, les neuroscientifiques peuvent évaluer les niveaux d'attention et d'émotion générés par la vision d'un produit ou d'une publicité, la consommation d'un aliment ou sa simple évocation.

Chercheur en neurosciences et professeur à l'université d'Aix-Marseille, Olivier Oullier connaît bien ce domaine et confirme le poids actuel des neurosciences dans l'analyse du comportement des consommateurs. « L'industrie agroalimentaire a investi dans ce domaine, explique-t-il, afin de mieux comprendre ses consommateurs, mais le neuromarketing a été à la fois survendu et mal compris. Certains ont cru qu'on pourrait littéralement lire dans le cerveau des consommateurs pour les pousser à acheter. C'est faux ! Nous n'en sommes encore qu'au début de l'imagerie cérébrale... Avant d'en arriver là, quand bien même on y arrive un jour, il faut permettre à la technologie de se développer et laisser à la recherche fondamentale le temps d'avancer sur les modèles de fonctionnement du cerveau. » En France, l'utilisation des techniques de neuromarketing à des fins commerciales est, en principe, interdite par les lois de bioéthique révisées en 2011 qui en restreignent l'usage à la recherche scientifique et médicale, exception faite de l'expertise judiciaire.

Faut-il craindre que l'industrie alimentaire ne perce nos secrets les plus intimes, et nous manipule pour nous faire manger toujours plus de ses produits ?

« L'urgence est ailleurs, à mon sens, nous avertissait Olivier Oullier l'été dernier. On peut exploiter les neurosciences en vue de nous faire craquer pour un emballage plutôt qu'un autre, ou une recette plutôt qu'une autre. Mais on peut aussi s'en servir pour améliorer les messages de santé publique et mettre au point une communication hédonique plus efficace. Le but ne devrait pas être d'interdire des comportements mais de mieux les réguler. »

D. *Le bon mix sucre-gras*

Dernier point essentiel lorsqu'on s'intéresse à notre fascination pour le sucre, c'est la constatation de l'existence d'une recette irrésistible : le sucre-gras.

Loin des scientifiques, faisons une petite expérience pratique et gourmande.

1. Prenez 50 g de sucre cristallisé. Essayez de le manger tel quel. Difficile ?

2. Prenez 20 cl de crème fraîche entière. Essayez de la boire telle quelle. Désagréable ?

3. Fouettez la crème en y ajoutant le sucre pour faire une chantilly. Essayez de la manger. Délicieux ?

Cette expérience toute simple ne serait sûrement pas validée scientifiquement. Cependant, je la trouve terriblement parlante.

Le sucre seul, ce n'est pas très bon. Le gras seul non plus, ce n'est pas très bon. Mais le mélange des deux est tout bonnement irrésistible.

Dans leur documentaire[1], les frères Chris et Xand van Tulleken (vous savez, les médecins jumeaux qui ont testé en parallèle des régimes « no sugar » et « no fat » que nous avons croisés à la fin du chapitre 9) proposent plusieurs variétés de donuts dans les rues de Londres et de New York. Celui qui a rencontré le plus de succès des deux côtés de l'Atlantique ? Le donut au sirop de sucre. Le secret de cette recette choisie de manière purement instinctive par les promeneurs de tout âge

1. *Sucre ou gras : lequel est notre pire ennemi ?*, de David Stewart.

et de tout sexe ? Un parfait équilibre entre matières grasses (50 %) et sucre (50 %).

Selon le Pr Paul Kenny, spécialiste en neurobiologie et addiction au Mount Sinai Hospital, « les rats auxquels on propose du sucre en libre accès ne prennent pas de poids car ils ajustent spontanément la quantité de calories consommées. Lorsqu'on leur donne libre accès au gras, ils prennent un tout petit peu de poids. Mais si on leur offre à volonté un aliment sucré ET gras, alors là, tout dérape. Face au cheesecake, parfait équilibre de sucre et de gras (50 %-50 %), les rats revenaient sans cesse en manger et devenaient sédentaires. Le mix gras-sucré plaît au palais et flatte le système hédonique[1]. Le cerveau est bien plus touché par le mix gras-sucré que par l'absorption des deux éléments séparés. On est face à des substances qui n'apportent rien d'un point de vue nutritif mais qui procurent un plaisir énorme. Or, cette combinaison sucre-gras n'existe pas à l'état naturel, c'est l'homme qui l'a inventée ».

Une fois encore, on en revient toujours au même : le sucre en tant que tel n'est sans doute que l'un des deux membres de l'association de malfaiteurs qui ont lancé une OPA sur notre santé à tous.

---

1. Qui se rapporte à la recherche du plaisir.

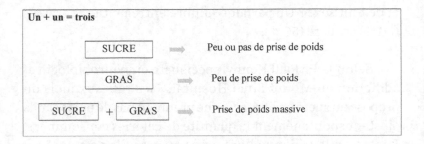

Un + un = trois

SUCRE	➡	Peu ou pas de prise de poids
GRAS	➡	Peu de prise de poids
SUCRE + GRAS	➡	Prise de poids massive

En tant que tel, le sucre, qui apporte des calories mais aucun nutriment, n'a pas grand intérêt pour la santé. Et il n'y aurait que peu à craindre du sucre s'il apparaissait seul. Le hic, c'est qu'il est quasiment toujours accompagné de graisses. Le couple sucre + gras révèle un potentiel dévastateur inattendu. C'est un peu l'« effet cocktail des nutriments ».

Ah oui, encore deux dernières devinettes :
1. Y a-t-il dans la nature un produit brut naturel équivalent à une crème chantilly, une crème pralinée, un cake, un donut, un cheese-cake ou une pâte à tartiner ? Non, vous ne voyez pas ? Moi non plus. Tout simplement parce que ça n'existe pas. Il y a des aliments gras, des produits laitiers aux noix, en passant par les huiles. Il y a des produits sucrés, du miel aux fruits, en passant par le jus de la canne à sucre. Mais des produits à la fois sucrés et gras, je ne vois pas. « Ah ah ! que fais-tu du lait et de la crème de noix de coco ? », m'a rétorqué Emma. Certes, oui, le lait et la crème naturels de noix de coco sont gras et légèrement sucrés. Mais on est loin, très loin, de la quantité de sucre présente dans une pâtisserie, une pâte à tartiner à la noisette ou du chocolat !

2. Quels sont les individus les plus sensibles au mélange sucre + gras ? Un indice : la moitié de la population la plus attentive à sa silhouette... Qui ? Les femmes ? Bingo ! Selon une récente étude française[1] réalisée à partir de l'enquête NutriNet-Santé, « l'attirance pour la sensation "gras-salé" est plus forte chez les hommes alors que l'attirance pour le "gras-sucré" est un peu plus forte chez les femmes. Les personnes qui sont sujettes à des prises alimentaires incontrôlées sont très attirées par la sensation "gras" (risque de 2 à 4 fois plus élevé), particulièrement chez les femmes. De plus, les femmes qui ont tendance à manger sous le coup de l'émotion sont très attirées par le "gras-sucré" (risque 1,7 fois plus élevé) ».

Conclusion, le mix sucre-gras, inconnu dans la nature, est une arme d'alourdissement massive, et nous y sommes particulièrement sensibles.

Moi-même, en huit mois de régime « no sugar » et après avoir atteint ma « vitesse de croisière », je n'ai vraiment craqué que trois fois. À chacune de ces occasions, un énervement ou un gros coup de stress professionnel a motivé mon envie impérieuse d'aliment sucré. Ce fut comme si on avait appuyé tout à coup sur un bouton dans mon cerveau. « Du sucre ! Du chocolat ! », me réclamait-il en boucle, tandis que j'entendais une sorte de sirène virtuelle hululer au fond de mon crâne. Une fois, Catherine, ma coloc de bureau, m'a exhortée à ne pas en prendre.

1. « Liking for fat is associated with sociodemographic, psychological, lifestyle and health characteristics », *British Journal of Nutrition*, 2014.

– Arrête, c'est idiot d'en prendre, ça fait des mois que tu t'en passes parfaitement.

– Peut-être, mais là, il m'en faut, tout de suite.

– Attends, dans ce cas, ne prends pas n'importe quoi. J'ai un truc super fort en chocolat et pas trop sucré : une barre de chocolat noir d'Alain Ducasse.

Eh oui, Catherine a un goût exquis. J'en ai pris un carré, petit, et je l'ai laissé fondre dans ma bouche. Instantanément, je me suis sentie à la fois monter et me relaxer. Le stress refluait comme une vague sur la plage. Mes papilles saturées se vautraient dans le cacao. Après m'être parue insupportable quelques minutes auparavant, la vie me semblait de nouveau belle ! Et après ? Après rien. Je n'en ai pas eu plus envie, j'ai repris le cours de ma « no sugar life » comme auparavant.

Alors, addict ou pas addict au sucre ?

J'aurais adoré vous donner une réponse claire, franche et massive. Un « oui » ou un « non » tranché et absolu.

Au vu des résultats de mes interviews et de mon enquête, j'ai tendance à penser que le sucre a un potentiel addictogène non négligeable, surtout lorsqu'on l'associe au gras. Le hic, c'est que le sucre est presque toujours associé au gras, sauf peut-être dans les bonbons, mais là, il est associé à l'acide et aux arômes.

Il me semble également évident que tout dans le marketing cherche à nourrir nos réflexes innés pro-sucre et nos pulsions alimentaires. Le circuit de distribution n'est pas en reste.

Nourrir la préférence pour le gras-sucré dès l'enfance

Susciter l'envie latente via le marketing

Créer des pulsions émotionnelles

Répondre aux envies par une omniprésence physique
du produit

L'expérience émotionnelle individuelle d'une difficulté à se passer de sucre lorsqu'on entame un régime « no sugar » est très largement partagée. Généralement, les symptômes d'envie, de manque, de besoin mettent de six à huit semaines à totalement disparaître.

Complot ou pas complot ? J'ai du mal à imaginer des réunions stratégiques ou des comités de direction sur les thèmes « Comment allons-nous rendre les consommateurs encore plus accros ? », « Y a-t-il un moyen de nourrir la préférence pour la food industrielle dès le biberon ? »... Peut-être est-ce mon côté incurable optimiste. Cela étant, je pense immédiatement à la multiplication des gammes de produits pour séduire TOUS les consommateurs, aux allégations nutritionnelles plus ou moins fantaisistes et légales, aux étiquetages si petits et complexes à comprendre qu'à moins d'un DEA de chimie, on s'y perd, à l'omniprésence des produits gras et sucrés, à l'extraordinaire intégration des normes de l'amour maternel via le goûter sucré, aux fêtes ritualisées par des pâtisseries ou des gâteaux... À en croire Michael Moss, de telles réunions ont déjà eu lieu aux États-Unis.

Le sucre est-il l'opium du peuple?, comme le disait Édith Bouvier.

Plutôt que d'opium, je le qualifierais d'anxiolytique autorisé, bon marché et en libre accès. Pour calmer les filles, il n'y aurait pas mieux...

Novembre

Chapitre II

Vivre sans sucre, la tribu des « no sugar »

Ma grand-mère, Léopoldine, avait coutume de dire qu'à table il ne fallait jamais parler ni de politique ni de religion. Sur ce dernier point, en catholique fervente, elle s'autorisait quelques « aménagements de conduite »... J'ajouterais qu'il vaut mieux ne pas parler de sucre. Ou alors, lancer le sujet lorsque la conversation ramollit. Le résultat est garanti ! Mieux qu'un « tigre dans son moteur », une pincée de sucre dans la conversation déchaîne les passions.

Fin novembre, nous étions six autour de la table à la maison. Après un risotto au jus de betterave, je sers un granité de clémentines corses peu sucré au xylitol. L'un des convives me demande où j'en suis dans mon année « no sugar ». Dans la foulée, les autres embraient et, très vite, la conversation devient générale. Entre deux cuillères de granité, j'apprends, surprise, que la moitié des convives sont des « sugar free » ou presque. Il y a Isabel, créatrice de bijoux, la quarantaine somptueuse, qui se partage entre Paris et New York, qui explique qu'elle a quasiment arrêté tous les sucres et qu'elle se sent beaucoup mieux depuis. Il y a aussi Audrey, consultante créative de 38 ans, qui avoue « s'autoriser deux plats contenant du sucre par semaine. Je fais aussi attention à ne pas me bourrer de glucides au sens large. Je privilégie les végétaux et les protéines. Pourquoi ? Parce que depuis que je mange de cette façon, je digère mieux, je suis moins fatiguée et moins souvent malade ». Très vite, on se retrouve à échanger nos trucs et astuces, de la bonne marque de lait de coco aux mérites comparatifs des desserts à base de dattes et de cacao...

Quelques semaines plus tard, je réalise que je viens de recevoir en un laps de temps assez court plusieurs communiqués de presse vantant l'ouverture de boutiques spécialisées dans la pâtisserie ou les douceurs « sugar free ». La tendance frémirait-elle en France ?

Ces dernières années, nous sommes de plus en plus nombreux à adopter un régime alimentaire de « privation volontaire ». Souvenez-vous... En 2009, dans la foulée du best-seller de Jonathan Safran Foer, *Faut-il manger les animaux ?* (éditions de l'Olivier, 2011), une partie d'entre nous ont délaissé côtes de bœuf et rôtis de porc, dans un bel élan flexitarien, nous rabattant sur les œufs et le poisson. Par la suite, on a vu fleurir des sujets sur les bienfaits du végétarisme (je le sais, j'en ai écrit), régime capable de sauver la planète et notre silhouette. Puis est venue la hantise des produits laitiers, soupçonnés par certains d'être pro-prise de poids, pro-inflammatoires, voire pro-cancers. On a enchaîné avec le gluten, véritable tsunami nutritionnel, aujourd'hui présent dans les rayons des supermarchés à coups de produits « garantis zéro gluten », de recueils de recettes dans les librairies, de cures diet. Dernier en date, le boom du cru et du liquide, via les innombrables smoothies et jus extraits à froid (et non à chaud, malheureux !) grâce à des engins chromés carrossés comme des Bugatti et valant le PIB du Lesotho. Après les États-Unis, les services de livraison à domicile fleurissent en France comme le muguet en mai, me laissant perplexe : qui va dépenser plusieurs dizaines d'euros quotidiennement pour boire du jus d'herbes ou de panais, même livré à domicile dans une très jolie bouteille ?

Aux États-Unis, le smoothie et le jus d'herbes se sont banalisés. Plus une seule it girl qui ne se balade pas avec son gobelet de « green shoot » à base de kale, épinards, chlorophylle et spiruline (microalgue aux qualités nutritionnelles exceptionnelles, promue par la FAO). Là-bas, des quartiers ensoleillés de L.A. aux gratte-ciel de Manhattan, la mode a changé, en perpétuel renouvellement : le dernier régime « nutritionnellement correct » est le régime sans sucre.

Comme toute nouvelle « religion bien-être », la « no sugar » attitude s'est codifiée.

Elle a son dogme : le sucre est dangereux, le sucre nous fait vieillir, le sucre nous rend tous malades...

Elle a ses diables : le sucre sous toutes ses formes, du saccharose au rapadura, en passant par le sirop d'agave, et, surtout, le pire d'entre tous, le fructose.

Elle a ses gourous : parmi lesquels, aux États-Unis, Robert Lustig, endocrinologue, pédiatre et porte-parole cathodique de la croisade anti-sucre, Mark Hyman, médecin et conseiller des Clinton, et David Perlmutter, neurologue. En France, Réginald Allouche, médecin et ingénieur, Laurent Chevallier, médecin spécialiste en nutrition...

Elle a ses prophètes :
– David Gillespie, ex-avocat et chef d'entreprise australien dont le livre *Sweet Poison. Why Sugar Makes Us Fat* (Penguin, 2009) est considéré par certains comme la bible des « no sugar ».

– Sarah Wilson, journaliste, blogueuse, coach et personnalité médiatique en Australie, auteur de deux best-sellers : *I Quit Sugar* et *I Quit Sugar for Life* (Macmillan, 2014).

– Eve O. Schaub, Américaine du Vermont, qui entraîna sa famille dans une année sans sucre au pays de l'Oncle Sam, où cet ingrédient est partout. Après avoir tenu un blog, elle en fit un livre à succès : *A Year of No Sugar* (Sourcebooks, 2014).

– Nicole Mowbray, journaliste anglaise et auteur de *Sweet Nothing. Why I Gave up Sugar and How You Can Too* (Orion, 2014).

– James Duigan, coach sportif et bien-être australien, fondateur de Bodyism, le centre de remise en forme le plus prisé de Londres où s'entraînent Elle Macpherson, Rosie Huntington-Whiteley et Hugh Grant, créateur de la méthode Clean & Lean et auteur de *Le Programme Duigan. Équilibre & légèreté* (Mango, 2015).

– Brooke Alpert, nutritionniste et diététicienne cathodique, coauteur de *The Sugar Detox: Lose Weight, Feel Great, and Look Years Younger* (Bantam, 2014).

– Davina McCall, présentatrice de télévision britannique, auteur de *Davina's 5 Weeks to Sugar-Free: Yummy, easy recipes to help you kick sugar and feel amazing* (Orion, 2015).

– Martine Fallon, coach santé et bien-être belge, auteur de *La Cuisine de l'énergie* (Les Arènes, 2014).

– Erwann Menthéour, coach sportif français, ancien cycliste et auteur de *Et si on décidait d'aller bien* (Solar, 2015).

Elle a ses courants :
– Les « flexi-no sugar » ou les « slow sugar », des personnes ayant drastiquement baissé leur consommation de sucre, mais qui s'accordent encore de temps en temps une pâtis serie ou un peu de sucre. La plupart se fixent un rythme plus ou moins strict, une à deux fois par semaine par exemple.

– Les « no sugar soft », comme moi, qui ont renoncé aux sucres simples, mais continuent à s'accorder à volonté fruits et glucides complexes (riz, pain, pâtes, pommes de terre, légumineuses...).

– Les « no sugar hardcore », qui éradiquent tout sucre, qu'il soit simple ou complexe, fruits compris. Souvent, ce canal jusqu'au-boutiste des « no sugar » est proche de la tribu paléo qui prône un retour à l'alimentation de nos ancêtres hominidés.

Elle a ses stars : jamais en retard d'une tendance, les people se convertissent en masse à un régime alimentaire finalement assez simple à suivre (il suffit de zapper les produits sucrés) et aux bénéfices minceur, santé, beauté et jeunesse... Parmi ceux-ci, on peut citer évidemment la macrobio Gwyneth Paltrow, le mannequin Elle Macpherson, les actrices Halle Berry, Eva Longoria et Angelina Jolie, la chanteuse

Jennifer Lopez, la styliste Victoria Beckham... Autre adepte du « no sugar », la blogueuse star de la mode Garance Doré, qui s'est fendu d'un billet sur sa (presque) semaine sans sucre, véritable révélation bien-être, fin 2013. La dernière en date ? La petite North West, fille de Kim Kardashian et de Kanye West, qui, à un peu plus d'un an, n'aurait absolument pas droit au sucre.

Elle a ses recettes : au fil des quatre dernières années, les livres de recettes « no sugar » se sont multipliés, chacun des prophètes ou presque prenant sur lui de publier ses meilleures recettes, généralement artistiquement mises en scène et magnifiquement illustrées. Parmi les plus illustres des « sugar free it girls », il y a Daisy Lowe. Mannequin anglais, icône boho, Daisy Lowe confesse avoir toujours aimé manger sucré et cuisiner des gâteaux depuis son enfance. Sauf que, compte tenu de son métier, impossible de se goinfrer. « Au cours des dix dernières années, j'étais persuadée que le sucre et les glucides étaient démoniaques. » Pour continuer à en manger tout de même, elle est passée au « no sugar » et a inventé des douceurs sans sucre. « Remplacer le sucre a fait une différence énorme, dit-elle. Cela m'a donné plus d'énergie, je dors mieux, je me sens mieux et j'ai perdu un peu de poids. Retirer le sucre est facile car il y a finalement beaucoup d'alternatives. » Résultat de cette quête : *Sweetness & Light. 60 Recipes for Healthy Sweet Treats* (Quadrille Publishing Limited, 2014). Au fil des pages, entre photos romantico-kitsch de Daisy, on navigue d'un cake abricot-gingembre à un cheese-cake au citron. Son livre est un tel succès que ses cakes ont été vendus l'été dernier au restaurant Q sur le toit de Selfridges à Londres ! « Beaucoup de jeunes filles me contactaient sur Twitter pour avoir mon avis. Je me suis dit que ce livre répondrait à leurs questions.

J'ai trouvé mon inspiration chez des chefs, associé mes ingrédients favoris, fait des essais... Certains étaient réussis, d'autres désastreux!» En France, pas encore de star féminine qui vante les mérites d'un régime « sugar free », mais quelque chose me dit que cela ne tardera pas.

Recettes sans sucre : le nouveau filon de l'édition ?

Dans les rayons des librairies, une des dernières tendances est la publication de nombreux livres de cuisine consacrés aux recettes «no sugar». Ci-dessous une liste non exhaustive, regroupant les titres français les plus intéressants à mon avis :
– Sarah Wilson, *C'est décidé, j'arrête le sucre* (Larousse, 2015).
– Sue Quinn, *Sans sucre ajouté, la bible* (Marabout, 2015).
– Géraldine Olivo, *Zéro sucre. Desserts 100 % gourmands sans sucres ajoutés ni édulcorants* (Alternatives, 2015).
– Christophe Felder, *Sugar Free: 54 desserts Canderel 100 % sucralose* (Éditions de La Martinière, 2012).
– Ellen Frémont, *Desserts aux sucres naturels. Sirop d'agave, muscovado, miel, sirop de riz, stévia...* (Larousse, 2014).

Elle a ses programmes healthy : après les voyages fiesta, c'est le boom des voyages détox. À deux pas ou très loin, on s'offre une parenthèse enchantée pour déconnecter du stress quotidien, mais aussi de nos mauvaises habitudes alimentaires. Séjour en goélette au large de la Turquie avec Martine Fallon, semaine en thalasso sur les côtes bretonnes, régime ayurvédique dans un centre indien... Les propositions pullulent et les envies aussi. Se décrasser en renonçant au sucre dans un cadre idyllique nous fait rêver. On s'imagine remettre à zéro son organisme et repartir d'un bon pied, bien plus capables de faire face aux sollicitations du quotidien.

Elle a ses égéries : l'idée de gérer son « capital physique », de prendre soin de son corps et de son équilibre, doit aussi beaucoup à l'émergence d'une nouvelle catégorie de coachs bien-être autoproclamées. Expertes ès réseaux sociaux, elles fédèrent des communautés de followers à coups de tutos, de selfies, de twittos et de posts sur leur compte FB. On a déjà évoqué le cas de Daisy Lowe, mais on pourrait également parler d'Anne-Marie Van Dijk, mannequin et fondatrice de Cleanse (cleanse-nyc.com), qui a créé son programme de nutrition / bien-être avec l'aide d'experts et qui prend en charge de jeunes mannequins. Un de ses dadas ? L'arrêt du sucre qui nous intoxique. Danielle Copperman, mannequin, fan de nutrition, chef, blogueuse, a quant à elle élaboré un granola sain, baptisé Qnola, composé de quinoa, cannelle, vanille, noix et graines, dont du chia, noix de coco, cacao, goji, gingembre, et un peu de sirop d'agave. Le tout est à commander en ligne (qnola.co.uk) ou à acheter dans une série de boutiques chics. En France, Camila Prioli, fondatrice de Happy Crulture, un pop-up restaurant qui investit galeries, magasins, ateliers ou restaurants, propose sa cuisine nomade et vegan, avec peu ou pas de sucre (infos sur happycrulture.com).

Elle a ses adresses : dans le monde anglo-saxon, on trouve de plus en plus facilement des adresses où déguster des repas « no sugar », douceurs comprises. En France, le goût de l'époque étant au sucré, c'est un peu plus compliqué. Cela étant, certaines initiatives récentes indiquent l'émergence, que dis-je, quelques frémissements « no sugar ».

– **Eugène** : pâtisserie super low sugar montée par Christophe Touchet, diabétique, associé à Luc Baudin, jeune chef pâtissier chocolatier. Leur idée ? Créer de vraies pâtisseries gourmandes dont la teneur en sucre est sérieusement réduite (- 50 %) avec un travail sur les saveurs, les textures... Au final, de quoi craquer de temps en temps sans alourdir sa facture sucrée.
11 rue Guillaume-Tell, 75017 Paris. www.eugene.paris

– **Delicesweet** : qualifiée « d'épicerie de la saine gourmandise », cette boutique propose des dizaines de douceurs garanties naturelles, sans sucre et sans aspartame. On y trouve de la poudre de cacao au tagatose (un édulcorant naturel tiré du lait), des biscuits au maltitol, du turrón au maltitol et sorbitol, de la pâte à tartiner au maltitol, de la glace no sugar, etc. Certains viennent de loin pour son fondant au chocolat sans sucre, ni beurre, ni gluten !
54 avenue de La Bourdonnais, 75007 Paris.
www.delicesweet.fr

– **Chloé S.** : boutique de cupcakes lancée par Chloé Saada, pâtissière cathodique et diabétique qui crée ici des cakes et des cupcakes classiques, mais également une version allégée, sucrée au sirop d'agave, qu'elle peut consommer. C'est girly, plutôt bon et parfait de temps en temps.
40 rue Jean-Baptiste-Pigalle, 75009 Paris.
www.cakechloes.com

– **Grand Appétit** : épicerie et restaurant macrobio où le sucre n'a pas droit de cité. Seuls le sirop de riz et le sucre naturel des fruits et des aliments sont utilisés en cuisine. La bonne idée ? Quelques spécialités sucrées sans sucre à emporter.
9 rue de la Cerisaie, 75004 Paris. legrandappetit.fr

La liste n'est pas exhaustive, bien entendu... On peut également mentionner les chocolats Karéléa, pas mauvais d'après mes testeurs, dans lesquels le sucre a été remplacé par du maltitol. Chocolat noir et au lait à croquer, chocolat noir à cuisiner, chocolat blanc coco ou noir noisettes, une initiative intéressante lancée par la marque Léa Nature. Autre option, Chez Hélène (*28 rue Saint-Gilles, 75003 Paris*), une bonbonnière où shopper des sucreries classiques, mais également quelques bonbons sans sucre, soigneusement identifiés.

Cette réduction du sucre va-t-elle se généraliser ? Pour l'instant, ceux qui se sont engagés sur cette voie sont peu nombreux. Un signe tout de même... Au Plaza Athénée, palace juste rouvert après des travaux pharaoniques, l'esprit 100 % naturalité de la nouvelle carte lancée par Alain Ducasse est allé jusqu'aux desserts. L'obsession du chef ? Alléger, alléger, alléger, y compris le sucre dans ses desserts et entremets. Résultat, les créations du chef pâtissier Michaël Bartocetti reflètent ce parti pris. Le citron est très acide, le cacao très cacaoté... Une rééducation du palais qui préfigure peut-être une tendance plus globale, tant on sait Alain Ducasse précurseur.

Combien y a-t-il actuellement de « no sugar » sur la planète ? Sans doute entre quelques centaines de milliers et quelques dizaines de millions, volontaires ou involontaires. Quelle « no sugar » suis-je au milieu de cette tribu aux contours flous ? Une mi-radicale, mi-cool. Mi radicale car, avec cette année sans sucre, je me suis tellement éloignée du sucre que je n'ai presque pas testé les édulcorants et les plans B. Mi-cool car j'ai globalement toujours été réticente à intégrer une tribu quelconque et à suivre un dogme. Un reste de mon enfance sous parti unique grâce à Mobutu ? Je crois à une forme de sagesse instinctive et au bon sens...

Quel est l'avenir de la tribu « no sugar » ? Dans le monde anglo-saxon, son avenir est paradoxalement lumineux. À côté d'une population défavorisée sans doute de plus en plus dépendante d'une nourriture industrielle de piètre qualité, nul doute que l'on va voir une frange toujours plus large rejoindre un mouvement très attentif à la santé et au bien-être. Ce ne serait guère étonnant dans des cultures où la responsabilité individuelle est fortement encouragée par des systèmes de sécurité sociale nettement moins généreux que le nôtre. La situation sera-t-elle similaire en Europe ? « Depuis quelques années, on assiste à la réhabilitation du gras, long-temps vilipendé, décrypte le sociologue Claude Fischler. C'est le retour de balancier pour les sucres. C'est bien joli, mais cette remise en cause est basée sur un savoir et des connaissances en santé publique encore fragiles. Le discours sur le sucre est ambivalent depuis plusieurs siècles, particulièrement chez les Anglo-Saxons où la culture fait des hommes des êtres libres et responsables. Être libre et responsable, c'est aussi voir peser une potentielle lourde culpabilité sur l'individu. La nour-riture n'est pas plaisir. La nourriture est utile et suspecte. En France, c'est différent. Manger reste un plaisir assez partagé, ce qui lui accorde une valeur positive. » La croisade anti-sucre risque-t-elle de prendre chez nous? « Je ne sais pas. Toutes les critiques sur le sucre ont des relents de jugement moral, ajoute Claude Fischler. Le grignotage est un plaisir réprouvé depuis le Moyen Âge. Aujourd'hui, alors qu'on a dédiabolisé la masturbation, le grignotage pratiqué seul semble la remplacer. Il cristallise les tabous. » Pascale Hébel, directrice du département consommation au Crédoc, partage son point de vue. « Le sucre, comme la viande, tient une place très particulière dans ce lien entre nourriture et morale. Il a été alternativement angélisé ou diabolisé en raison de son lien avec le plaisir. Le péché de gourmandise reste de nos jours autant diabolisé que le péché de chair. Depuis quarante ans, la saveur sucrée fait l'objet de réprobations sociales croissantes. Les accusations viennent des organisations médicales, des médias, des obédiences diétético-philosophiques. La consommation excessive de sucre est condamnée. Derrière ce débat se profile la question du plaisir. Depuis le Moyen Âge, le goût de la nourriture peut provoquer un plaisir considéré comme dangereux. Depuis les crises sanitaires du début des années 2000, la morale autour de l'alimentation est revenue sur le devant de la scène. Le courant de dénégation du sucre reprend de l'importance[1]. »

Renoncer la plupart du temps au sucre, est-ce poser un jugement moral? Ou, plus simplement, est-ce une manière d'essayer de retrouver une forme de liberté et un investissement sur l'avenir? Les « no sugar » français et européens avec lesquels j'ai pu échanger assènent rarement des jugements moralisateurs du type « le sucre est un poison », « le

---

1. « Les Français ont-ils le bec sucré? », *Le Goût du sucre, plaisir et consommation, op. cit.*

sucre c'est mal » ou « continuer à manger du sucre, c'est être faible ». J'ai plutôt l'impression d'avoir rencontré des gens curieux, en évolution permanente, désireux de progresser, soucieux de leur santé, négociant avec leurs envies et tâchant d'atteindre une sorte d'équilibre. Tenant compte de leurs faiblesses, leurs envies et des interactions, la plupart des « no sugar » d'ici aménagent le « dogme », créant leurs règles et ne cherchant pas à les imposer aux autres.

À l'image d'Audrey mangeant le granité de clémentines (« Ce sera l'un de mes deux "sugar time" de la semaine », a-t-elle annoncé), les convives ont fini le dîner relativement convaincus de l'intérêt de lever le pied sur le sucre, sans s'en passer définitivement, ni absolument. Pas de polémique, ni de discussions houleuses. Léopoldine aurait approuvé.

Décembre

Chapitre 12
Cuisiner sans sucre, est-ce possible?

Noël et les fêtes de fin d'année approchent.

Pour une « no sugar » depuis dix mois comme moi, c'est à la fois une période qui reste potentiellement dangereuse et qui s'avère finalement facile à gérer.

Dangereuse car, plus encore qu'à Pâques, le sucre est partout, guettant le moindre écart, la moindre faiblesse...

Pctit florilège sucré des tentations de la fin de l'année :
– Saint-Nicolas, ses chocolats, ses gâteaux et ses pains d'épices.
– Le calendrier de l'Avent et ses chocolats.
– Les biscuits de Noël de ma mère fin décembre.
– Les bûches de Noël déversées par tombereaux sur la rédaction dès le mois d'octobre.
– Les galettes à tester à la rédaction dès le mois de novembre.

– Les créations exclusives des chocolatiers dès début novembre.

– Les chocolats fourrés de la Saint-Valentin livrés début décembre.

Bref, la période est totalement minée.

Heureusement, les dix mois précédents m'ont appris deux choses.

1. Si le danger est trop élevé, plutôt que tenter d'y résister, évite-le.

Compris. Cette année, en rupture avec la tradition familiale qui nous fait passer Noël au coin du sapin et du feu au fond de la Belgique, nous mettrons cap au sud pour les fêtes que nous passerons tous les trois aux Maldives chez des amis, au Barefoot Eco Hotel, sur l'île d'Hanimaadhoo. Sa particularité ? L'île étant musulmane et habitée, l'alcool y est interdit. Par contre, la cuisine est tenue par des chefs italiens très doués. Au menu, poissons frais, légumes, fruits et natation, tout ce qu'il faut pour une « no sugar » en voyage. Quant au retour fin décembre, il nous permettra, en plein *jetlag*, de zapper le Nouvel An. Une chose réglée !

J'en profite ici pour faire un aparté. Ma fille a porté des couches lavables jusqu'à l'âge de 2 ans, je nettoie ma maison au savon de Marseille et au vinaigre blanc, j'interdis à toute lingette de franchir mon seuil, j'essaie d'acheter des aliments locaux et de saison, je boycotte au maximum la fast mode, je chauffe au minium l'hiver (17 à 18 °C, ce qui me vaut d'écrire ce chapitre avec des mitaines)... Bref, je me sens plutôt écolo. Sauf pour ce qui touche aux voyages. Là, je plombe allègrement mon bilan carbone. Je le sais, je plaide coupable.

2. Cuisiner « no sugar », c'est finalement assez facile.

– Mais vous ne travaillez pas, alors ? m'a demandé un jour un expert que j'interviewais dans le cadre de cette enquête.

– Euh, si, je travaille sur cette enquête notamment.

– Ce que je voulais dire, c'est que vous ne travaillez pas à temps plein pour avoir le temps de tout cuisiner pour manger « no sugar », m'a-t-il rétorqué.

– Si, je travaille en moyenne 50 à 60 heures par semaine entre le magazine et ce projet. Mais je m'efforce de manger et de cuisiner un minimum tous les jours.

Il y a eu un blanc à l'autre bout de la ligne…

Je suis sans doute l'une des dernières des Mohican(e)s. Je cuisine, je cuisine même presque tous les jours. Et le plus souvent, vous savez quoi ? J'y prends beaucoup de plaisir, y compris après une journée fatigante. Parfois, je me dis qu'il s'agit de ma forme de méditation en pleine conscience à moi. Christophe André, auquel j'ai soumis ma théorie, a réfuté ce point de vue, estimant que cuisiner n'est pas un acte méditatif car trop actif. Devant mon plan de travail, je sais que je suis en pilotage automatique, les idées vont et viennent, je les laisse filer, je les observe gambadant sous mon crâne. Les mains en mouvement, je souffle, je m'apaise, je me détends. Je suis dans une bulle où l'activité physique prend le pas sur le mental, sollicité toute la semaine.

Cette année « no sugar », le goût du sucré excepté, n'a pas été tellement différente des autres. Comme toutes les femmes et pas mal d'hommes, j'ai couru, j'ai jonglé entre mon boulot, ma vie personnelle, les activités de ma fille, les contraintes de l'école, les courses, la maison, les amis et tout le reste...

Pour mettre toutes les chances de mon côté, j'ai instauré certaines routines :

1. J'achète le fond, surtout l'épicerie (pâtes, riz, lait, sauce tomate, huile d'olive) et une partie des produits frais (saumon fumé, produits laitiers) sur Internet en choisissant avant tout des produits bio. Le tout m'est livré à la maison environ deux fois par semaine.

2. Régulièrement, je demande à mon primeur de me faire une livraison de fruits et légumes. Je lui dicte par téléphone la commande et, 15 à 30 minutes plus tard, il sonne à la porte.

3. Chaque week-end, je vais au marché bio des Batignolles où j'achète les végétaux frais en complément. Dans la Manche, j'achète de la super viande chez Lombardie que je fais mettre sous vide et étiqueter avant de la congeler.

4. Lorsque je vais à la boulangerie, je prends quatre à cinq pains noirs ou aux céréales que je fais trancher et que je conserve au congélateur. Une tranche congelée dans le grille-pain = une tartine à point le matin.

5. Le dimanche soir, je fais une grosse soupe de légumes afin d'en avoir jusqu'au mercredi.

6. Je prévois toujours des plans B au réfrigérateur afin de pouvoir vite concocter un repas sain et sans dérapage.

7. Le week-end, quand je prépare un osso bucco, une sauce bolognaise ou un curry de veau, je double les quantités et je congèle la moitié.

8. Je pense à ma liste de courses du week-end pendant la semaine de manière à ce qu'elle soit prête le samedi. Cela m'évite d'hésiter devant les rayons ou les étals.

9. Pour gagner du temps, je remplis mon congélateur de « produits bruts » pratiques : petits pois, myrtilles, fruits rouges, fèves épluchées...

10. De temps en temps, on fait un pique-nique du soir : fromage + pain + olives + salade de tomates... Tout le monde est ravi, moi aussi !

Mes SOS frigo en détresse

Même moi, femme à peu près organisée comme pourraient en témoigner mes amies, je suis parfois en manque de temps ou d'énergie. Ma solution ? Avoir toujours quelques plans B en réserve, garantis « no sugar » :

Au réfrigérateur
– Des crêpes nature Monoprix, à dégainer le matin en cas d'urgence.
– Des galettes de céréales épinards-pignons Céréalpes, délicieuses avec une salade verte.
– Un paquet de saumon fumé bio.
– 500 g de pommes de terre bio fermes, déjà cuites.
– Une brique de gazpacho Alvalle.
– Du beurre bio.

– Du parmesan râpé.

– De la mozzarella de bufflonne bio.

– Du fromage blanc fermier entier.

– De la polenta fraîche précuite en boudin Céréalpes.

– Un sachet de salade verte et un sachet de pousses d'épinards.

– Un concombre.

– Des bouquets d'herbes fraîches : persil plat, coriandre, ciboulette, menthe.

Au congélateur

– Un sachet d'edamame (haricots soja) Picard à réchauffer au micro-ondes pour un en-cas.

– Un sachet de petits pois bio Picard car les petits pois, ça va avec tout.

– Un sachet de fèves déjà pelées Picard.

– Un sachet de fruits rouges + un sachet de myrtilles Picard.

– Deux ou trois steaks hachés bio à 5 % de matières grasses.

– Des blancs de poulet bio.

– Du jambon blanc bio.

– Des samoussas végétariens achetés dans un supermarché asiatique.

Et aussi

– Douze œufs bio.

– Des conserves de pois chiches, haricots rouges, haricots blancs.

– Des pâtes de riz.

– Des noisettes torréfiées du Piémont.

– Des amandes italiennes.

– De bonnes sardines en boîte.

– Du foie de morue en boîte.

- Du thon en boîte.
- Du lait de coco.
- De la poudre de cacao.
- Des citrons bio.
- 2 ou 3 avocats.
- 500 g de tomates cerises.
- 1 potimarron (qui se conserve bien 2 à 3 semaines).
- De l'huile de coco.
- Une bonne huile d'olive.
- Du quinoa.
- De petits flocons d'avoine.
- Du riz semi-complet.
- Des lentilles vertes et des lentilles corail.
- De l'ail et des oignons roses de Roscoff.
- De bonnes olives.

PETIT DÉJEUNER

C'est sans doute le repas le plus compliqué lorsqu'on devient « sugar free ».

Pourquoi ? Parce qu'il faut globalement renoncer à tous les aliments préparés pour le petit déjeuner. Céréales, gâteaux, pain industriel, confitures, jus de fruits, yaourts aux fruits... Tout est bourré de sucre depuis que l'industrie s'est emparée de ce repas après la Seconde Guerre mondiale.

Mes conseils
   – Miser sur des protéines et des matières grasses qui, accompagnées d'un peu de pain complet, nordique ou aux céréales, stabiliseront la glycémie tout au long de la journée et éviteront les fringales jusqu'au déjeuner. En pratique, on fait

comme nos amis d'Europe du Nord, on passe au petit déjeuner salé avec jambon, charcuterie, fromages...

– Parmi les alliés « satiété » du petit déjeuner, il y a **un aliment miracle : les œufs** ! Depuis un an, je les mets le plus souvent possible au menu dès le matin.

– Côté pain, on évite bien évidemment le pain industriel qui contient souvent des graisses végétales et du sucre, et on opte pour un pain complet ou un pain aux céréales, de préférence bio. Mon favori ? **Le pain nordique**, à la farine de seigle, aux céréales et à l'avoine qui évite les pics d'insuline.

– Envie d'une touche de sucré ? Pourquoi pas, de temps en temps, à raison **d'une cuillère à café de miel ou de confiture sans sucre**.

– On découvre les **purées d'oléagineux**. Bourrées d'excellentes graisses (acides gras monoinsaturés), de fibres, de protéines et de vitamines, les purées d'amandes et de noisettes sont délicieuses sur une tartine de pain grillé.

– **Que boire ?** Café, thé, chicorée, lait... À chacun de faire selon ses envies. Une certitude, on ne sucre pas sa boisson et on évite le jus de fruits le matin qui, contrairement à ce que clame la publicité, se révèle apporter nettement plus de sucre (fructose) que de vitamines. Personnellement, je savoure un thé vert genmaicha, au riz soufflé, et, rarissimement, je m'accorde une orange pressée, coupée à l'eau, avec mon petit déjeuner.

DÉJEUNER et DÎNER

Globalement, j'essaie à chaque repas d'avoir dans mon ou mes assiettes des légumes cuits et crus, qui représentent la moitié du volume du repas, une source de protéines (œufs ou viande ou poisson ou tofu ou légumineuses) et des glucides complexes (céréales et/ou légumineuses). Parmi mes « jokers », il y a les soupes :

1. Elles hydratent avec 80 à 90 % d'eau.

2. Elles fournissent vitamines et minéraux grâce aux légumes qui les composent.

3. Elles permettent de se caler l'estomac, voire d'être un plat unique, lorsqu'elles sont suffisamment épaisses.

4. Elles se conservent 2 à 3 jours au réfrigérateur et peuvent combler une petite faim.

5. Elles font des restes géniaux, à recycler par exemple en « bouillon » de cuisson d'un risotto. Un exemple ? La soupe de potiron + risotto + purée de truffe = un repas de fête !

Côté légumes, je ne me suis fixé aucun interdit. J'essaie bien entendu de varier au maximum les végétaux et de me fixer un volume de cinq légumes par jour, cuits ou crus, ainsi qu'un ou deux fruits, si j'en ai envie.

Le cas de l'avocat

Ce fruit merveilleux mérite qu'on s'y attarde un peu...
Venu d'Amérique du Sud, l'avocat a été décrié ces dernières décennies. Pourquoi ? Parce qu'il est gras. Combien de fois ai-je entendu des copines me dire : « Non, moi je n'en mange pas, je fais attention en ce moment, je cherche à perdre du poids. » Erreur, fatale erreur ! À Hollywood, les stars suivies par des nutritionnistes, qui paraissent quinze ans de moins que leur âge, en ont pourtant fait une des bases de leur alimentation, à raison d'un avocat par jour. Et elles ont raison. Pourquoi ?

1. Il est gras (14,7 g/100 g) , mais il s'agit essentiellement d'acides gras monoinsaturés (9,9 g/100 g), soit du «bon gras».
2. C'est le fruit qui contient le plus de phytostérols (80 mg/100 g).
3. Avec 6,7 g de fibres pour 100 g, c'est une source très élevée de fibres.
4. C'est une excellente source de vitamine B5, de vitamine K, et une bonne source de vitamine B6 et de cuivre. Il apporte également des vitamines C et E, du fer, du potassium, du magnésium, du phosphore, du zinc, du manganèse...
5. Il est très riche en antioxydants, dont des proanthocyanidines (tanins). Un avocat apporterait autant d'antioxydants qu'une demi-tasse de brocolis cuits.
6. Il boosterait la capacité du foie à réparer ses lésions.

Source : Passeport Santé

JUS et SMOOTHIES

En dépit de la vogue actuelle des bars à jus et de l'hystérie collective du smoothie, je ne suis pas une addict des jus et des smoothies.

Pourquoi ? Parce que les jus de fruits, même fraîchement pressés, sont bourrés de sucre, sous la forme exclusive de fructose, les fibres ayant été éliminées. Quant aux smoothies, je les considère comme «dangereux» car ils sont rapidement digérés, les fibres des fruits ayant été finement mixées.

Mes conseils

1. **Je considère les jus de fruits comme une gourmandise occasionnelle**. Et je les coupe toujours à l'eau. Le bon rythme pour moi ? Un à deux jus de fruits par semaine, pas plus, de préférence en mangeant quelque chose en même temps afin de ralentir l'absorption du sucre.

Mes recettes favorites de jus, réalisées avec un extracteur :

– 1 concombre + 1 branche de céleri + 2 poignées de pousses d'épinards + 1 pomme verte granny

– 2 carottes + 1 pomme + 1 peu de gingembre

– 1 concombre + 1 kiwi + 1 peu de gingembre + 1 poignée de roquette

2. **Je zappe les smoothies, sauf lorsqu'ils sont majoritairement à base de légumes**. Le bon mix ? 75 à 80 % de légumes pour 20 à 25 % de fruits. Mieux vaut les faire chez soi, minute, afin de bénéficier de toutes les vitamines du smoothie. Enfin, je zappe les smoothies industriels dont je ne peux contrôler la composition.

Mes recettes favorites de smoothies, réalisées avec mon robot Magimix :

– 1 banane + 1 avocat + 1 kiwi + 15 cl d'eau de coco + quelques feuilles de menthe

– 1 pomme + quelques fraises + 1 concombre

– 2 tomates épépinées + 1 concombre + sel + poivre + Tabasco

DESSERTS

Avec le petit déjeuner, il s'agit sans doute du moment « critique » d'un régime « no sugar ».

La bonne nouvelle, c'est qu'au fil des semaines on a de moins en moins envie de manger quelque chose de sucré. La mauvaise nouvelle, c'est que le sucre fait partie des rituels sociaux et qu'il est difficile, voire inconcevable de ne pas terminer un repas avec une note sucrée.

Mes conseils

– Lorsque je suis invitée, **je préviens la maîtresse de maison** s'il s'agit d'une amie proche, afin qu'elle ne se vexe pas lorsque je refuse le dessert. Si besoin, je sors mon joker « je fais attention au sucre en ce moment car il y a beaucoup de cas de diabète dans ma famille... ». Moche, mais imparable. Personne ne vous poussera à tomber malade !

– **Au restaurant, je zappe le dessert**. Attention, le plus souvent, on vous demandera de commander votre dessert avant le repas. Pourquoi ? Parce que sinon, rares seraient les convives à prendre un dessert après le plat principal. Inciter les clients à commander un dessert avant même l'entrée est un vieux truc de restaurateur afin de garantir son chiffre d'affaires. Généralement, je me contente d'une entrée + un plat. Sinon, je prends un peu de fromage.

– Lorsque je reçois chez moi, **je mise sur des desserts 0 % de sucre** qui font illusion. La plupart d'entre eux sont, bien entendu, à base de fruits frais.

– Les jours de déprime, je m'accorde un **chocolat au lait** en mélangeant du lait entier bio, de la poudre de cacao et un peu de Pure Via (édulcorant à la stévia).

– J'essaie de mettre souvent la **noix de coco** au menu afin de profiter de sa saveur douce et naturellement un peu sucrée.

La noix de coco a tout bon

Injustement décriée, la noix de coco fait un come-back remarqué en cuisine et en nutrition. Des États-Unis à la France, les dingues de food ne jurent plus que par elle. Pour les « no sugar », la noix de coco est magique car sa saveur douce et naturellement sucrée est gourmande. On l'utilise donc sous toutes ses formes :

1. L'huile de coco : extraite à froid de la pulpe fraîche, l'huile de coco est dite « concrète » car elle se solidifie à température ambiante (en dessous de 25 °C). Principalement composée d'acides gras saturés, dont 50 % d'acide laurique aux vertus santé reconnues, l'huile de coco peut être utilisée crue ou chauffée. Avec du sirop de riz et de la purée de noisettes en pâte à tartiner, dans les gâteaux, pour faire sauter crevettes, légumes...

2. Le lait de coco : il est fabriqué à partir de la pulpe des noix de coco à maturité, c'est-à-dire à la coque de couleur brune. Fer, manganèse, cuivre, phosphore, sélénium... Ce liquide blanc légèrement grisé, comparable à la crème à 15 %, excellente source de nutriments, est l'ingrédient phare de nombreuses cuisines du Sud-Est asiatique. Il se cuisine salé ou sucré, et peut remplacer la crème fraîche. Quant à la crème de coco, elle est plus épaisse et fait merveille dans les préparations sucrées.

3. La chair de coco : il s'agit de la chair fibreuse et blanchâtre qui se mange fraîche (au rayon frais des supermarchés), ou qui, une fois séchée et râpée plus ou moins finement, est utilisée en pâtisserie sous forme de poudre. On l'ajoute à un granola, un crumble, on en fait des flans, des macarons...

4. <u>L'eau de coco</u> : peu calorique, très désaltérante, riche en magnésium et en potassium, l'eau de coco est récoltée dans les noix encore vertes. Boisson nationale au Brésil, elle séduit progressivement le monde grâce à ses similitudes avec le plasma sanguin. Elle contribuerait même à réduire la cellulite. On la boit telle quelle ou on s'en sert en smoothie ou pour cuire du riz.

5. <u>La farine de coco</u> : obtenue après séchage, dégraissage et broyage de la chair de coco. Dotée d'un indice glycémique bas et dépourvue de gluten, cette farine est riche en protéines et en fibres. Le plus ? Sa saveur légère, naturellement gourmande, qui peut remplacer la farine à hauteur de 15 % dans les recettes de pâtisserie.

6. <u>Le sucre de coco</u> : est extrait de la sève de la fleur de cocotier. Ressemblant au sucre roux, ce produit naturel non raffiné riche en antioxydants a un index glycémique très bas d'environ 24,5. Son avantage ? Sa facilité d'utilisation car il peut être chauffé et même caramélisé. Idéal pour une tatin, une glace au lait de coco, une meringue...

Janvier

janvier

Chapitre 13
Le pouvoir et le sucre

En juin dernier, accompagnée d'un ami photographe, j'ai pris la direction de l'île Maurice pour y réaliser un reportage « travel food » destiné à être publié pendant l'été. Oui, notre métier demande parfois d'énormes sacrifices... Durant une semaine, nous avons sillonné l'île du nord au sud et d'est en ouest, photographiant des plages, des cocktails, des pêcheurs, des glaces, des currys et des marchés de rue. Nous avons parcouru près de 1 000 km en six jours, traversant des champs innombrables de canne à sucre, semés des vestiges d'anciennes usines sucrières, cheminées en pierre abandonnées s'élevant au milieu du paysage.

C'est le début de la coupe de la canne. Partout sur les routes, des camions de toutes sortes, du petit pick-up au semi-remorque, et même quelques charrettes, tous débordant de cannes fraîchement coupées ! Dans la plantation de thé de Bois Chéri, quelques hommes, machettes à la main, coupent les cannes, répétant les gestes déjà pratiqués des milliards et des milliards de fois sur cette île dédiée à Sa Majesté le Sucre, où 90 % des terres cultivables lui sont attribuées. Grâce à Stéphanie, une Mauricienne, nous assistons quelques jours plus tard à la coupe de la canne dans un champ. Cette fois, elle est automatisée avec une récolteuse de canne. À quelques mètres, nous la regardons passer, baleine broyant des mètres cubes de cannes, sorte de véhicule échappé d'un *Mad Max* agricole. Quelques ouvriers la suivent, ramassant les tiges éventuellement oubliées par la machine. L'un d'entre eux me tend un morceau de canne fraîche. Je croque dedans. Instantanément, le goût unique du jus frais de canne me bouleverse les papilles. En fermant les yeux, je retrouve mes sensations de petite fille à la plantation de Kwilu-Ngongo, en camp scout au Zaïre... La canne serait-elle ma madeleine de Proust ?

Impossible de s'attarder, nous repartons en direction de l'usine sucrière Alteo, l'une des quatre encore en activité. À peine la portière ouverte sur le parking, nul doute, nous sommes au cœur de l'empire du sucre. Des dizaines de camions dépareillés attendent de pouvoir monter sur la balance avant de déverser leur cargaison en tumulus de cannes. D'immenses pinces viennent y piocher des poignées de tiges qui sont acheminées dans l'usine via des tapis roulants. Ça grince, ça frémit, ça vrombit, ça s'agite. Équipés de casques de chantier, nous suivons notre guide dans les entrailles de l'usine, découvrant le circuit de la canne. D'abord écrasée, puis hachée, elle est pressée pour en extraire le fameux jus qui sera ensuite chauffé, filtré et raffiné pour obtenir sucre blond, sucre roux, sucre brun et mélasse, au total près d'une douzaine de variétés. Dans un intense parfum de confiserie et de caramel, nous grimpons des échelles, arpentons des passerelles, descendons des escaliers, traversant cette gigantesque architecture de métal. Une heure plus tard, nous sortons un peu groggy, sonnés par tant de bruit et cette odeur sucrée omniprésente. Notre guide nous explique à quel point l'économie mauricienne est dépendante des cours du sucre, un des piliers de l'économie locale.

Aujourd'hui encore, avec environ 450 000 tonnes par an, Maurice est l'un des dix plus gros exportateurs de sucre du monde grâce, notamment, à ses sucres spéciaux : rapadura, Demerara, muscovado... Sur cette île de l'océan Indien cohabitent encore petits planteurs de canne exploitant quelques hectares de champs, et multinationales du sucre, exportant leur savoir-faire à l'étranger, notamment au sud de l'Afrique.

Le soir, à la Maison d'Été, l'alléchante carte des desserts nous fait tourner la tête. Grégoire se régale d'une glace au muscovado, tandis que je me contente d'un peu d'ananas. Maurice résume bien l'univers du sucre au début du XXIe siècle : une monoculture qui a profondément marqué le territoire local, des groupes industriels de plus en plus puissants et concentrés (4 usines sucrières encore en activité en 2014 contre 259 au XVIIIe siècle[1]), des liens étroits avec les autorités publiques et les hommes politiques, une saveur omniprésente dans la gastronomie mauricienne...

Retour en janvier 2015. Nous voilà presque à la fin de cette année « no sugar ». Au fil des mois, j'ai appris à vivre sans sucres simples, trouvant dans les sucres complexes tout ce qu'il me fallait pour être en bonne santé. À quelques semaines de la fin de mon année sans sucre, je commence à avoir une vue d'ensemble de nos rapports au sucre. Il me manque la

---

1. « Deep River-Beau Champ : Fermeture de la dernière usine sucrière dans le cadre de la réforme », *Le Mauricien*, 10 avril 2014.

dernière pierre à l'édifice : estimer le poids relatif du secteur industriel du sucre et de l'agroalimentaire, évaluer leur éventuelle responsabilité dans notre (sur)consommation de sucre.

À de multiples reprises, j'ai lu, vu ou entendu des experts et des spécialistes, tout comme des consommateurs lambda s'inquiéter de la responsabilité de ces acteurs économiques dans notre appétit de douceurs. « Si on mange autant de sucre, c'est parce qu'ils en mettent partout ! », « Le principal souci, c'est le manque de courage des pouvoirs publics », « Leurs lobbies sont parmi les plus puissants en Europe », « C'est une manière de nous rendre obéissants, de nous empêcher de réfléchir »… J'ai entendu beaucoup de choses, des plus soupçonneuses aux plus dingues. Je vous l'ai dit, je ne suis pas acheteuse de la théorie du complot. Je ne partage pas l'idée selon laquelle quelques individus planifieraient le mal-être, l'obésité croissante et les problèmes de santé de populations tout entières.

En décembre 2014, j'ai trouvé une invitation dans ma boîte mail pour un Nutri-Débat organisé le 13 janvier 2015. Son sujet : « Existe-t-il un "juste sucre" ? ». Organisé par l'agence Nutritionnellement, il est soutenu par Coca-Cola France, en partenariat avec Zepros et Bien-être & Santé. Cela ne pouvait pas mieux tomber.

Mardi 13 janvier 2015. Il fait froid et humide. Ce colloque a lieu dans le sous-sol d'un centre de conférences. On nous accueille avec le sourire et des plateaux de viennoiseries que je décline, expliquant que je sors du petit déjeuner. Au programme de la journée, près d'une dizaine d'interventions réalisées par des experts issus d'univers variés : sociologue, représentant des industries, professeur de nutrition, diabétologue, endocrinologue, pédiatre, chef pâtissier... Les quatre débats traitent des principales questions du moment : le sucre au cœur de l'actualité, le sucre face aux rumeurs, les sucres ajoutés de constitution, édulcorants « naturels » de synthèse dans l'alimentation. Le tout se terminera en « débats informels autour d'un cocktail sucré pour clôturer la journée et démarrer 2015 sous le signe d'une nutrition festive », comme le précise le programme.

Au fil de la journée, les interventions des médecins et experts présents vont toutes dans le même sens :

1. Le sucre est maltraité par les médias.

2. La teneur en sucre des boissons sucrées est réduite de manière volontaire par les industriels.

3. Le sucre, aliment indispensable pour le plaisir gustatif, voit sa consommation se stabiliser depuis les années 1970 à des niveaux en phase avec les normes recommandées.

4. Le fructose, au niveau où il est consommé en France, ne pose pas de problèmes de santé.

5. L'aspartame est un formidable édulcorant, injustement critiqué par les médias.

6. Le sucre trouve parfaitement sa place dans le cadre d'une alimentation équilibrée.

7. Le sucre n'est pas responsable du développement du diabète.

8. Le goût sucré n'entraîne pas d'addiction.

9. Les étiquetages complexes perturbent le consommateur.

10. Le sucre est indispensable au plaisir, notamment en tant qu'ingrédient clé de la pâtisserie.

Au micro, les experts se succèdent. Certains ont un discours ouvertement pro-sucre, à l'image de Philippe Reiser. Normal, c'est le directeur des affaires scientifiques du Cedus, l'organe de communication grand public du syndicat des sucriers. Le Dr Hervé Nordmann, consultant en affaires scientifiques et réglementaires pour Ajinomoto, promeut l'aspartame, plus grande découverte pour l'humanité après la roue et la pénicilline, est-on tenté de penser après l'avoir écouté... Re-normal, Ajinomoto est le plus grand fabricant d'aspartame en Europe. D'autres ont une position plus subtile, se présentant comme des scientifiques neutres et objectifs, mais acceptant mal les questions posées par les études de certains de leurs confrères, moins tendres avec le sucre.

Après une dégustation à l'aveugle de boissons sucrées ou light et de mousses au chocolat diversement sucrées (sucre ou édulcorants) pour les volontaires, le colloque se termine. Synthèse de la journée ? Le sucre est un produit naturel, qui a sa place dans un régime équilibré et qui est injustement stigmatisé.

I. LE POIDS DES INDUSTRIES

Sur toutes les questions de nutrition et de santé publique, on a parfois l'impression d'assister à une reprise éternelle du même match. Cela ressemble à une version politico-économico-santé d'*Un jour sans fin*, avec un peu d'Ancien Testament. Dans le rôle de David, il y a les ONG, les associations de défense des consommateurs et quelques experts. Dans celui de Goliath, il y a les industriels et leurs prestataires (agences de communication et de lobbying, consultants en gestion de crise et scientifiques experts). Au milieu, dans le rôle de l'arbitre un peu tête en l'air, pas totalement impliqué dans le match, il y a les pouvoirs publics et les hommes politiques. Et sur les bordures du terrain, il y a les médias qui, parfois, jouent aux juges de touche levant leur drapeau, mais sans prise réelle sur le match, et les spectateurs, c'est-à-dire les consommateurs, qui ont une vue plus ou moins précise de ce qui se passe sur le terrain et ne maîtrisent pas totalement les règles (oui, côté règles, le jeu est plus proche du cricket que du football).

Bien que je travaille depuis plus de dix ans dans les médias et que je m'intéresse particulièrement au secteur de l'alimentation et de la santé, je ne connais pas tous les détails de tous les épisodes de ce match sans fin.

Ce dont je suis sûre, c'est que l'immense majorité des industriels respecte strictement la législation et les obligations sanitaires, tout en séduisant autant que faire se peut le consommateur. Les objectifs de ces entreprises, qui ne sont pas des organismes de charité, sont :

1. Vendre leurs produits sur leur marché, la France et l'Europe.

2. Prendre des parts de marché à leurs concurrents.

3. Maximiser la rentabilité de leurs produits.

4. Limiter les risques de réduire leur marché ou leur rentabilité.

5. Maintenir la confiance des consommateurs.

Un quintuple objectif pas toujours facile dans un monde de défiance généralisée où les réseaux sociaux peuvent faire et défaire les réputations en quelques heures...

En France, l'agroalimentaire constitue le premier secteur industriel français, aussi bien en termes de chiffre d'affaires que d'emploi. **En 2013, les 11 852 entreprises du secteur ont réalisé un chiffre d'affaires de 160,5 milliards d'euros**

et employaient 492 727 personnes réparties sur tout le territoire national. L'agroalimentaire joue un rôle clé dans l'aménagement et la vitalité du territoire puisqu'il transforme 70 % de la production agricole française. **Le secteur constitue également un précieux soutien à la balance commerciale du pays puisque cette même année il a généré un excédent commercial de 8,5 milliards d'euros**[1]. L'agroalimentaire est représentée par l'Ania, Association nationale des industries alimentaires, créée en juillet 1968, présidée par Jean-Philippe Girard, association loi 1901 qui rassemble 20 fédérations nationales sectorielles et 23 associations régionales[2].

Le rôle de l'Ania ? Il est clairement décrit sur le site de l'association (www.ania.net) :

« Interlocuteur privilégié des pouvoirs publics et des institutions sur les dossiers agroalimentaires, l'Ania agit en cohérence et en synergie avec ses membres afin de promouvoir le secteur dont elle est le porte-parole. Sa mission première est la promotion et la valorisation de l'industrie alimentaire, tant sur les aspects économiques, les métiers, l'emploi, les valeurs liées à l'alimentation que sur les efforts réalisés par les secteurs et les entreprises en matière de nutrition, de développement durable... L'Ania exerce sa fonction auprès de l'ensemble de nos interlocuteurs extérieurs : pouvoirs publics, médias, grand public ainsi que toutes les organisations représentatives de la distribution, du monde agricole, des consommateurs et du monde scientifique. »

1. http://www.ania.net/lagroalimentaire-en-france
2. http://www.ania.net/qui-sommes-nous

Qu'en est-il du sucre ? « Au sein de l'Ania, la filière sucrière est la plus puissante », assure Olivier Andrault, chargé de mission alimentation et nutrition à l'association de consommateurs UFC-Que Choisir. En 2011, deux fédérations sucrières étaient membres de l'Ania : le Syndicat national des fabricants de sucre de France (SNFS), présidé par Bruno Hot, et la Chambre syndicale des raffineurs et conditionneurs de sucre de France (CSRCSF), présidée par Michel Laborde. Le Cedus, quant à lui, est l'organisme chargé de communiquer sur le sucre auprès des utilisateurs professionnels, des médias et du grand public. Installé dans un hôtel particulier du 16e arrondissement de Paris, il est également présidé par Bruno Hot.

Pour promouvoir la parole sucrée auprès du grand public, le Cedus a développé :
– Un site Internet grand public : lesucre.com, présenté comme un site-magazine récréatif et exhaustif avec tendances, recettes, astuces, actualités...
– Des outils pédagogiques au sein d'une médiathèque disponible en ligne avec « toutes les ressources pédagogiques pour les enseignants du primaire au lycée » (diaporamas, infographies, animations, vidéos, brochures interactives, livres). Une production qui a déjà plus de quatre-vingts ans, voir la fameuse carte de France de production betteravière accrochée aux murs de toutes les écoles !
– Des événements : « Semaine du goût » qui se déroule au mois d'octobre depuis 1990, « Championnat de France du dessert » créé en 1974 par le Cedus en collaboration avec l'Éducation nationale et les professionnels de l'hôtellerie et de la restauration...

– <u>Un fil info</u> enrichi régulièrement d'informations sur l'actualité du sucre, les réactions aux publications scientifiques, médiatiques ou littéraires.

– <u>Des partenariats ciblés</u> tel l'accord-cadre de coopération signé en octobre 2013 avec l'Éducation nationale, afin d'être associé à l'éducation nutritionnelle des enfants. Le Cedus est alors officiellement partie prenante, à l'école primaire et au collège, d'actions visant à « développer les connaissances gustatives des élèves », à « communiquer sur l'importance du goût dans l'alimentation », à « mettre en évidence la nécessité d'une alimentation variée et équilibrée[1] ». Ce partenariat suscitera un véritable tollé chez les associations de consommateurs et les parents d'élèves. Face à la fronde, l'Éducation nationale a confirmé le 19 juin 2014 avoir modifié la convention signée avec le Cedus. Un avenant annule la mission d'éducation à la nutrition dans les écoles qui faisaient partie du contrat. Les dispositions scellant le partenariat avec l'enseignement professionnel sont toujours valables.

– <u>Des campagnes médias</u> : on se souvient de la « Cascade de dominos » et de la « Danse du sucre », suivies de « Qui voudrait vivre dans un monde sans sucre ? » et enfin « Est-ce qu'on n'en fait pas un peu trop sur le sucre ? »... Affichage, publicité télévisée, ces campagnes sont destinées à valoriser l'image du sucre et de sa consommation auprès des consommateurs.

---

1. http://www.quechoisir.org/alimentation/nutrition/actualite-alimentation-le-lobby-du-sucre-conforte-sa-place-a-l-ecole

Pour promouvoir la parole sucrée auprès des professionnels, le Cedus a développé :

– Un site Internet destiné aux professionnels : sucre-info. com.

– Une présence sur les événements professionnels : dont les salons un peu partout en France, parmi lesquels le Salon de l'Agriculture. En 2015, le stand « Le Sucre » sera souligné d'un slogan accrocheur : « Avec le sucre vous êtes dans le vrai ». Y seront distribuées des dizaines de milliers de barbes à papa, tandis que les spectateurs pourront regarder un film baptisé *Le sucre, une vraie belle histoire*.

– Des brochures à télécharger : documentation générale (« Le petit déjeuner, un grand pas pour votre équilibre », « D'où vient le sucre ? », « Sucre & santé : quelle place dans l'alimentation ? », « Bonbons pour le plaisir »...), pédagogique (« Je mange, tu te régales, nous en parlons », « Le sucre en sept sets », « Voyage dans le monde du sucre ») ou professionnelle (« Sucre(s) et consommation », « Digestion et métabolisme des glucides », « Sucre et santé – mode d'emploi »).

– Une librairie sucrée.

– Un fil info scientifique et médiatique.

– Un lien privilégié avec les experts en étant partenaire de colloques, en soutenant l'Institut Benjamin-Delessert (institut de recherche en nutrition dans le domaine des sciences médicales, humaines et sociales), ainsi que d'autres organismes de recherche.

En France, l'Ania, le Cedus et leurs prestataires portent la « bonne parole sucrière » auprès du grand public, des médias, des scientifiques, mais également des autorités publiques et des hommes politiques. C'est notamment le cas auprès des députés, des sénateurs et des cabinets ministériels.

2. DÉFENDRE LES INTÉRÊTS DES PRODUCTEURS

Au niveau européen, le principe est le même. Selon Corporate Europe Observatory (CEO), une ONG spécialisée dans l'observation des pratiques de lobbying, Bruxelles compterait près de 30 000 lobbyistes, un chiffre presque équivalent au nombre d'employés de la Commission. Après Washington, la capitale européenne est la ville qui connaît la plus forte concentration de personnes cherchant à influer sur la législation[1].

Si ces groupes de pression prennent parfois publiquement position, ils travaillent avant tout en coulisses, œuvrant dans les couloirs feutrés pour convaincre les pouvoirs publics et, *in fine*, agir sur la réglementation existante ou à venir. Comment fonctionnent-ils ? Quels sont leurs objectifs ? Quels sont leurs moyens ? Pour situer les forces en présence, rien ne vaut une histoire.

Je vous propose de revivre avec moi (en accéléré, rassurez-vous), l'homérique bataille qui s'est livrée au Parlement européen en 2008-2010 autour du projet de résolution concernant « l'information des consommateurs sur les denrées alimentaires ».

Objectif de départ : améliorer l'étiquetage nutritionnel afin de permettre aux consommateurs européens de mieux comprendre ce qu'ils mangent. Jusque-là, il pouvait intégrer jusqu'à soixante-dix informations chiffrées dans sa version

---

1. « Bruxelles, les lobbies à la manœuvre », *Le Monde*, 7 mai 2014.

la plus complète, affichées ton sur ton et dans des typographies peu lisibles. D'où, dans les rayons du supermarché, d'immenses moments de solitude pour ceux qui s'y intéressent, et un zapping systématique pour les autres.

Parmi les propositions soutenues par les Verts et les groupes de gauche, la mise en place de « feux de signalisation » sur la face avant des emballages. Ces « feux de signalisation », similaires à ceux déjà en place au Royaume-Uni, auraient indiqué par des feux verts, oranges ou rouges, la teneur en sucre, sel et matières grasses (dont saturées) des produits. Une traduction visuelle du contenu nutritionnel en quelque sorte.

Branle-bas de combat dans les états-majors des entreprises agroalimentaires. Avec ce projet, elles couraient le risque de voir des milliers de leurs produits arborer des feux rouges aux rayons goûters, gâteaux, sucreries, produits préparés... Peu de chances qu'on remplisse son caddie de produits dotés de feux rouges en face avant. Une catastrophe commerciale annoncée !

Très vite, les groupes de pression se mettent en ordre de bataille. Ancienne députée européenne, avocate et présidente de Cap21, Corinne Lepage en a gardé un souvenir très vif. « La campagne de lobbying a été incroyable, dit-elle. On estime que les représentants des industries agroalimentaires ont dépensé environ un milliard d'euros pour faire échouer ce texte d'amendement, soit la somme la plus élevée jamais dépensée pour du lobbying en Europe. On a tout vu et entendu durant les mois qui ont précédé : on nous a dit que ce projet était attentatoire aux libertés, qu'il était discriminant et culpabilisant, que le consommateur serait perdu... Nous avons été noyés sous les coups de fil, les courriers, les mails, les études, les avis scientifiques et les demandes de rendez-vous. »

Elle n'est pas la seule à avoir subi des pressions. Sur son blog, l'eurodéputée Sonia Alfano (ADLE) évoque « de très nombreux mails de pression » reçus dans les semaines qui ont précédé la séance plénière. Même son de cloche chez l'eurodéputée néerlandaise Kartika Liotard, qui dit avoir reçu des messages dans la proportion de cent mails des lobbies de l'agro-industrie (et jusqu'à 250 par jour) pour un mail des associations de défense des consommateurs. Quant au député vert suédois Carl Schlyter, il indique dans une interview accordée à CEO « que, dans ce genre de dossier, on reçoit habituellement 84 % d'informations provenant des groupes de pression pour 16 % provenant des mouvements d'intérêt publics. Dans ce dossier, on était à 90-95 % pour seulement 5 à 10 %[1] ».

L'essentiel des messages envoyés aux parlementaires ? Des points de détail, des cas particuliers, des propositions d'amendements... Le lobby agroalimentaire a également passé commande de deux études auprès du Conseil européen de l'information sur l'alimentation (Eufic). Derrière son nom très officiel, il s'agit d'une organisation à but non lucratif cofinancée par l'Union européenne et des géants du secteur agroalimentaire[2], dont la directrice était Joséphine Wills, ancienne

1. blog.brusselssunshine.eu/2010/06/mep-carl-schlyter-industry-lobbying-has.html
2. En 2013, les entreprises membres d'Eufic comprenaient AB Sugar, Cargill, Coca-Cola, Ferrero, Nestlé, PepsiCo, Unilever... http://www.eufic.org/upl/1/default/doc/EUFICAnnualReport2013.pdf

lobbyiste en chef des barres chocolatées Mars® pour la politique européenne. Le but de ces études[1]? Démontrer que les consommateurs européens percevaient correctement les étiquettes déjà présentes en magasin. Seul hic, nulle mention d'un cofinancement industriel de ces études lors de leur diffusion.

Bref, un lobbying qualifié d'« historique » par Corporate Europe Observatory.

Le 16 juin 2010, le premier vote a lieu dans l'enceinte du Parlement européen. L'amendement relatif aux feux tricolores est rejeté. Champagne chez l'agro-industrie! Renate Sommer, eurodéputée allemande du PPE, qualifiée par certains représentants des associations de consommateurs de « plus farouche partisane de l'agro-industrie et d'opposante la plus farouche aux améliorations réglementaires », s'en félicitera. Rapporteur du Parlement, Renate Sommer s'était d'ailleurs exprimée en ces termes avant le vote : « Les nouvelles règles devraient permettre au consommateur de trouver une meilleure information sur les denrées alimentaires et donc d'acheter en connaissance de cause. Mais il y a plus, le secteur agroalimentaire devrait être gagnant lui aussi, grâce à une plus grande sécurité juridique, moins de bureaucratie et, d'une manière générale, une législation plus appropriée. [...] C'est important pour les PME, lorsqu'on sait que le secteur alimentaire européen compte plus de 80 % de petites et moyennes entreprises[2]. »

1. « L'étiquetage nutritionnel en Europe » et « Étiquetage des aliments – une mine d'informations pour les consommateurs », Eufic, 2010.
2. http://www.europarl.europa.eu/news/fr/news-room/content/2011 0705IPR23384/html/Étiquetage-plus-clair-pour-les-denrees-alimentaires

Le règlement final INCO 1169/2011 n'imposa donc pas de feux tricolores sur les produits, ni de mention sur la face avant des emballages des taux de sel, sucre, gras et gras saturés.

En 2011, ironique épitaphe de cette « guerre de l'étiquetage », fut publié un rapport[1] de Bernard Ruffieux et Laurent Muller. À la demande du ministère de la Santé, ces deux chercheurs de l'Inra ont évalué l'efficacité nutritionnelle relative de sept types de labels des produits alimentaires. Leur conclusion ? Les logos les plus simples sont les plus efficaces. Dommage, nous continuons à n'avoir pour seul étiquetage que des tableaux complexes de pourcentages.

L'Europe n'est évidemment pas la seule à vivre ce type de pression réglementaire. Nous allons nous intéresser à une autre histoire, pas forcément beaucoup plus gaie, racontée dans le documentaire *Fed Up*.

Face caméra, Bill Clinton reconnaît que « les États-Unis réagissent insuffisamment aux dommages à long terme du sucre sur leur santé ». Il a raison au vu de la séquence suivante qui nous décrit l'un des plus beaux scandales nutritionnels des vingt dernières années. Début 2002, l'Organisation mondiale de la santé s'apprête à publier le document TRS 916, intitulé « Diet, nutrition and the prevention of chronic diseases[2] », autrement dit « Régime alimentaire, nutrition et prévention des maladies chroniques ». Il y est spécifiquement dit que

---

1. « Étude sur l'influence de divers systèmes d'étiquetage nutritionnel sur la composition du panier d'achat alimentaire ».
2. http://www.who.int/dietphysicalactivity/publications/trs916/en

le sucre est la cause majeure, si ce n'est la cause principale, des maladies chroniques métaboliques et de l'obésité. La recommandation de l'OMS ? Ne pas dépasser plus de 10 % de sucre dans les apports caloriques quotidiens. Face à la menace que représentent ce rapport et la recommandation de l'OMS, les sucriers américains réagissent. Convaincu par leurs arguments économiques, George W. Bush, alors président, demande à Tommy Thompson, son secrétaire d'État à la Santé, de se rendre à Genève pour faire entendre raison à l'OMS. Celui-ci saute dans un avion et prévient l'OMS que les conclusions du rapport sont trop dures pour l'industrie agroalimentaire. Il les avertit également que les États-Unis subordonnent leur contribution de plus de 400 millions de dollars à l'OMS à une modification du rapport. L'OMS plie. Le rapport est aménagé et les informations sur le sucre sont effacées.

« C'est un jeu de dupes où le consommateur est toujours perdant, regrette Olivier Andrault. Contrairement à ce que dit l'industrie, le consommateur ne sait pas ce qu'il mange, et les informations sur les produits ne l'aident pas à le savoir. À moins d'avoir un bac + 16 en biochimie ou en médecine, et encore, difficile de comprendre les étiquetages. De plus, c'est l'industrie qui choisit la recette et la composition de ses produits. Année après année, il y a une accoutumance progressive à des saveurs non pas sucrées, mais très sucrées. Et cela, alors même que le consommateur n'a pas l'expertise nécessaire pour se construire une alimentation équilibrée. »

3. SE RAPPROCHER DES EXPERTS

Qui porte le discours nutritionnel ?

Qui conforte les informations ?

Qui élabore les données à partir desquelles les décisions politiques sont (ou devraient) être prises ?

Qui garantit la neutralité et l'objectivité de ces données ?

Les scientifiques.

En conséquence de quoi, ils constituent une cible primordiale de l'industrie agroalimentaire.

En août 2014, je travaillais sur une enquête consacrée aux produits alimentaires industriels dans la foulée de la publication française du livre de Michael Moss, *Sucre, sel et matières grasses. Comment les industriels nous rendent accros.* Pouvait-on les consommer sans crainte ? Qu'ai-je compris ?

Que le nerf de la guerre, y compris en sciences, c'est l'argent.

Sur le site du ministère de l'Éducation, de l'Enseignement supérieur et de la Recherche, une page est consacrée au financement de la recherche[1]. Il y est dit que « les laboratoires de recherche publics sont en partie financés par les crédits budgétaires des universités, des organismes de recherche publics et des agences de financement, dont l'Agence nationale de la recherche (ANR). Ils bénéficient d'autres dotations provenant des régions françaises, des associations caritatives, de l'industrie et de l'Europe ».

1. http://www.enseignementsup-recherche.gouv.fr/cid56386/qui-finance-la-recherche.html

« La recherche va mal ! », ont clamé en octobre 2014 les chercheurs qui ont défilé à Paris. En cause, la baisse du budget consacré à la recherche au sein de la Mires[1] (- 1 % en 2014), la baisse du budget de l'ANR[2], passant de 656 millions d'euros en 2013 à 575 millions en 2014, et les départs à la retraite massifs. Compte tenu de la baisse des financements publics, les chercheurs n'ont d'autres choix que de se tourner vers les financements privés.

Président du PNNS, le professeur Serge Hercberg m'avait alertée sur ce problème. « Il y a de plus en plus de chercheurs qui ont des liens avec l'industrie. Cela ne signifie pas que leurs travaux ne sont pas de qualité, mais les risques de suspicion sont réels même si les travaux sont bons. L'indépendance est essentielle pour estimer la valeur d'études. » Par ailleurs, de plus en plus de financements publics sont soumis à l'obtention préalable de financements privés. Pas facile de trouver de l'argent d'origine privée lorsqu'on souhaite lancer des études aux résultats potentiellement contraires aux intérêts de l'industrie... « Une fois encore, si ces financements publics-privés ne sont par mauvais par essence, ils posent la question de l'indépendance de la recherche », confirme Serge Hercberg.

Avec la baisse des financements publics, le risque des conflits d'intérêts augmente.

1. Mission interministérielle recherche et enseignement supérieur.
2. Agence nationale de la recherche.

Lorsque nous avions abordé la « bataille de l'étiquetage », Corinne Lepage avait évoqué « de multiples conflits d'intérêts à la Commission européenne, jusqu'au plus haut niveau de la DG Sanco [Direction générale de la santé et des consommateurs] », avant de me décrire les dysfonctionnements de l'Efsa, l'Autorité européenne de sécurité des aliments, fondée le 21 février 2002 dans la foulée de diverses alertes alimentaires, dont la maladie de la vache folle et les poulets à la dioxine.

L'Efsa, c'est la « super autorité » européenne qui chapeaute en quelque sorte les instances nationales de sécurité sanitaire de l'alimentation. C'est l'Efsa qui donne le la de la politique alimentaire et des recommandations nutritionnelles, sucre compris. C'est l'Efsa qui décide ce qui peut être mis ou pas dans nos aliments, et dans quelles proportions.

« Il y a plusieurs problèmes avec l'Efsa, dit Corinne Lepage. À commencer par le fait que la direction de cette agence, pourtant primordiale pour la sécurité des consommateurs, a déjà été confiée à des personnalités aux liens avérés avec l'industrie. » Un exemple ? Après avoir présidé aux destinées de l'Efsa de 2008 à 2012, Diana Banati, accusée de conflits d'intérêts depuis des années, a quitté ses fonctions. Son tort ? Être également membre du conseil d'administration de l'Ilsi, International Life Sciences Institute, une association regroupant 400 industriels de l'agroalimentaire, dont Syngenta, Monsanto, Nestlé et Kraft Foods. Un conflit d'intérêts flagrant que Diana Banati aurait minimisé dans sa déclaration d'intérêt en juillet 2008, ne se reconnaissant qu'un rôle mineur au sein de l'Ilsi.

« Le 14 juillet 2010, j'avais alerté personnellement le commissaire Dalli. Malgré les preuves irréfutables que je lui ai remises dans son bureau, il n'a pas jugé nécessaire de profiter des deux mois dont il disposait pour proposer une nouvelle personnalité à la présidence de l'Efsa. Par son laisser-faire, M. Dalli est responsable de ce scandale incroyable et je m'interroge sur sa compétence pour occuper la fonction de commissaire européen. Je m'interroge également sur sa capacité à garantir la sécurité de nos concitoyens », a déclaré José Bové[1].

Quelle que soit la gravité des accusations lancées par José Bové, Diana Banati restera présidente de l'Efsa deux ans de plus. Avant de démissionner. Non, elle n'a pas été limogée. Elle a démissionné, puis a été embauchée par l'Ilsi comme directrice exécutive et scientifique. La boucle est bouclée.

Observateur attentif du microcosme européen bruxellois, l'ONG Corporate Europe Observatory (CEO) s'intéresse depuis longtemps à la question des conflits d'intérêts des experts. Chercheur à la fondation CEO, Martin Pigeon est inquiet. « L'Efsa est une agence européenne qui a une mission fondamentale dans le domaine de la santé publique mais qui n'a pas les moyens de ses missions, dénonce-t-il. Le problème, c'est que les experts qui travaillent pour l'Efsa ne sont pas payés par l'Efsa, ils sont seulement défrayés pour les jours qu'ils consacrent à leurs expertises. En 2013, nous avons analysé l'ensemble des déclarations d'intérêt remplies par les experts, et nous avons constaté que 59 % d'entre eux ont des liens directs et indirects avec des entreprises privées

1. Conférence de presse à Bruxelles le 29 septembre 2010.

dont les activités relèvent des champs d'expertise de l'Efsa. »
Tollé général. Depuis, la politique d'indépendance de l'Efsa
est en cours de révision. « L'image de l'Efsa est désastreuse,
ce qui explique que ses avis soient systématiquement cri-
tiqués, poursuit Martin Pigeon. Ces dernières années, il y a de
timides tentatives de révision de la politique d'indépendance
de l'agence. Quant au nouveau directeur exécutif, Bernhard
Url, nommé en 2014, il semble vouloir rendre les processus
de décision de l'Efsa plus transparents. En d'autres termes, il
pousse à la transparence des données d'évaluation. »

Ah oui, il faut que je vous dise. Au-delà du fait que l'agro-
industrie cherche à influer sur la réglementation, qu'elle
finance de plus en plus souvent la recherche scientifique et
qu'elle se rapproche des experts, c'est aussi elle qui fournit
aux experts des agences de santé les données à partir desquelles ceux-ci évaluent. Il n'est pas question de reconduire
systématiquement des recherches contradictoires. Sauf
que... Les données fournies par les industriels sont classées
« secret défense ». Nul ne peut les obtenir, excepté les agences
publiques, et nul ne peut analyser les données brutes au nom
d'un « risque de vice de concurrence » ! Selon les industriels,
rendre leurs études publiques donnerait un avantage à leurs
concurrents et leur fournirait des informations sur les processus de fabrication des produits.

« Si on résume, on se retrouve avec des agences dont
plus de la moitié des experts ont des conflits d'intérêts, qui
prennent leurs décisions en toute opacité, à partir de données
fournies par l'industrie et dont les arguments ne sont pas véri-
fiables par des contre-expertises », récapitule Martin Pigeon.

Est-il optimiste pour l'avenir ? « Non, je suis même plutôt pessimiste. Les mots du moment sont compétitivité, emploi, croissance... De grands mots au nom desquels on excuse tout. Je pense que nous nous dirigeons vers encore plus de dérégulations. »

Vous allez me dire : ok, tout ça, c'est très bien... On a compris que la recherche peinait à se faire financer, que les scientifiques étaient incités à trouver de l'argent dans le privé, que les autorités de santé étaient noyautées, que les experts n'étaient pas toujours indépendants. Mais quel rapport cela a-t-il avec le sucre ?

L'Efsa est l'instance qui établit les valeurs nutritionnelles de référence européennes pour les apports en nutriments. En langage courant, ce qu'il faut ingérer et dans quelles proportions. Du coup, ce qu'on peut mettre dans les aliments. Et dans les nutriments, il y a le sucre.

Le 26 mars 2010, l'Efsa a rendu un avis dans lequel elle précise ce qui suit[1] :
– L'apport en **glucides totaux** – y compris les glucides issus d'aliments contenant de l'amidon, tels que les pommes de terre et les pâtes, et les glucides simples comme les sucres – devrait représenter 45 à 60 % de l'apport énergétique total, tant chez l'adulte que chez l'enfant.
– En ce qui concerne les **sucres**, des preuves suffisantes indiquent que la consommation fréquente d'aliments riches en sucre augmente le risque de carie dentaire. Les données

1. http://www.efsa.europa.eu/fr/press/news/nda100326.htm

montrent également un lien entre des apports élevés en sucre sous forme de boissons sucrées et la prise de poids. Cependant, le groupe scientifique a constaté que les preuves scientifiques étaient insuffisantes pour pouvoir fixer une limite supérieure pour l'apport en sucres. Cela est dû au fait que les effets possibles sur la santé sont principalement liés aux profils de consommation alimentaire – c'est-à-dire aux types d'aliments consommés et à la fréquence à laquelle ils sont consommés – plutôt qu'à l'apport total en sucre en tant que tel. Les données relatives aux profils de consommation des aliments contenant du sucre devraient donc être prises en compte par les décideurs lorsqu'ils établissent des recommandations nutritionnelles et qu'ils élaborent des recommandations nutritionnelles exprimées en termes d'aliments au niveau national.

En résumé, selon l'Efsa, le sucre est mauvais pour les dents et les sodas font grossir. Pour le reste, on ne fixe pas de plafond car cela dépend de la consommation des différents consommateurs. Il y en a qui en mange beaucoup, d'autres peu. À chaque agence nationale de voir...

Tout est-il noir au pays des régulateurs, des experts et des scientifiques ?

Non. Ils sont nombreux à travailler de manière indépendante, à défendre l'impartialité de leurs études et de leurs résultats, à vouloir faire progresser les connaissances et à défendre le bien commun. Reste que dans un monde de plus en plus dur, de plus en plus concurrentiel et aux frontières de plus en plus poreuses, il n'est pas facile de résister au pouvoir de l'argent.

Lors du Nutri-Débat auquel j'ai assisté en janvier 2015, j'ai été soufflée d'entendre les affirmations de certains experts en nutrition. Morceaux choisis :

– Vivre sans sucres simples et sans produits sucrés est impossible.

– Donner des yaourts non sucrés à des enfants en crèche s'assimile à de la maltraitance.

– On s'en fout du sucre. Chaque individu a le droit de choisir ce qu'il veut devenir.

– Le système de feux tricolores sur les emballages des aliments est réducteur, arbitraire et culpabilisant. Il n'aidera pas le consommateur.

– L'étiquetage ne sert à rien. À la limite, seule la composition du produit a un intérêt, et encore.

– Plutôt que sur la composition des aliments, il faut agir contre les comportements sédentaires, les dérèglements du microbiote, les facteurs environnementaux et psychologiques.

– Les Américains mangent dans la terreur. Les Français mangent dans le plaisir. Avec tout ce bruit autour du sucre, nous aussi nous allons bientôt manger dans la terreur. C'est une régression.

– Les recommandations nutritionnelles n'ont pas de sens. Seul un échange individuel entre patient et praticien a un intérêt en cas de surpoids.

Le discours de l'industrie est admirablement digéré et retransmis.

4. DES INITIATIVES EN TROMPE-L'ŒIL

De temps en temps, les politiques tapent du point sur la table en conférence de presse ou annoncent leur volonté de lancer une offensive contre les kilos, le surpoids, l'obésité, les maladies cardio-vasculaires, le diabète, les cancers, etc. L'industrie s'inquiète.

« On a aujourd'hui accumulé assez d'études pour démontrer aux politiques que, si les maladies de civilisation sont multifactorielles, l'alimentation est un des deux facteurs sur lesquels on peut agir, l'autre étant l'activité physique », explique Serge Hercberg, médecin nutritionniste et président du PNNS.

Régulièrement, des menaces sont brandies. Taxes, amendes, interdictions... Des gros mots qui font peur sont prononcés.

Là, l'agro-industrie contre-attaque. Et très intelligemment, en détournant l'attention.

Le 9 février 2010, au cours du premier mandat de son époux Barack, Michelle Obama prend la tête d'une croisade anti-poids baptisée « Let's move! ».

Son objectif ? Lutter contre l'obésité infantile aux États-Unis.

Sa stratégie ? Promouvoir une alimentation plus saine dans les écoles (aux États-Unis, 80 % des écoles publiques ont des contrats avec des géants de l'agroalimentaire et servent hamburgers, frites, pizzas et sodas à la cantine), améliorer la qualité nutritionnelle des produits alimentaires et encourager l'activité physique des enfants.

Vent de panique dans les états-majors des grandes entreprises.

« La campagne "Let's move!" a littéralement terrifié les industriels, raconte Michael Pollan[1]. Ils ont contre-attaqué avec un partenariat volontaire de l'industrie, le "Healthy Weight Commitment" lancé en 2010, où seize grandes entreprises annonçaient s'engager contre l'obésité. » Sur les plateaux de télévision, les porte-parole de l'industrie agroalimentaire annoncent qu'ils vont promouvoir le sport et l'éducation physique dans les écoles, et retirer 1 500 milliards de calories (!) du marché avant 2015. C'est énorme ! Oui et non. Rapporté à la population américaine, cela représente 14 calories par jour, c'est-à-dire une bouchée de pomme ou deux gorgées de soda. Pas de quoi en attendre de grands changements... « Quand l'industrie se sent menacée, elle répond par des promesses ou des initiatives d'autorégulation, analyse Kelly D. Brownell, doyen de la Sanford School of Public Policy. C'est le loup dans la bergerie[2]. »

En France aussi, quasiment toutes les grandes entreprises agroalimentaires ont leurs programmes de prévention de l'obésité, valorisant l'information, les produits allégés et l'activité physique.

Autre option, l'engagement volontaire de l'industrie.

À partir de 2007, le PNNS a lancé des chartes d'engagements volontaires de progrès nutritionnel. Fin 2012, trente entreprises avaient signé ces chartes, s'engageant à baisser de 5 à 25 % le sucre, le sel et le gras dans leurs produits sans que le consommateur soit pénalisé financièrement ou lésé sur

1. *Fed Up* de Stephanie Soechtig.
2. *Idem.*

le goût. Parmi les signataires, on comptait Orangina, Nestlé pour sa branche céréales, Taillefine... Bien, mais pas assez. «Toutes les grandes entreprises ont de meilleures alternatives nutritionnellement parlant dans leur portefeuille de produits, précise Olivier Andrault. Des pétales de maïs simples, c'est mieux que des pétales sucrés, des pétales sucrés et chocolatés, ou des pétales sucrés chocolatés et fourrés... Malheureusement, ils ne promeuvent pas ou peu ces produits car ils craignent que la concurrence ne les lamine s'ils investissent sur ces produits "sobres".»

Résultat, les linéaires sont toujours plus pleins de multiples variantes de leurs produits aux saveurs toujours férocement sucrées. Parfois, c'est vrai, le sucre est remplacé par des édulcorants. Est-ce vraiment mieux? Je m'interroge car on sait que le goût sucré appelle le sucre. Bougeons, bougeons, oui, évidemment, mais ne devrions-nous pas exiger des industriels une amélioration simultanée de leurs recettes?

Au cours de cette enquête, j'ai été frappée par la fréquence des comparaisons établies entre les méthodes contemporaines de l'agro-industrie et celles, passées, de l'industrie du tabac.

Pour Michael Moss, le parallèle est évident. «Après la fusion des deux géants de la nourriture en 1989 (General Foods et Kraft Foods), leur chiffre d'affaires combiné s'élevait à 23 milliards de dollars et représentait 51 % des revenus annuels de Philip Morris. Les dirigeants du tabac se retrouvaient à la tête de la plus grande entreprise agroalimentaire du pays[1].» Longtemps, les producteurs de tabac ont torpillé

---

1. *Sucre, sel et matières grasses. Comment les industriels nous rendent accros, op. cit.*

les études qui démontraient la nocivité de la cigarette, fait pression sur les gouvernements et usé d'un marketing agressif. Aujourd'hui, selon ses détracteurs, l'agro-industrie aurait un comportement similaire. L'accusation est grave, et il faudrait bien plus d'un livre et d'une année sans sucre pour pouvoir y répondre. Des similitudes existent, même si l'alimentation est par essence multifactorielle, et qu'il est quasi impossible d'évaluer la responsabilité d'un seul produit dans le développement d'une obésité ou d'une autre maladie civilisationnelle. Pour Michael Moss, peu de chances cependant qu'un procès géant ait lieu un jour. « Même si l'industrie a gardé sciemment quantité de sel, de sucre et de gras dans ses produits, elle est préparée, très confiante. N'importe quel acteur peut dire qu'il n'est pas responsable. Qui peut dire que le cookie Oreo (gâteau le plus vendu au monde) est responsable de l'obésité ? Personne. La nourriture est multiforme, pas comme la cigarette. Faire un procès ? À qui ? Compagnie par compagnie, produit par produit ? C'est très compliqué. C'est notre dépendance collective à la nourriture transformée qui devient un problème de santé publique[1]. »

5. LE MANQUE DE COURAGE DE NOMBREUX POLITIQUES

« Les autorités françaises et européennes sont les porte-voix de l'agroalimentaire, ils sont la courroie de transmission de toute cette industrie. Les demandes des consommateurs ne sont prises en compte qu'à la marge et encore, à partir du moment où elles ne gênent pas les industriels qui n'hésitent pas pour se faire entendre à faire du chantage à l'emploi. » Ces mots sont ceux d'Olivier Andrault, chargé de

1. « Comment la junk food nous rend accros », *art. cit.*

mission alimentation et nutrition à l'association de consommateurs UFC-Que Choisir, interrogé par *Le Figaro* en 2013.

Lors des multiples entretiens menés au cours de cette année sans sucre, tout comme au cours de nombreuses autres enquêtes alimentation-santé, est revenue, sans cesse, la question de la responsabilité des politiques.

Après tout, les scientifiques cherchent et évaluent. L'industrie produit. Les autorités de santé émettent des recommandations. Mais ce sont les élus de la nation qui décident et peuvent modifier la législation à laquelle les industriels doivent se soumettre.

Impossible de faire parler les politiques sur le sujet. L'omerta est absolue. Dans chaque circonscription de France se trouvent des entreprises du secteur agroalimentaire. Légiférer contre ce secteur, c'est hypothéquer sa carrière politique.

« Le système est pervers et l'argumentation économique permanente », estime le Dr Laurent Chevallier. « Les politiques sont pris en otages par les lobbies, regrette Serge Hercberg. En théorie, on sait parfaitement ce qu'il faudrait faire pour améliorer la qualité nutritionnelle de l'alimentation industrielle vendue en France. 1. Mettre des feux colorés sur les aliments. 2. Conditionnaliser la publicité en fonction de la qualité nutritionnelle des produits. 3. Mettre en place un système de taxation selon la qualité nutritionnelle des produits. » Olivier Andrault ajoute qu'« on a une abondance de preuves montrant que si on attend une autoamélioration de l'industrie, cela ne marche pas. La seule solution, c'est de légiférer et de taxer avec des objectifs contraignants par filières. Grâce aux modélisations de l'Inra et de l'Anses, on sait filière par filière, et nutriment par nutriment (sucre, sel, matières grasses), quels sont les produits responsables des surconsommations. Il faut fixer un cadre contraignant de X % de réduction en X années, et, en cas de non-respect de la législation, infliger des amendes ».

Dans la haute administration française, certains partagent ce constat. Selon le Crédoc[1], « en juillet 2008, l'Inspection générale des Finances et l'Inspection générale des Affaires sociales réalisaient un rapport sur la pertinence et la faisabilité d'une taxation nutritionnelle. Le rapport préconise une taxe sur les boissons sucrées et alcoolisées [taxer tous les aliments ne serait pas judicieux selon les rapporteurs], une augmentation de la TVA à taux réduits (5,5 %) sur certains aliments jugés trop gras ou sucrés (mayonnaise, chips, chocolat, etc.) et sur les aliments de fast-food et "snacking" (hamburgers, sandwiche, produits de grignotage, etc.). Ainsi, les recettes procurées grâce à cette nouvelle taxation indirecte permettraient de financer le déficit de la Sécurité sociale, de lutter contre l'obésité ("faciliter l'accès à la consommation de fruits, légumes et poissons pour des catégories sociales qui se détournent de ces produits en raison de leur faible pouvoir d'achat"). Cependant, le choix des aliments laissé aux ministres concernés selon leurs priorités économiques, sociales et sanitaires semble difficile mais a conduit également à un refus du ministre du Budget pour lequel "il est hors de question d'augmenter la TVA sur des pro-

---

1. Centre de recherche pour l'étude et l'observation des conditions de vie.

duits alimentaires surtout dans un contexte de difficultés de pouvoir d'achat[1]. »

Un peu partout dans le monde, des lois ont été promulguées, preuve qu'on peut tenter de légiférer contre la junk food.

Septembre 2004 : les distributeurs de sodas et de sucreries disparaissent de l'intérieur des établissements scolaires (écoles, collèges, lycées) en France.

Septembre 2011 : la Hongrie a mis en place une « taxe sur les chips » qui vise les biscuits salés ou sucrés, les boissons énergétiques et les gâteaux préemballés.

Octobre 2011 : le Danemark met en place une taxe sur les produits caloriques (viandes, produits laitiers, huiles de cuisson).

Janvier 2012 : le Danemark va plus loin, introduisant des taxes plus élevées sur la bière, le vin, le chocolat, les confiseries, les sodas, la glace, la crème... La « fat tax » est cependant abandonnée moins d'un an plus tard, sous la pression des entreprises, qui menaçaient de répercuter cette taxe sur les emplois.

Janvier 2012 : la France met en œuvre une « taxe soda » sur les boissons sucrées ou édulcorées. Toujours en vigueur, le montant de cette taxe est fixé à 7,50 € par hectolitre en 2015.

Mai 2012 : le maire de New York, Michael Bloomberg, interdit les sodas géants (plus de 500 ml) dans les fast-foods, les restaurants, les stades et les cinémas de sa ville afin de protéger la santé de ses habitants. Après une campagne de

1. « Du discours nutritionnel aux représentations de l'aliment », *Cahier de recherche*, n° 252, 2008.

communication agressive et de multiples rebondissements judiciaires, la justice annulait cette interdiction le 26 juin 2014.

Octobre 2013 : au Mexique, le président Enrique Peña Nieto réussit à faire approuver par le Congrès deux taxes : une taxe de 8 % sur les aliments trop riches en graisses saturées, en sucre ou en sel ; une seconde de 4 % sur les boissons sucrée. L'argent collecté sera affecté à des programmes anti-obésité et d'accès à l'eau dans un pays où 32,1 % de la population est obèse et 68,3 % en surpoids[1].

Taxer ou légiférer à propos des aliments sucrés, gras et salés n'est donc pas impossible, même si ce n'est pas simple et que certaines de ces tentatives législatives ont échoué.

Reste qu'on a parfois l'impression d'un double discours des politiques. Tous dénoncent les chiffres du surpoids, de l'obésité, s'inquiètent devant l'explosion des maladies cardio-vasculaires, du diabète... Ils sont nombreux à annoncer qu'il faut agir et vite ! Et puis ? Peu ou pas grand-chose.

« Les conflits d'intérêts ne concernent pas que les experts, précise Serge Hercberg. Il est arrivé plus d'une fois que le ministère de la Santé souhaite légiférer pour mieux protéger la santé des Français. Mais, lorsqu'on en arrive aux réunions interministérielles, cela bloque. Le ministère de l'Agriculture s'oppose à la plupart des projets. À tel point que l'on se demande parfois si, plutôt que le ministère des producteurs et des consommateurs, il ne s'agit pas du ministère des transformateurs ! »

1. Chiffres OMS.

D'un côté, on s'inquiète de notre mauvais état de santé et du trou abyssal de la Sécurité sociale française. De l'autre, on ne fait rien ou pas grand-chose. La santé des consommateurs français serait-elle devenue une sorte de « variable d'ajustement » des politiques publiques ?

– « Le coût de l'inaction des pouvoirs publics est monstrueux, avec des coûts induits énormes, terrifiants pour la société », assure Laurent Chevallier.

– « Les industriels n'agissent pas et les pouvoirs publics agissent peu, poursuit Jacques Blacher, cardiologue. En termes de qualité des aliments, la France est un pays sous-développé, poursuit-il. Nous manquons de contre-pouvoirs, de groupes de pression face à l'incroyable force de frappe des entreprises qui sont toutes dotées de départements scientifiques avec des médecins et des spécialistes. »

– « En cas de crise aiguë, comme celle de la vache folle ou, plus récemment, des lasagnes à la viande de cheval, les autorités et les politiques savent réagir rapidement, rappelle Olivier Andrault. Ils prennent alors vite des décisions car ils savent que c'est urgent. S'ils ne font rien, on le verra immédiatement. Dans le cas des maladies en partie dues à la junk food, c'est différent. La cause est multifactorielle et les conséquences lointaines. On peut s'en désintéresser sans risquer un effet boomerang immédiat. Ce seront les politiques élus dans dix ou quinze ans qui devront gérer les conséquences des actes non posés aujourd'hui. »

Une chose est sûre : les politiques sont dans une position bien inconfortable.

D'un côté, à moyen et long terme, il y a la dégradation de notre état général de santé et le déficit de la Sécurité sociale.

De l'autre, à court terme, il y a les impératifs économiques et les contraintes de réélection.

Qui parmi eux aurait le courage ou la témérité de s'attaquer au secteur économique le plus puissant du pays ?

Qui parmi eux serait prêt à se « suicider » politiquement au profit de notre santé ?

Qui parmi eux serait capable de « désobéir » aux instances supérieures de son parti, soucieux de relations apaisées avec les entreprises parmi les plus puissantes du pays ?

Qui parmi eux saurait, ensuite, entraîner avec lui dans cette croisade ses camarades du Parlement et du Sénat ?

Au printemps 2015, nous allons pouvoir assister en direct à l'un des épisodes de l'éternel match santé publique/pression de l'industrie.

En effet, le projet de loi de santé publique présenté par Marisol Touraine, ministre de la Santé, sera discuté par le Parlement dans les mois à venir. Sur le site du gouvernement, Marisol Touraine est citée. « Cette loi transformera le quotidien de millions de Français. Elle changera le rapport des Français à leur santé, leur apportera les moyens de se prémunir et de se protéger. »

Combinant réformes structurelles du système de soins français et transposition de directives européennes, ce projet de loi propose un certain nombre de mesures phare : généralisation du tiers payant, création d'un service territorial de santé au public, interdiction du « vapotage » dans les lieux publics, création d'actions de groupe sur les questions de santé et amélioration de l'information nutritionnelle.

Selon le dossier de presse publié le 15 octobre 2014 à l'occasion de la présentation, « le projet de loi pose le principe d'une information nutritionnelle synthétique, simple et accessible par tous. La mise en place de cette mesure sera assurée par les partenaires de l'agroalimentaire et sur la base du volontariat. Elle contribuera ainsi à mieux informer le consommateur. Cet affichage visuel, dont les modalités pratiques seront élaborées par l'Agence nationale de sécurité sanitaire de l'alimentation, de l'environnement et du travail (Anses) et fixées par décret, permettra une différentiation sur le plan nutritionnel des produits au sein d'une même catégorie ».

Qu'y aura-t-il dans le volet « information nutritionnelle » ? Nul ne le sait.

On sait seulement que le cabinet de Marisol Touraine travaille sur un modèle unique d'étiquetage français, simplifié et efficace. Sera-t-il inspiré des recommandations de Serge Hercberg au PNNS, qui milite pour une note globale pour chaque aliment, prenant en compte ses taux de sucre, sel, matières grasses, apports énergétiques, fibres, fruits et légumes ? S'agira-t-il d'un logo de couleur sur la face avant de l'emballage ? Mystère. Le suspense demeure entier. Rendez-vous au printemps pour évaluer le courage du gouvernement Hollande.

CONCLUSION : LA FIN DES ILLUSIONS ?

Vous, je ne sais pas, mais moi, cette plongée au cœur des méthodes de l'agro-industrie me laisse un goût un peu amer.

Les maladies chroniques qui nous affectent collectivement de plus en plus semblent avoir une composante alimentaire non négligeable. Au point qu'on peut se demander si les fabricants de produits alimentaires ne sont pas largement responsables aujourd'hui de la santé de la population.

Faut-il pleurer, se couvrir la tête de cendres ? Faut-il investir dans une petite ferme, quelques poulets et trois chèvres pour s'assurer d'une alimentation dite « saine » ? Faut-il renoncer et se résigner ?

Compte tenu de ma nature résolument optimiste, je refuse la résignation.

Tout d'abord, il est important de rappeler que certains industriels essaient de produire des aliments de qualité.

Arrêtons de voir d'un côté les méchants producteurs et de l'autre les gentils consommateurs. Cette vision est caricaturale et dépassée. Un individu qui ne consommerait que des burgers, des frites et des sodas est partiellement responsable de leurs effets sur sa santé. Un industriel qui choisit des ingrédients de mauvaise qualité l'est aussi. Ce monde est fait de gris, du plus clair au plus foncé.

« Si les politiques sont obsédés par le court terme et leur réélection, les industries ont une vision beaucoup plus prospective, argumente Olivier Oullier, spécialiste en neurosciences. Elles n'ont pas intérêt à moyen et long terme à courir le risque de scandales sanitaires. Ce serait dangereux pour leur survie. Les stratégies marketing et de recherche et développement qui cherchent à booster les ventes en jouant sur les sensations et les ingrédients à bas coût ne sont pas éternellement durables. Les États, dans une situation financière difficile, ne vont plus pouvoir continuer à fermer les yeux. Industrie et pouvoirs publics vont avoir intérêt à nouer des alliances intelligentes et à faire des compromis réciproques pour arriver à une situation nutritionnelle plus équilibrée. Peut-être va-t-on arriver à des TVA différentes sur les produits sains ou pas très sains, des étiquetages simples à feux colorés, des incitations positives... Du côté des industriels, on commence à voir des produits de meilleure qualité arriver sur le marché. Non pas pour des raisons idéologiques mais pour améliorer leur rentabilité. Et c'est tant mieux ! Si l'industrie fait plus de bénéfices avec de meilleurs produits, tout le monde y gagnera. »

Défenseur des droits des consommateurs, Olivier Andrault ne dit pas autre chose. « Je n'ai rien contre les produits industriels par essence. Ils sont formidablement pratiques et adaptés aux modes de vie d'une société où les femmes travaillent. Aujourd'hui, plus personne n'imagine rester tous les jours des heures en cuisine pour alimenter une famille. D'ailleurs, il existe déjà des produits transformés de très bonne qualité. Face aux menaces, les industriels sont capables de s'adapter et d'améliorer beaucoup plus de leurs recettes. »

Après le « greenwashing », assistera-t-on au « health-washing » ?

Depuis le début des années 2000, on a vu des pans entiers de l'industrie investir massivement dans les énergies propres et renouvelables. Certes, nous sommes toujours une civilisation du pétrole et des énergies fossiles, mais, de manière à la fois opportuniste et stratégique, toutes les industries ont pris ou sont en train de prendre un virage plus ou moins écologique. On me rétorquera que ce n'est pas assez rapide, ni de manière assez ambitieuse.

C'est vrai. J'aimerais pouvoir me réveiller demain et me dire que la pollution aux particules à Paris a disparu, que toutes les fenêtres ont du triple vitrage, que ma voiture est électrique, que les avions volent à l'énergie solaire et que les puits de pétrole sont tous désaffectés... Mais cela ne me paraît pas très réaliste.

Pour l'alimentation, dont le sucre, c'est la même chose. J'adorerais que nous recevions tous une fois par semaine chez nous un somptueux panier de fruits et légumes frais et locaux, que les taux de sucre soient limités à 10 % dans les aliments, que les industriels œuvrent massivement à la production d'ingrédients sains, que tous les enfants à la cantine soient éduqués à n'en manger que peu, que des logos colorés nous avertissent de la qualité nutritionnelle des aliments, que l'on puisse remplir son caddie sans s'inquiéter des compositions des produits... Une fois de plus, cela me paraît utopique.

Ce qui n'est pas utopique, par contre, c'est de travailler à changer les choses.

En tant que consommateurs, nous sommes à la fois extraordinairement fragiles, isolés et dépendants de l'industrie, mais nous sommes aussi incroyablement puissants.

Nous avons la puissance de notre carte bancaire.
Nous avons la puissance de nos achats ou de nos non-achats.
Nous pouvons privilégier un produit plutôt qu'un autre.
Nous pouvons nous informer.

Nous pouvons réclamer plus de transparence, plus de qualité, plus d'information, plus de législation.

Nous pouvons exiger des études indépendantes.

Nous pouvons en parler autour de nous.

Nous pouvons soutenir les associations de consommateurs.

Nous pouvons voter pour des candidats courageux et indépendants.

Nous pouvons relayer les initiatives positives.

Nous pouvons choisir d'investir un peu plus de nos revenus dans une alimentation de meilleure qualité.

Nous pouvons améliorer notre alimentation avec l'industrie, en l'incitant à évoluer, plutôt que nous contenter de la critiquer.

Nous pouvons réorienter nos investissements financiers sur les actions d'entreprises plus respectueuses de notre santé.

Nous pouvons faire pression sur les entreprises, les experts, les politiques.

Face au pouvoir de l'industrie, nous avons le pouvoir du consommateur. Et il est énorme, car sans ses consommateurs, l'industrie n'est rien.

Ce dernier mois a été une formidable occasion de plonger au cœur de l'omniprésence du sucre dans notre société. Mes amis Paul et Juliette, avec lesquels j'en parlais, n'étaient pas convaincus.

– Tu crois vraiment que les choses sont si simples ? Qu'on peut obliger ces mastodontes à changer ? C'est pire que David contre Goliath ton truc ! m'opposait Paul. Tu ne crois pas que tu vas juste prendre des risques pour pas grand-chose ?

– Je ne crois pas. Je pense vraiment que de nombreuses entreprises sont à un tournant historique. Et que nos politiques le sont aussi. Nous avons tous intérêt à être en bonne santé le plus longtemps possible. Les patrons des grosses boîtes ne sont ni idiots, ni inhumains, ni casse-cou. Ils veulent juste pouvoir produire des aliments rentables, élaborés sans franchir la ligne jaune de la loi. À nous d'obtenir des politiques que cette ligne jaune soit la plus contraignante possible, et que l'opinion publique les pousse à améliorer leurs produits concrètement et en permanence.

Optimiste je suis et optimiste je resterai. Un vieil ami de mes parents m'a dit un jour : « En toute chose, il faut savoir ce que l'on veut et ce qu'il en coûte. »

Ce que je veux, c'est que nous allions mieux, individuellement et collectivement.

Février

Chapitre 14

Le bilan

Février 2015. J'arrive au terme de mon année « no sugar ».

Ce qui a commencé sur une sorte de coup de tête s'est transformé en aventure personnelle.

Quelques chiffres d'abord, qui résument bien cette année :
1. Santé / bien-être :
– J'ai perdu 6 kg.
– J'ai également perdu 6 cm de tour de taille et 7 cm de tour de hanches.
– J'estime avoir évité 5 à 8 infections ORL (sinusites).
– J'ai récupéré un palais bien plus fin.
– Je n'ai plus de coups de fatigue ou de baisses d'énergie (et je vous dis cela alors que je suis, tel un Sisyphe du XXIe siècle, enchaînée à mon ordinateur jour et nuit depuis des semaines).
– Je digère parfaitement bien.
– J'ai « suspendu » le passage du temps, aucune nouvelle ride n'étant apparue, et les précédentes s'étant plutôt atténuées.
– Je suis bien plus à l'écoute de mes sensations.
– J'ai amélioré certaines de mes constantes biologiques, notamment le bon cholestérol.
– Je n'ai quasiment plus de cellulite.

2. Recherches :
- J'ai lu des dizaines de livres.
- J'ai épluché des centaines d'articles scientifiques en français et en anglais.
- J'ai interrogé une quarantaine d'experts.
- J'ai regardé des tas de documentaires français ou étrangers.
- J'ai surfé des milliers d'heures sur Internet.
- J'ai testé des dizaines de recettes.

Et maintenant ?

Ma première conclusion, c'est que le sucre est partout.

En me plongeant dans l'histoire du sucre et de nos rapports avec lui, je me suis rendu compte que le sucre est indissociable de l'histoire humaine. Il a conquis le monde au rythme des invasions arabes, puis occidentales. Il a été l'un des moteurs de l'industrialisation mondiale, puis a servi, avec le sel et les matières grasses, de socle à l'industrialisation de la nourriture. Il sous-tend les rapports de pouvoir, la politique, les évolutions de société et les tendances culturelles.

Présent dans des dizaines de milliers de produits, le sucre est omniprésent dans notre alimentation. Il est disponible partout et tout le temps, sous forme de produits sucrés, mais également de produits salés.

À toute heure et en tout lieu, on peut manger du sucre. Lorsqu'on arrête le sucre, tout à coup, on prend conscience de l'extraordinaire disponibilité des produits en contenant, de leur bas coût et de leur aspect très pratique. Les produits sucrés ont généralement des durées de conservation longues, sont faciles à emporter car de plus en plus souvent emballés en portion individuelle, et sont surtout très flatteurs au palais. Pratiques + pas chers + plaisants + peu périssables... Qui dit mieux ? Pas facile de lutter avec une pomme ou un sandwich maison.

Arrêter ou alléger sa consommation de sucre, cela nécessite des efforts, cela coûte plus cher, cela demande du temps et de l'énergie. Autant d'éléments dont nous pensons déjà manquer.

Lutter contre la commodité et la disponibilité du sucre exige une volonté de tous les instants.

Ma deuxième conclusion, c'est que le sucre a une influence sur notre santé.

Nous sommes, en partie, ce que nous mangeons.

Nous sommes aussi ce que nous bougeons et ce que nous ressentons. Mais la variable alimentaire est essentielle dans notre santé.

Au vu de mon enquête au pays du sucre, je suis aujourd'hui persuadée que trop de sucre est responsable des caries (mais ça, tout le monde le sait) et d'une partie de nos kilos superflus. De plus, il semble bien qu'une surconsommation de sucre fait grossir, contribue au développement de certaines maladies (obésité, syndrome métabolique, diabète, maladies cardio-vasculaires) et que de lourds soupçons pèsent sur son rôle dans d'autres maladies, notamment neurologiques.

Nombre de ces maladies sont multifactorielles, mais la surconsommation de sucre est un des seuls paramètres sur lesquels nous pouvons agir, avec une alimentation plus saine et plus d'activité physique. L'OMS le sait et le dit. La plupart des experts le savent et le disent. L'Anses le sait mais ne le dit pas encore.

À quand une recommandation précise sur le taux de sucres ajoutés en France et sur la consommation journalière de sucre ? Bientôt, j'espère.

Ma troisième conclusion, c'est qu'on peut vivre sans sucre.

Zapper sucre, viennoiseries, chocolats, pâtisseries, crèmes glacées, confitures, etc., pendant un an n'a rien de facile. Ni de gai.

C'est frustrant. Ce n'est pas toujours facile socialement. C'est parfois rageant... Au bout de quelques semaines, les envies de sucre se calment. Il n'empêche. En écrivant ce livre, au bout de mon année sans sucre, plus d'une fois je me suis surprise à me dire : « Bon, il est tard, je suis seule devant l'ordi et j'ai envie d'un bout de chocolat. Et si j'en prenais un ? » Quelques instants de débat intérieur plus tard, je ne cédais pas. Mais l'envie rôdait toujours, juste sous la surface de ma conscience, comme un réflexe pavlovien.

Vivre sans sucre est possible, c'est une habitude à prendre.

Contrairement aux radicaux anglo-saxons, j'ai continué à manger des sucres complexes, « ex-sucres lents », c'est-à-dire des pâtes, des pommes de terre, du pain, des céréales, des légumineuses, du riz... J'y ai trouvé le glucose, carburant de mon organisme. Après une année sans sucre, je n'ai finalement pas l'impression d'avoir raté beaucoup de plaisirs. Au total, il y a peut-être eu une dizaine d'occasions où, vraiment, j'aurais aimé prendre quelques bouchées d'une sublime pavlova de mon amie Frédérique, de la galette des rois aux agrumes de Pierre Hermé ou de chocolat au lait de Pierre Marcolini.

Mais, c'est incroyablement moins frustrant que ce que je craignais. C'est également l'occasion de redécouvrir certaines saveurs un peu oubliées, plus légères et plus subtiles.

Ma quatrième conclusion, c'est que l'entourage joue un rôle essentiel.

Être aimée, aidée et soutenue par mon entourage m'a considérablement facilité cette année « no sugar ». Lorsque j'ai parlé de mon expérience à Frédéric Saldmann, cardiologue et nutritionniste, il a eu une réflexion très pertinente : « Si tu as réussi ce défi d'une année sans sucre, c'est parce que tu as la chance de vivre dans un environnement harmonieux. Tu es en bonne santé (vrai), tu as un mari avec lequel tout va bien (vrai), une petite fille formidable (vrai), un métier qui te passionne (vrai) et un projet qui te porte (vrai). Nombreux sont les gens qui savent ce qu'il faudrait faire mais ne le font pas car le stress de leur situation les pousse à chercher une compensation. »

Pour quitter le sucre, il faut accepter une certaine dose de frustration, au moins initiale. Et ça, si beaucoup d'autres choses sont déjà frustrantes, c'est difficile, voire impossible.

Éric et Rose ont été formidables au cours de cette année sans sucre. Non pas qu'ils ne le soient pas d'habitude. Jamais ils n'ont réclamé une pâtisserie ou un dessert. Jamais ne m'ont reproché que les menus changent à la maison. Jamais (ou presque) ils n'ont manifesté contre mon obsession de cette année. Et pourtant, ils en ont entendu parler quasiment quotidiennement pendant 365 jours...

Un dimanche, au déjeuner, Éric me disait qu'il se rendait compte que sa consommation de sucre avait baissé cette année. Et, qu'au vu de mes résultats, il allait certainement lever encore plus le pied lui aussi. Quant à Rose, déjà peu bec sucré avant cette expérience, elle l'est devenue encore moins. Si elle adore toujours un carré de bon chocolat noir, elle a complètement délaissé les bonbons, les sucreries, les pâtisseries et les crèmes dessert. Ce qu'elle mange encore ? Quelques biscuits au goûter ou une viennoiserie parfois le dimanche.

Ma cinquième conclusion, c'est qu'on ne peut pas tout attendre des industriels.

Une fois encore, rien n'est tout blanc et rien n'est tout noir.

De plus en plus, des sociétés agroalimentaires s'engagent dans l'amélioration de leurs produits et de leurs gammes. Qu'elles le fassent pour des raisons morales (des produits sains, c'est mieux), militantes (améliorons la santé des Français) ou cyniques (il va falloir le faire sinon nous risquons à moyen terme des sanctions financières ou une crise de confiance des consommateurs), m'importe peu. Ce qui m'importe, c'est que ce mouvement existe et qu'il prenne de l'ampleur dans les années à venir.

Et pour cela, les consommateurs doivent agir. Comment? En accordant leur soutien à ceux qui se préoccupent de la qualité de leurs recettes.

En surveillant ceux qui ne semblent pas agir et le leur faire savoir.

En dénonçant ceux qui, sciemment, pourraient nous faire prendre des risques.

Ma sixième conclusion, c'est que l'information existe.

Elle existe, mais il faut la chercher.

Comme je l'ai expliqué au début de cet ouvrage, je ne suis pas médecin, je ne suis pas nutritionniste, je ne suis pas diététicienne, je ne suis même pas de formation scientifique dure, ayant étudié l'économie, puis l'histoire de l'art et des religions, je suis juste curieuse.

Lorsqu'on dit que le monde en 2015 n'est plus qu'information, ce n'est pas qu'une formule choc. C'est une réalité. Les données sont disponibles pour le plus grand nombre.

N'importe qui d'entre nous peut, s'il le désire, consulter les études des spécialistes, éditées sur les sites des revues scientifiques.

N'importe qui peut contacter un médecin car, bien souvent, son mail apparaît quelque part sur le Net.

N'importe qui peut examiner les données publiées par les autorités de santé, les analyser, les comparer...

La révolution « big data » est une source potentielle de transformations majeures pour nos sociétés. L'individu gagne en puissance face aux entreprises. À condition de s'investir. Je ne pense pas que chacun de nous doive se mettre à faire du data journalisme et à scruter des colonnes de chiffres, des tableaux ou des rapports sans fin. Mais l'information est présente si on la cherche. Arrêtons donc de nourrir l'hypothèse d'un complot permanent, et soutenons les représentants de la société civile et les ONG qui travaillent sur ces sujets.

Ma septième conclusion, c'est qu'il faut interroger les autorités.

L'une des clés du changement se trouve entre leurs mains.

Comme me l'a dit le Pr Michel Lejoyeux, spécialiste de l'addiction, « votre expérience individuelle incite à demander une évaluation généralisable au plus grand nombre ». L'effet d'une monoexpérience comme la mienne n'est pas extrapolable, je le sais. Cela étant, ce que j'ai vécu me pousse à m'interroger.

Peut-être faudrait-il fixer des limites supérieures de consommation de sucres simples ?
Peut-être faudrait-il vraiment tout faire pour essayer de limiter la consommation de sucres simples ?
Peut-être faudrait-il cibler en priorité les populations les plus fragiles, notamment les enfants et les adolescents, dont l'alimentation s'éloigne de plus en plus des habitudes françaises ?
Peut-être faudrait-il repenser les messages de prévention, en y intégrant les dernières découvertes des neurosciences ?

Lors de mon dernier échange avec l'Anses, le service de presse m'a transmis « les dernières références nutritionnelles sur les glucides (sucres simples + sucres complexes) en France, fixées à 55 % des apports nutritionnels conseillés en 2001 ». Et m'a avertie « qu'il n'avait pas été proposé de valeur formelle pour les "glucides simples" ». Face aux polémiques montantes sur le fructose, il m'a été annoncé que « de nombreux travaux existent dans la littérature sur les relations entre les apports en fructose et les paramètres de santé, avec des conclusions pas forcément convergentes. Le groupe de travail est en train d'analyser ces travaux pour fournir un avis global sur ce point ».

J'ai hâte de voir cet avis de l'Anses. Et j'espère que, dans les mois à venir, cette agence se posera la question de l'omniprésence du sucre et des sucres cachés.

Ma huitième conclusion, c'est que l'exemplarité fonctionne.

Je ne sais pas comment sera accueilli ce livre. Bien, je l'espère évidemment.

Au travers de cette année et de cette enquête, j'ai tenté de vous faire vivre ce que j'ai vécu et de vous transmettre le résultat de mes réflexions, de mes lectures et de mes interviews.

En aucun cas je n'ai cherché, ni ne cherche encore aujourd'hui, à entraîner l'ensemble des Français dans un régime strictement « no sugar ». Cependant, à l'aune de mon expérience personnelle, je sais que les effets d'une diminution drastique des sucres simples sont étonnants et vraiment positifs pour la santé.

Au fil des mois, j'ai également découvert que mon exemple semblait inspirer nombre de personnes dans mon entourage. Au-delà de ma famille proche, ce sont des amis, des voisins, des collègues qui, avertis de mon défi, m'ont posé des questions, se sont informés, ont testé une réduction du sucre dans leur alimentation... Ils me connaissent, savent pour la plupart que je ne suis pas une alien, que je suis une bonne vivante, une gourmande. Si je l'ai fait a *maxima*, sans doute peuvent-ils le faire *a minima*. Cela commence souvent par de petites choses : boire un soda de moins par jour, mettre moins de sucre dans le thé ou le café, ne pas acheter un aliment si le sucre arrive dans le top 3 des ingrédients, ne pas prendre de dessert à chaque repas... Et ça marche !

Ma neuvième conclusion, c'est que qualifier le sucre de « poison » est exagéré.

Dans le monde anglo-saxon, on aime les formules qui claquent.

Tout y est marketing, y compris les campagnes en faveur ou contre un type de régime alimentaire, ce qui donnera lieu à une production considérable de livres, d'émissions de télévision, de conférences, de colloques... Avec autant de droits et d'argent en jeu.

Outre-Atlantique, le sucre et le fructose sont qualifiés de toxines pour l'organisme, de poison.

Au terme de mon enquête, je vois les choses de manière plus nuancée. Le sucre n'est pas un poison à mes yeux.

S'il est présent à l'état naturel dans les fruits, les céréales ou le lait, c'est un produit semi-artificiel dans le sens où il doit beaucoup à l'homme qui l'a raffiné, concentré, exploité, créé même, inventant la manière de l'extraire de la betterave, par exemple. Son irrésistible association avec le gras est également une création 100 % humaine.

Longtemps, le sucre a été un condiment dans la cuisine, une sorte d'épice rare et chère, qui était utilisée avec parcimonie. Et c'est cela qu'il devrait être et rester. À mon sens, le sucre devrait quitter sa place d'aliment ou d'ingrédient de base de notre alimentation, pour rejoindre la grande famille des condiments. Comme la vanille ou les épices, il devrait être consommé en moins grande quantité et beaucoup moins souvent.

Pour nous, humains, le sucre, c'est la vie, mais trop de sucre, ce n'est plus la vie telle que nous avons envie de la vivre. Trop de sucre, c'est risquer de vivre une « sous-vie », malades et diminués.

Ma dixième conclusion, c'est que l'équilibre fait tout et que je vais recommencer à manger (un peu) de sucre.

La vie n'est faite que d'équilibres.

Équilibre biochimique.
Équilibre émotionnel.
Équilibre affectif.
Équilibre professionnel.
Équilibre familial.
Équilibre amical.
Équilibre environnemental...

Ça y est! Mon année sans sucre est finie.

Ces dernières semaines, tout le monde me disait : « Alors, ça y est! Tu vas pouvoir en remanger... Qu'est-ce que tu vas choisir pour rompre ton jeûne?»

Ma réponse était : « Je ne sais pas.»

Mais ce que je ne disais pas, c'est que ça me faisait peur.

Il y a quelques mois encore, à l'automne dernier, la fin du mois de février me semblait appartenir à une autre vie. Y arriverais-je un jour? Et je fantasmais de me rouler dans la chantilly, de plonger dans un mont-blanc, de planter ma cuillère dans un merveilleux, de laisser fondre un morceau de chocolat sur ma langue, de m'autoriser une voluptueuse tarte au citron... Et puis les semaines ont passé, de plus en plus vite, me rapprochant de la fin de mon année « no sugar ».

Maintenant, c'est le vertige. Je me sens écrasée par une liberté dont je ne sais que faire. Je me suis tellement répété et j'ai tellement dit à mon entourage que je ne mangeais pas de sucre car je faisais une expérience que l'idée d'en remanger me semble être une transgression absolue.

Je rêve de sentir la douceur du sucré et je crains ses effets sur mon organisme.

Un exemple? Mon endocrinologue me demande depuis près d'un an de faire un test de charge de glucose afin de vérifier ma capacité à le métaboliser. Pour cela, il faut avaler 75 g de glucose à jeun et procéder à deux prises de sang à une heure d'intervalle. Pourquoi ne l'ai-je pas fait? Parce que 75 g de glucose me paraissent monstrueux. J'ai l'impression qu'on va me demander d'avaler un sac de sucre. J'ai beau savoir que lorsque je savoure une rösti ou une assiette de pâtes, je ne suis pas loin, voire je dépasse ces 75 g de glucose, cela me fait peur.

Vais-je vomir ? Vais-je faire un malaise ? Vais-je faire un coma diabétique ? Ces angoisses (surtout la dernière) sont absurdes, mais elles me taraudent.

Par quoi allais-je rompre mon jeûne sucré ?

Je l'ai fait. C'était un carré de chocolat noir de Patrick Roger. Et c'était bon. Mais j'ai eu du mal à le manger tout entier et je n'ai pas envisagé d'en croquer un second.

Cette année sans sucre aura changé beaucoup de choses.

J'ai découvert que j'étais capable de tenir, alors même que je me sentais « addict » au sucre.

J'ai découvert que mes envies étaient très largement dictées par mes émotions.

J'ai découvert que je mangeais du sucre le plus souvent inconsciemment.

J'ai découvert que je me sentais mieux et que j'étais en meilleure santé sans le sucre.

J'ai découvert qu'il me manquait et que certaines de ses saveurs étaient irremplaçables.

J'ai découvert que c'était à moi de choisir quand j'en mangerais et non de me le laisser imposer à toutes les bouchées ou presque.

À l'avenir, après avoir été « no sugar », je pense que je vais devenir « slow sugar ».

Qu'est-ce que c'est qu'être « slow sugar » ?

C'est éviter au maximum les produits industriels salés et sucrés qui en contiennent beaucoup, les sucreries... C'est préférer un peu de sucre bien travaillé (une bonne pâtisserie, un morceau d'excellent chocolat) de temps en temps. C'est manger le sucre en conscience, rarement, c'est-à-dire une à deux fois par semaine, mais avec plaisir.

C'est remettre le sucre à la place qu'il occupait durant mon enfance : une rareté appréciée.

Et c'est être libre de pleinement le savourer.

LES RECETTES

ŒUFS

ŒUF À LA COQUE

Glissez doucement à l'aide d'une cuillère un œuf dans une casserole d'eau bouillante. Laissez-le cuire 4 min environ (eh oui, les œufs, de plus en plus gros, sont mieux cuits un peu plus longtemps).

ŒUFS BROUILLÉS

2 œufs
1 c. à café de beurre
Sel + poivre

Faites fondre le beurre à feu doux dans une petite casserole à fond épais. Ajoutez les œufs un par un, entiers, dans la casserole. Mélangez avec une cuillère en bois sans arrêt pendant 2 à 3 min. Salez et poivrez.

Sur cette base, toutes les variantes sont possibles en y ajoutant quelques ingrédients :
- une pincée de piment d'Espelette
- 1 à 2 c. à soupe d'œufs de saumon
- une tranche de saumon fumé en lamelles
- une poignée de pousses d'épinards
- une tranche de jambon blanc ou fumé émincé
- quelques tranches de chorizo
- quelques dés de tomates ou des pointes d'asperges vertes
- quelques champignons sautés (champignons de Paris, girolles, cèpes)
- un reste de ratatouille
- un peu de fromage râpé (gruyère, parmesan, pecorino)
- et, pour les occasions exceptionnelles, quelques copeaux de truffe

ŒUFS AU PLAT

Dans une poêle, faites fondre 1 c. à café de beurre. Déposez deux œufs et laissez cuire à feu moyen pendant 2 min. Salez et poivrez.

Autre option, faites griller une tranche de bacon ou de jambon dans la poêle avant d'y mettre les œufs.

ŒUF POCHÉ

Portez à ébullition une casserole d'eau additionnée d'une cuillère à café de vinaigre d'alcool. Cassez un œuf dans une tasse et glissez-le dans l'eau. À l'aide d'une écumoire, ramenez les filaments de blanc d'œuf autour du jaune pour qu'ils s'agglomèrent. Au bout de 3 min, retirez les œufs de l'eau à l'aide de l'écumoire et servez-les.

Parfait au petit déjeuner avec un peu d'épinards, un reste de ratatouille, quelques bouquets de brocoli cuits, quelques asperges, un peu de lentilles...

ŒUFS COCOTTE AUX LÉGUMES

Gourmand, élégant et facile.

2 oignons nouveaux
100 g de petits pois
200 g de pousses d'épinards
20 g de beurre salé
4 œufs
50 g de crème fraîche épaisse
Sel, poivre

Dans une poêle, faites revenir à feu doux les oignons finement émincés avec le beurre salé. Au bout de 2 min, ajoutez les petits pois et les épinards lavés et essorés. Laissez cuire 2 min à feu vif. Disposez les légumes au fond de quatre ramequins, ajoutez une grosse cuillère à café de crème + un œuf. Salez et poivrez et faites cuire 15 min au four préchauffé à 180 °C (th. 6) au bain-marie.

SOUPES

Velouté potiron-châtaigne

Une soupe rassasiante, à la texture fondante et à la saveur douce, presque sucrée.

1 gros oignon
1 c. à soupe d'huile d'olive
1 kg de potiron
250 g environ de marrons cuits au naturel
2 c. à soupe de crème fraîche
80 cl de bouillon de volaille (à partir de bouillon Ariaké)
Sel, poivre

Dans une cocotte-minute, faites revenir à feu doux l'oignon haché dans l'huile d'olive. Laissez cuire 2 à 3 min. Ajoutez le potiron pelé et épépiné, coupé en gros cubes, ainsi que 500 ml d'eau, les marrons et le bouillon. Faites cuire 10 min sous pression (ou 20 min dans une casserole classique). Ajoutez la crème, mixez soigneusement, salez et poivrez. Si nécessaire, ajoutez un peu d'eau pour obtenir la texture désirée.

Soupe poireaux-panais-curry

Saveur délicate, texture riche... Un classique de l'automne et de l'hiver.

1 gros oignon
1 c. à soupe d'huile d'olive
3 poireaux

2 panais
80 cl de bouillon de volaille Ariaké
200 ml de crème de coco
1 c. à café de curry
Sel, poivre

Dans une cocotte-minute, faites revenir à feu doux l'oignon haché dans l'huile d'olive. Laissez cuire 2 à 3 min. Ajoutez les poireaux nettoyés et coupés en tranches d'1 cm environ, ainsi que les panais, pelés et tranchés. Faites revenir 2 min. Mouillez avec 800 ml d'eau. Ajoutez le bouillon et faites cuire 10 min sous pression (ou 20 min dans une casserole classique). Ajoutez la crème de coco et le curry, mixez soigneusement, salez et poivrez. Si nécessaire, ajoutez un peu d'eau pour obtenir la texture désirée.

SOUPE D'ORGE

Un classique familial, réconfortant et typique de la cuisine du canton des Grisons, en Suisse. Le plus ? Un plat unique encore meilleur réchauffé le lendemain.

2 c. à soupe de beurre
1 gros oignon
2 gros poireaux
3 carottes
1 branche de céleri
100 g d'orge perlé
250 g de lard fumé
1 feuille de laurier
Quelques brins de thym
80 cl de bouillon de volaille Ariaké

Sel, poivre
Crème fraîche épaisse
Ciboulette

Dans une cocotte-minute, faites revenir à feu doux l'oignon haché dans le beurre. Laissez cuire 2 à 3 min. Ajoutez les poireaux nettoyés, coupés en quatre dans le sens de la longueur, puis émincés en tranches fines. Faites revenir une minute, avant d'ajouter les carottes et le céleri coupés en petits dés. Mouillez avec 800 ml d'eau. Ajoutez le bouillon, l'orge perlé, le lard coupé en gros morceaux et faites cuire 30 min sous pression (ou 1 h 15 min dans une casserole classique). Salez et poivrez. Si nécessaire, ajoutez un peu d'eau pour obtenir la texture désirée. Servez avec un peu de crème fraîche et de la ciboulette ciselée.

SOUPE DE HARICOTS NOIRS À L'AVOCAT

Une recette divine aux saveurs mexicaines, qui rend ma fille dingue et fait souvent office de plat du soir.

1 gros oignon
1 branche de céleri
1 carotte
500 g de haricots rouges en conserve
2 bouillons cube
2 avocats
1 tomate
1 oignon de printemps
2 petites gousses d'ail
1 citron vert
Sauce Tabasco

1 c. à café de cumin en poudre
2 c. à soupe de coriandre hachée
1 c. à soupe d'huile d'olive
Sel, poivre

Dans une casserole, faites revenir à feu doux l'oignon haché dans le beurre. Laissez cuire 2 à 3 min. Ajoutez les rondelles de carottes, le céleri coupé en petits dés et les bouillons cube. Mouillez avec 500 ml d'eau et laissez cuire 15 à 20 min. Rincez soigneusement les haricots sous l'eau courante pour éliminer le sel et le sucre. Ajoutez les haricots et mixez le tout. Salez et poivrez. Dans un plat, mélangez la chair des avocats coupée en morceaux, les tomates épépinées et hachées, l'ail haché et l'oignon de printemps finement émincé. Assaisonnez avec le jus de citron, l'huile d'olive, le cumin, sel, poivre, quelques gouttes de Tabasco et la coriandre hachée. Servez la soupe chaude avec la salade d'avocat et un peu de crème fraîche épaisse.

Soupe phô

Un plat complet aux saveurs vietnamiennes.

1 oignon
2 clous de girofle
1 bâton de cannelle
2 étoiles de badiane
1 morceau de 1 cm de gingembre pelé
1 l de bouillon de bœuf Ariaké
1 c. à soupe de sauce nuoc-mâm
200 g de nouilles de riz (en vente dans les épiceries asiatiques)

2 citrons verts

1 petit piment rouge

3 ciboules

2 c. à soupe de coriandre hachée

200 g de bœuf maigre (rumsteck, filet, aloyau) émincé finement

Dans une casserole, portez à ébullition le bouillon avec la badiane, la cannelle, l'oignon pelé piqué de girofle et le gingembre. Laissez cuire 15 min à feu doux, avant d'y ajouter le nuoc-mâm. Ciselez la ciboule et la coriandre. Faites cuire 200 g de nouilles de riz à l'eau bouillante salée en suivant les indications. Disposez les nouilles dans deux grands bols, versez le bouillon chaud, parsemez de lamelles de bœuf, de coriandre et de ciboule. Servez bien chaud avec des quartiers de citron vert et de fines rondelles de piment.

SOUPE CAROTTES-LENTILLES CORAIL

Encore une fois, une recette dense, hyper digeste et bourrée d'antioxydants.

1 c. à soupe d'huile d'olive

1 gros oignon

4 carottes

120 g de lentilles corail

80 cl de bouillon de volaille Ariaké

200 ml de lait de coco

Sel, poivre

1 c. à café de curcuma

2 c. à soupe de coriandre hachée

Dans une cocotte-minute, faites revenir 2 min l'oignon émincé avec l'huile d'olive. Ajoutez les carottes pelées et coupées en rondelles, faites revenir 3 min. Mouillez avec le bouillon, ajoutez les lentilles, le bouillon, le sel et le poivre. Laissez cuire 15 min. Mixez le tout avec le lait de coco et le curcuma. Si besoin, ajoutez un peu d'eau pour diluer. Servez la soupe saupoudrée de coriandre.

SOUPE CONCOMBRE-CÉLERI-AVOCAT

Un shoot de verdure et de fraîcheur !

1 concombre
2 branches de céleri
2 avocats
300 ml de bouillon de volaille froid Ariaké
1 citron vert
Sel, poivre
Sauce Tabasco

Faites cuire le concombre épépiné et coupé en gros morceaux, ainsi que les branches de céleri taillées en tronçons, 5 min à la vapeur. Mixez soigneusement la chair des avocats, le concombre, le céleri et le bouillon. Assaisonnez avec le jus de citron, sel, poivre, et quelques gouttes de Tabasco. Servez bien frais.

Gaspacho de betterave au fromage frais

Une idée de mon amie Frédérique qui en fait une entrée somptueuse lors d'un dîner, ou un en-cas rafraîchissant.

1 oignon
2 betteraves cuites
1 poivron rouge
2 c. à soupe de vinaigre de Xérès
4 dl de bouillon de volaille froid Ariaké
1 dl d'huile d'olive
150 g de fromage de chèvre frais
2 c. à soupe de persil haché
2 c. à soupe de menthe verte hachée
Sel, poivre

Au robot, mixez les betteraves pelées et coupées en cubes + l'oignon pelé et émincé + le poivron épépiné. Ajoutez le vinaigre, l'huile d'olive et le bouillon, mixez soigneusement. Salez, poivrez. Dans un plat, mélangez le fromage de chèvre et les herbes fraîches hachées. Salez, poivrez. Servez le gaspacho de betterave avec le fromage aux herbes.

SALADES & LÉGUMES

GUACAMOLE

Un basique au menu plusieurs fois par semaine.

1 avocat
1 petite tomate épépinée
1 oignon de printemps
1 citron vert
2 gouttes de Tabasco
½ c. à café de coriandre hachée
Sel, poivre

Mixez grossièrement tous les éléments. Servez avec des tranches de pain grillées.

QUINOA AU CITRON

Rafraîchissant et nourrissant.

250 g de quinoa
1 bouquet de persil plat
2 citrons confits
3 oignons de printemps
Sel, poivre
10 cl d'huile d'olive

Rincez plusieurs fois le quinoa pour éliminer la saponine, avant de le faire cuire dans deux fois son volume d'eau. Portez à ébullition et laissez cuire 10 à 15 min, jusqu'à ce que l'eau soit absorbée et que les germes se détachent. Couvrez et laissez tiédir 10 min. Mélangez le quinoa tiède avec les oignons finement émincés, les citrons confits épépinés et hachés, le persil haché, l'huile d'olive. Salez et poivrez.

SALADE POIS CHICHES–AUBERGINES

Une des recettes préférées de Rose.

2 aubergines
2 oignons de printemps
250 g de pois chiches en conserve
20 cl de pulpe de tomates
Quelques feuilles de basilic
1 c. à café de cumin
20 cl d'huile d'olive
Sel, poivre

Coupez les aubergines en fines tranches (2 mm d'épaisseur) et disposez-les sur une plaque couverte de papier sulfurisé. Salez et huilez avec 10 cl d'huile d'olive. Glissez au four 15 à 20 min à 200 °C (th. 7). Égouttez et rincez les pois chiches. Sortez les aubergines du four et mettez-les dans un plat, couvrez et laissez tiédir 10 min, avant de les couper grossièrement avec des ciseaux de cuisine. Mélangez les pois chiches avec la pulpe de tomates, les oignons frais hachés, le cumin, 10 cl d'huile d'olive, les aubergines, sel et poivre.

SALADE POIRES-FENOUIL

Parfaite pour une entrée de dîner chic.

2 poires conférence croquantes
2 têtes de fenouil
100 g de roquette
1 citron bio
10 cl d'huile d'olive
Sel, poivre

À la mandoline, taillez le fenouil en fines tranches. Épluchez les poires puis coupez-les en fins quartiers. Dans un plat, mélangez le fenouil, les poires et la roquette rincée et essorée, à la main doucement. Assaisonnez avec le zeste de citron, le jus d'un demi-citron, l'huile d'olive, sel et poivre.

RIZ SAUVAGE AUX LÉGUMES ET MANGUE

Un plat complet élégant et délicieux.

250 g de riz sauvage
1 bouquet d'asperges vertes
250 g de haricots verts
1 oignon rose
1 poivron rouge
1 mangue
3 c. à soupe de coriandre hachée
1 c. à soupe de moutarde forte
1 c. à soupe de sauce soja
2 c. à soupe de jus d'orange
1 c. à café de sirop de riz

5 c. à soupe d'huile d'olive
Sel, poivre

Faites cuire le riz sauvage 45 min dans une grande casserole d'eau. Coupez les têtes des asperges et émincez les tiges en trois morceaux. Faites cuire les haricots équeutés + les asperges (têtes et tiges) 5 min à l'eau bouillante salée. Égouttez et rincez à l'eau froide pour stopper la cuisson. Dans une poêle, faites revenir l'oignon et le poivron rouge épépiné, tous deux coupés en fines tranches, avec un peu d'huile d'olive, pendant une dizaine de minutes. Dans un grand plat creux, préparez la sauce en mélangeant moutarde, sirop de riz, sauce soja, huile d'olive, jus d'orange, sel et poivre. Versez-y le riz, ajoutez les légumes (asperges, haricots, oignon, poivron rouge), mélangez le tout délicatement avec la coriandre. Servez avec des morceaux de mangue bien mûre.

Salade de poivrons rouges

Une recette un peu longue, mais le résultat en vaut la peine.

8 poivrons rouges
1 citron bio
2 gousses d'ail
1 c. à café de cumin en poudre
1 c. à soupe de coriandre hachée
10 cl d'huile d'olive
Sel, poivre

Rincez, épépinez les poivrons rouges et coupez-les en quartiers. Disposez-les sur une plaque couverte de papier sulfurisé. Faites-les cuire 20 min à 180 °C (th. 6), puis glissez les poivrons dans un sachet en plastique et fermez-le. Au bout de 30 min, pelez les poivrons, avant de les laissez dégorger 20 min dans une passoire. Pressez les poivrons pour retirer le jus avant de les mettre dans un plat. Mélangez-les avec l'ail dégermé et râpé, la chair de citron coupée en petits dés, l'huile d'olive, la coriandre, le cumin, sel, poivre et huile d'olive.

HOUMOUS

Un incontournable !

250 g de pois chiches en conserve
1 citron bio
10 cl d'huile d'olive
2 c. à soupe de tahini (purée de sésame)
2 c. à soupe de fromage blanc
1 gousse d'ail
1 c. à café de coriandre en poudre
Sel, poivre

Mixez soigneusement les pois chiches rincés et égouttés avec le jus de citron, le fromage, le tahini, l'huile d'olive, la gousse d'ail dégermée et hachée, la coriandre, sel et poivre. Servez avec des légumes crus.

LÉGUMES À LA GRECQUE

Le goût de Patmos...

4 petites courgettes vertes et jaunes
150 g d'épinards
1 citron bio

Fleur de sel
Huile d'olive

Retirez les extrémités des courgettes, puis plongez-les 10 min dans une casserole d'eau bouillante salée. Lavez et essorez les épinards. Deux min avant la fin de cuisson des courgettes, ajoutez les épinards. Égouttez courgettes et épinards. Servez-les avec un filet d'huile d'olive, de jus de citron et de la fleur de sel.

SALADE DE HARICOTS AU THON

Prête en 5 min chrono!

250 g de haricots en boîte
1 pot de ventrèche de thon à l'huile
250 g de tomates cerises
2 c. à soupe de vinaigre de Xérès
4 c. à soupe d'huile d'olive
Sel, poivre

Rincez et égouttez les haricots. Dans un plat, mélangez les haricots, les tomates coupées en quatre et la ventrèche de thon émiettée. Assaisonnez avec le vinaigre, l'huile d'olive, sel et poivre.

SALADE DE CHAMPIGNONS SAUTÉS

Bon pour la santé et dépaysant.

250 g de champignons de Paris ou rosés
1 oignon
10 cl de saké

1 c. à soupe sauce soja
2 c. à soupe d'huile d'olive
Poivre

Retirez le pied des champignons, rincez-les et coupez en grosses tranches. Dans une poêle, faites sauter l'oignon finement émincé avec les champignons à feu moyen pendant 5 min. Couvrez, laissez cuire 5 à 8 min. Mouillez avec le saké et la sauce soja. Poivrez et servez tiède.

GRATIN D'AUBERGINES

Parfumé et fondant, parfait pour un repas du soir.

2 aubergines
400 g de pulpe de tomates en boîte
50 g de parmesan
Huile d'olive
Thym
Sel, poivre

Au robot, mixez la pulpe de tomates avec du sel, du poivre et un peu de thym. Coupez les aubergines dans le sens de la longueur en tranches d'environ 1 cm d'épaisseur. Dans un plat huilé, répartissez 2 c. à soupe de pulpe de tomates sur le fond. Disposez une couche d'aubergines, salez et poivre. Ajoutez un peu de pulpe de tomates. Alternez les couches de tomates et d'aubergines. Finissez par une couche de pulpe de tomates et saupoudrez le parmesan. Couvrez d'une feuille de papier aluminium et faites cuire 1 h au four à 180 °C (th. 6). Quinze min avant la fin de la cuisson, retirez l'aluminium pour faire gratiner.

PLATS

CLAFOUTIS SALÉ COURGETTES-CHÈVRE-OLIVES

Simple à préparer, un plat qui se fait presque tout seul.

2 courgettes
1 oignon
1 gousse d'ail
200 g de tomates cerises
Un peu de thym
200 g de fromage de chèvre frais
50 g d'olives noires
Quelques feuilles de basilic
5 œufs bio
30 cl de lait entier bio
75 g de farine
15 cl d'huile d'olive
Sel, poivre

Coupez les extrémités des courgettes, lavez-les, puis coupez-les en fines tranches (2 mm d'épaisseur). Dans une poêle, faites sauter l'oignon haché et l'ail dégermé et haché avec 2 c. à soupe d'huile d'olive. Ajoutez les courgettes, le thym, salez, poivrez et laissez cuire à feu doux et à couvert 10 min en remuant de temps en temps. Huilez un plat allant au four. Versez-y les courgettes. Émiettez le fromage de chèvre dans le plat, ajoutez les olives, les tomates cerises et le basilic ciselé. Dans un plat creux, mélangez les œufs et la farine, en fouettant, incorporez le lait et l'huile d'olive. Salez et poivrez bien. Versez ce mélange dans le plat et glissez 30 à 40 min au four préchauffé à 180 °C (th. 6).

RÖSTI

Un de mes plats SOS.

500 g de pommes de terre à chair ferme, cuites à la vapeur, refroidies au moins une nuit au réfrigérateur
40 g de graisse de canard
Sel, poivre

Épluchez les pommes de terre, puis râpez-les avec une râpe à gros trous. Faites fondre la graisse de canard dans une grande poêle. Ajoutez les pommes de terre, faites-les revenir à feu moyen pendant 10 min en les retournant de temps en temps. Rassemblez ensuite les pommes de terre en une grosse galette au centre de la poêle. Baissez le feu et posez un couvercle. Laissez cuire 5 min avant de retourner la rösti sur une assiette et de la servir avec une salade verte.

SALADE DE POIS CHICHES AU CABILLAUD

500 g de cabillaud
1 oignon rouge
1 botte de coriandre
1 boîte de pois chiches
1 c. à soupe de vinaigre de Xérès
4 c. à soupe d'huile d'olive
Sel, poivre

Faites cuire le cabillaud 8 min à la vapeur, puis émiettez-le. Rincez et égouttez les pois chiches. Dans un plat creux, mélangez le cabillaud, les pois chiches, l'oignon finement émincé, la coriandre ciselée. Assaisonnez avec le vinaigre, l'huile d'olive, sel et poivre.

SPAGHETTIS ALLE VONGOLE ET TOMATES

Encore un plat complet plein de saveurs.

1 kg de palourdes
300 g de spaghettis demi-complet
1 oignon
3 tomates
3 c. à soupe de persil plat haché
1 dl de vin blanc
15 cl d'huile d'olive
Sel, poivre

Laissez les palourdes 2 h dans une bassine d'eau fraîche salée, en changeant l'eau deux ou trois fois, pour retirer le sable. Disposez les palourdes dans un grande sauteuse, ajoutez le vin blanc, couvrez et laissez cuire 5 à 8 min. Retirez du feu. Égouttez les palourdes et filtrez l'eau dans une passoire avec du papier de cuisine. Dans une poêle, faites revenir l'oignon haché avec 1 c. à soupe d'huile d'olive pendant 2 min avant d'ajouter les tomates épépinées et coupées en morceaux, le sel et le poivre. Mouillez avec l'eau de cuisson des palourdes, laissez cuire à feu doux quelques minutes. Mélangez la sauce avec les spaghettis cuits al dente. Arrosez de 10 cl d'huile d'olive et de persil haché. Ajoutez les palourdes et servez très chaud.

Orechiette aux courgettes

Équilibré et facile.

300 g d'orechiette
2 courgettes
1 oignon
2 gousses d'ail
2 c. à soupe de menthe hachée
2 c. à soupe de persil plat haché
50 g d'olives Kalamata dénoyautées et hachées grossièrement
50 g de pignons de pin
50 g de parmesan
5 cl d'huile d'olive
Sel, poivre

Faites cuire les orechiette al dente dans une grande casserole d'eau bouillante salée. Faites revenir l'oignon et l'ail hachés avec 2 c. à soupe d'huile d'olive. Ajoutez les courgettes coupées en petits dés (3 × 3 mm). Faites revenir 3 min avant de couvrir et de laisser cuire 5 min. Dans une poêle, faites revenir à sec les pignons à feu doux. Mélangez les orechiette avec les courgettes, les pignons, les olives, le persil, la menthe, 3 c. à soupe d'huile d'olive, sel et poivre. Servez avec du parmesan.

Risotto aux champignons et pesto de persil

Un repas complet et assez chic pour un dîner entre amis.

50 g de cèpes secs
400 g de champignons de Paris

250 g de riz vialone
1 gros oignon
20 cl de vin blanc sec
80 cl de bouillon de volaille Ariaké
50 g de beurre
100 g de parmesan
1 bouquet de persil plat
2 gousses d'ail
30 g de noisettes
20 cl d'huile d'olive
Sel, poivre

Dans un bol, faites gonfler les cèpes secs avec de l'eau chaude. Dans une cocotte, faites revenir l'oignon haché avec 2 c. à soupe d'huile. Au bout de 2 min, ajoutez le riz et faites revenir à feu doux jusqu'à ce qu'il devienne transparent. Mouillez avec le vin blanc puis, pendant 20 min, ajoutez progressivement le bouillon en tournant régulièrement. Dans une poêle, faites revenir les champignons lavés et coupés en tranches avec un peu d'huile d'olive, ainsi que les cèpes égouttés. Passez leur eau dans une passoire garnie de papier cuisine. Ajoutez l'eau filtrée des cèpes au risotto. Hors du feu, lorsque le riz est al dente, ajoutez le beurre, 50 g de parmesan, et mélangez bien. Ajoutez les champignons sautés. Servez avec un pesto de persil réalisé en mixant ail dégermé + persil plat + noisettes + huile + sel + poivre + parmesan.

POULET SAUTÉ AU SATÉ

Plus ou moins pimenté, mais toujours bon.

2 blancs de poulet
80 g de cacahuètes nature

1 échalote
10 cl de lait de coco
1 pointe de couteau de purée de piment
2 c. à soupe de sirop de riz
1 c. à soupe de sauce nuoc-mâm
1 c. à soupe d'huile de coco
Sel

Au robot, mixez finement les cacahuètes grillées à sec dans une poêle + le piment + le sirop de riz + la sauce nuoc-mâm + le lait de coco + l'échalote hachée. Salez à votre convenance. Servez avec des blancs de poulet émincés, sautés à l'huile de noix de coco.

POULET RÔTI

La recette inratable pour avoir un poulet toujours moelleux et grillé.

1 gros poulet fermier
300 à 400 ml de bouillon de volaille
2 oignons roses
1 tête d'ail
2 feuilles de laurier
3 brins de thym
Sel, poivre

Disposez le poulet, blancs vers le bas, dans un plat creux. Versez-y 30 à 40 cl d'eau (il doit y avoir 3 cm d'eau), ajoutez les oignons coupés en quartiers, les gousses d'ail non épluchées, les feuilles de laurier, le thym et le bouillon. Salez et poivrez le poulet. Faites cuire 1 h 30 à 1 h 45 dans le four préchauffé à 180 °C (th. 6). Quinze minutes avant la fin de la cuisson, retournez le poulet afin de faire griller la peau.

Et après
– Gardez la carcasse pour faire un (bon) bouillon : faites-la cuire 3 à 4 h à petits bouillons dans une casserole avec 3 l d'eau, une carotte, un oignon piqué de clous de girofle, un poireau, quelques brins de persil, une branche de céleri, des grains de poivre et ½ c. à café de gros sel.
– Il reste du poulet ? Mixez la chair restante avec un peu de fromage blanc + de la moutarde à l'ancienne + sel + poivre + ciboulette hachée. Délicieux sur des tartines grillées.

ÉPAULE D'AGNEAU CONFITE AUX ÉPICES

Une recette confiée par Christian Le Squer à Elle, *juste démente et presque sucrée... Un peu simplifiée par mes soins.*

1 belle épaule d'agneau
3 citrons confits
4 oignons
3 gousses d'ail
1 bouquet garni
50 cl de bouillon de volaille Ariaké
60 g de raisins de Corinthe
60 g de raisins de Smyrne
1 c. à café de cumin en poudre
1 bâton de cannelle
1 botte de coriandre
50 g d'amandes effilées
3 c. à soupe d'huile d'olive
Sel, poivre

Dans une cocotte en fonte, faites revenir l'épaule d'agneau de chaque côté. Retirez-la, salez et poivrez. Faites chauffer l'huile dans la cocotte et faites revenir les oignons finement tranchés 10 min à feu doux. Rajoutez l'épaule d'agneau, les gousses d'ail et le bouquet garni. Mouillez avec le bouillon, ajoutez les citrons confits coupés en deux, les raisins, la cannelle, le cumin et la coriandre ciselée. Fermez la cocotte et glissez-la 3 h au four à 160 °C (th. 5). Servez avec de la semoule et les amandes effilées grillées à sec.

CURRY THAÏ RAPIDE

Exotique et équilibré.

1 c. à soupe de purée de piment vert
2 blancs de poulet
1 courgette
1 poivron rouge
1 poivron vert
1 aubergine
1 citron vert
1 c. à soupe de sirop de riz
1 c. à soupe de sauce de poisson
1 bâton de citronnelle
3 feuilles de citron kaffir
20 cl de lait de coco
1 c. à soupe d'huile de coco

Dans une casserole, faites revenir la purée de piment avec l'huile pendant 2 min. Mouillez avec 30 cl d'eau. Ajoutez le poulet émincé, les poivrons épépinés et coupés en dés, l'aubergine et la courgette taillées en dés, le bâton de citronnelle et les feuilles de citron kaffir. Laissez cuire 12 à 15 min à feu moyen. Ajoutez le jus de citron, le sirop de riz, le lait de coco, la sauce de poisson, et servez avec du riz blanc.

Truite de mer, sauce au raifort

Un plat rapide que les enfants adorent.

1 filet de truite de mer
200 g de fromage blanc
1 c. à café de raifort râpé
Ciboulette
Sel, poivre

Faites cuire la truite de mer au micro-ondes (puissance faible 350 W environ) pendant 4 à 5 min par périodes de 1 min (pour surveiller la cuisson). La chair doit rester molle. Dans un bol, mélangez le fromage blanc + la purée de raifort + sel + poivre + ciboulette hachée. Servez le poisson avec des pommes de terre cuites à la vapeur, la sauce et une salade verte.

Bœuf sauté à la japonaise

Pour un déjeuner à l'esprit bento.

2 steaks hachés
1 oignon rose
150 g de petits pois
1 courgette
1 c. à soupe d'huile d'olive
1 c. à soupe d'huile de sésame

1 c. à café de sirop de riz
1 c. à café de sauce soja
1 c. à soupe de gomasio (grains de sésame grillés + sel)

Dans une poêle, faites revenir l'oignon finement haché et la courgette coupée en petits dés avec l'huile d'olive. Au bout de 2 min, ajoutez les steaks hachés et faites-les revenir à feu vif en les émiettant à l'aide d'une spatule. Ajoutez les petits pois, couvrez et laissez cuire 3 min à feu doux. Assaisonnez avec la sauce soja, le sirop de riz, l'huile de sésame et le gomasio. Servez chaud avec du riz semi-complet.

FILET MIGNON AU CITRON

Assez chic et super facile à préparer.

1 filet mignon
1 citron bio
3 c. à soupe de moutarde forte
2 gousses d'ail
10 cl de vermouth
200 g de crème fraîche
2 c. à soupe d'huile d'olive
Sel, poivre

Dans un plat creux, mélangez 2 c. à soupe de moutarde, l'huile d'olive, l'ail dégermé et haché. Enduisez-en le filet mignon et laissez reposer 2 h au frais. Sortez le filet mignon. Faites des trous au couteau et glissez-y des morceaux de zeste de citron. Posez le filet mignon dans un plat et versez la marinade. Faites cuire 20 min à four chaud à 180 °C (th. 6). Retirez le filet mignon et conservez-le sous un morceau de papier aluminium. Déglacez le plat avec le vermouth, ajoutez 1 c. à soupe de moutarde et la crème. Enfournez 5 min. Coupez le filet mignon en médaillons. Servez la viande avec la sauce citron-moutarde.

CURRY VEAU-ÉPINARDS

Rapide, simple et très parfumé.

800 g d'épaule de veau en cubes de 5 × 5 cm
400 g d'épinards
1 gros oignon
2 c. à soupe de curry doux
1 c. à soupe de garam masala
300 à 400 ml de bouillon volaille Ariaké
2 c. à soupe de farine de coco
40 cl de lait de coco
3 c. à soupe d'huile de coco
Sel, poivre

Dans une cocotte, faites fondre l'oignon haché avec l'huile de coco. Ajoutez la viande et faites-la revenir 5 min à feu doux. Farinez avec la farine de coco avant de mouiller avec 30 à 40 cl de bouillon. Ajoutez le curry et le garam masala. Salez et poivrez. Laissez cuire 20 min à couvert. Lavez et essorez les épinards. Ajoutez le lait de coco et les feuilles d'épinards. Laissez cuire 5 min pour que les feuilles d'épinards tombent. Servez avec du riz basmati.

BOULETTES D'AGNEAU À LA MENTHE

Le goût de la Grèce.

500 g de hachis d'agneau
250 de hachis de veau
1 gros oignon
Un bouquet de menthe hachée
Huile d'olive
Sel, poivre

Dans un plat, mélangez l'agneau, le veau, l'oignon haché, la menthe, sel et poivre. Les mains mouillées, confectionnez des boulettes ovales et aplaties. Faites-les cuire 10 min à feu doux de chaque côté. Servez avec des légumes et un tsatsiki.

DESSERTS

ŒUFS AU LAIT

Le parfum de l'enfance et une solution pour le petit déjeuner.

800 ml de lait entier bio
6 œufs bio
1 gousse de vanille
3 c. à soupe de Pure Via (édulcorant à la stévia)

Dans un bol, fouettez le lait, les œufs, les graines de la gousse de vanille et le Pure Via. Versez dans des ramequins. Faites cuire 45 min au bain-marie au four préchauffé à 180 °C (th. 6).

TIRAMISU AZUKIS-THÉ VERT

Une recette assez longue mais somptueuse et dépaysante.

150 g d'azukis (haricots rouges japonais)
12 à 15 c. à soupe de sirop de riz
250 g de mascarpone
3 œufs bio
3 c. à soupe de thé vert matcha (en poudre)
½ c. à café de poudre de vanille

Rincez les azukis. Faites-les cuire 20 min dans quatre fois leur volume d'eau. Égouttez-les et rincez-les. Faites-les à nouveau cuire 1 h avec cinq à six fois leur volume d'eau. Jetez la moitié de l'eau restante. Écrasez bien les haricots et mélangez-les avec 10 à 12 c. à soupe de sirop de riz. Versez dans un bol la pâte qui doit être un peu molle et laissez refroidir. Le mélange (nommé tsubuan au Japon) va durcir un peu en refroidissant. Dans un bol, fouettez 3 c. à soupe de sirop de riz avec les jaunes d'œufs, la poudre de vanille, 2 c. à soupe de thé matcha et le mascarpone. Montez les blancs en neige et incorporez-les délicatement. Dans les ramequins, alternez les couches de tsubuan et de crème matcha en commençant par le tsubuan et en finissant par la crème. Placez au frais au moins 4 h. Saupoudrez 1 c. à soupe de thé matcha avant de servir.

RIZ AU LAIT DE COCO

Une version tropicale du classique riz au lait.

25 g de raisins secs
20 cl de rhum
150 g de riz rond
700 ml de lait de coco
50 g de sirop de riz
1 c. à café de cannelle en poudre

Dans une casserole, faites cuire le riz à feu très doux avec le sirop de riz et le lait de coco en remuant régulièrement. Au bout de 20 min, ajoutez les raisins au rhum. Servez tiède, saupoudré de cannelle.

CAKE AU CITRON

LE cake de famille revisité en version no sugar.

6 œufs
120 g de Pure Via

150 g de beurre bio
200 g de farine bio
2 citrons bio
½ sachet de levure chimique
50 g de xylitol

Dans un bol, fouettez le beurre mou et le Pure Via. Ajoutez les œufs en fouettant, puis le zeste des deux citrons lavés. Ajoutez la farine et la levure. Versez la pâte dans un moule à cake et faites cuire 50 min à 180 °C (th. 6). Dans un petit bol, faites fondre le xylitol dans le jus des deux citrons. Lorsque le cake est cuit, piquez-le tout de suite avec un cure-dents et versez dessus le sirop de citron. Servez-le encore un peu tiède.

CRUMBLE AUX POMMES

Croquant et craquant.

4 pommes à cuire
50 g de flocons d'avoine
50 g de polenta
½ c. à café de cannelle moulue
50 g d'amandes
2 c. à soupe de Pure Via
100 g de beurre doux

Pelez et coupez les pommes en quartiers. Disposez-les dans un plat et saupoudrez-les d'une c. à soupe de Pure Via. Dans le robot, mixez en « pulsant » les amandes, l'avoine, la polenta, la cannelle et 1 c. à soupe de Pure Via. Ajoutez le beurre jusqu'à ce que le tout soit grumeleux. Répartissez le crumble sur les pommes et faites cuire 45 min à 180 °C (th. 6).

FONTAINEBLEAU AUX FRUITS ROUGES

Un truc qui fait pousser des « oh » et des « ah » de joie aux convives, super simple à préparer et très gourmand.

4 fontainebleaux (mélange de fromage blanc et de crème fraîche liquide monté au siphon, à acheter chez le fromager)
250 g de myrtilles
125 g de framboises
125 g de mûres
100 g de groseilles rouges
½ c. à café de poudre de vanille

Dans un grand plat, disposez autant de fontainebleaux qu'il y a de convives. Surmontez-les des fruits rouges frais et d'un peu de poudre de vanille.

COMPOTE DE POIRES

Ultra-simple, ce dessert est devenu mon « truc » lorsque j'ai désespérément envie de sucre... Cuites ainsi, les poires deviennent en effet très sucrées.

3 poires (williams, doyenné, comice, conférence)

Dans un plat creux, disposez les poires pelées, épépinées et coupées en tranches. Mettez un film au-dessus du plat et faites cuire 4 min au micro-ondes à puissance maximale (900 W).

Et aussi
On peut également préparer les pommes de la même manière, saupoudrées d'un peu de cannelle. Attention, la

chair des pommes étant moins ferme, faites-les cuire un peu plus longtemps (5 à 6 min) mais à puissance moyenne (600 à 700 W).

GRANITÉ AU CITRON DE MENTON

Un régal en saison, c'est-à-dire à la fin de l'hiver, en février-mars.

6 à 8 citrons de Menton
2 c. à soupe de sirop de riz

Faites chauffer 2 dl d'eau et le sirop de riz. Portez à ébullition avec le zeste râpé de 2 citrons de Menton. Laissez cuire 2 min, retirez du feu et laissez refroidir. Pressez le jus des citrons de Menton. Mélangez le sirop au zeste + le jus de citron. Glissez le tout au congélateur. Toutes les heures, grattez avec une fourchette pour créer des paillettes. Servez au bout de 6 h minimum.

Et aussi
Également excellent, ce granité réalisé avec une dizaine de clémentines de Corse. Attention, prélevez le zeste sur des clémentines bio, afin d'éviter toute trace de pesticides.

ASPIC D'AGRUMES À LA FLEUR D'ORANGER

Un dessert frais et gourmand.

2 pamplemousses roses de Floride
6 oranges
2 c. à soupe d'eau de fleur d'oranger

3 c. à soupe de sirop de riz
2,5 g d'agar-agar (1 c. à café rase)

Pelez à vif les quartiers des deux pamplemousses et de quatre oranges. Récupérez le jus. Répartissez les agrumes dans un moule. Dans une casserole, faites chauffer le jus de deux oranges, ainsi que le jus récupéré en coupant les quartiers de fruits. Quand le liquide est tiède, ajoutez l'agar-agar. Portez à ébullition 30 sec et retirez du feu. Ajoutez le sirop de riz et l'eau de fleur d'oranger. Versez le jus dans le moule et glissez le tout au réfrigérateur au moins 2 h. Démoulez avant de servir.

MOUSSE AU CHOCOLAT À L'AVOCAT

Une bonne alternative pour les no sugar.

2 avocats bien mûrs
10 cl de crème de coco
5 c. à soupe de poudre de cacao
2 c. à soupe de sirop de riz
1 c. à café de poudre de vanille

Au robot, mixez la chair de l'avocat, la crème de coco, le cacao, le sirop de riz et la vanille, jusqu'à obtenir une texture onctueuse. Versez dans des ramequins et laissez 2 h au frais avant de servir.

Table

Édition
Florent Massot

Coordination éditoriale
Maude Sapin

Couverture
Quintin Leeds

Mise en pages
Daniel Collet
(In Folio)

Révision
Nathalie Capiez

ISBN : 978-2-35204-409-3

Dépôt légal : mai 2016
IMPRIMÉ EN FRANCE

Imprimé en avril 2016
sur les presses de l'imprimerie « La Source d'Or »
63039 CLERMONT-FERRAND
Imprimeur n° 18690N